Janell Burley Hofmann

SMARTWISE OPVOEDEN

KINDEREN OPVOEDEN
IN HET DIGITALE TIJDPERK

SimplifyLife

De vermelding van specifieke organisaties, bedrijven of instanties in dit boek impliceert niet dat die door de auteur of de uitgever worden aanbevolen of dat de betreffende bedrijven of organisaties dit boek aanbevelen. In dit boek genoemde internetadressen waren op het moment van publicatie up-to-date.

De verhalen en voorbeelden in dit boek zijn omwille van duidelijkheid en privacy gewijzigd, veralgemeniseerd of samengesteld uit verschillende bronnen. Namen van personen, behalve die van mijn familieleden en enkele goede vrienden, zijn veranderd. Ervaringen rondom opvoeden en opgroeien zijn vaak persoonlijk van aard, en het openbaar maken ervan vraagt om zorgvuldigheid. Ik bedank alle mensen die hun verhalen met me hebben gedeeld voor hun bijdrage aan dit boek en aan het bouwen van een community waarin gewone mensen van elkaar kunnen leren.

Forte Uitgevers BV
Postbus 684
3740 AP Baarn

Vertaling: Text-Pro, Delfzijl
Redactie: Anneke Leene, Amsterdam
Omslagontwerp: Studio Jan de Boer, Amsterdam
Opmaak binnenwerk: Elgraphic bv, Vlaardingen

ISBN 978 94 6250 037 2
NUR 854

Oorspronkelijke titel: *iRules, what every tech-healthy family needs to know about selfies, sexting, gaming, and growing up*

Voor meer informatie over de boeken van Forte Uitgevers:
www.forteuitgevers.nl en www.simplifylife.nl

Gregory, Brendan, Ella, Lily en Cassidy,
ik ben jullie zo oprecht dankbaar.
Dit alles is voor jullie.

Inhoud

Aan de lezer

Mijn kinderen hebben het moeten ontgelden toen dit boek in de maak was. Ik verloor nogal eens mijn geduld en uitte dan belachelijke dreigementen als: 'Als jullie niet ophouden met ruzie maken, vieren we dit jaar geen Halloween!' Het is zelfs gebeurd dat ik hun een pak chocolaatjes in handen drukte en de deur van mijn werkkamer op slot deed om ongestoord een interview met een Australische radiozender te kunnen doen. Mijn verplichtingen aan mijn gezin zijn soms overweldigend, en dat zal voor jou niet anders zijn. Maar we moeten bereid zijn om de uitdaging aan te gaan en onze schouders eronder te zetten. Ik nodig je uit om terwijl je dit boek leest samen met mij te leren, te groeien en op te voeden. Het gaat niet alleen over de rol die de moderne technologie in onze levens en huishoudens speelt, maar ook over de denkbeelden, normen en ervaringen die bepalen hoe wij daarmee omgaan. Ik bied je een inkijkje in mijn eigen leven, in de successen en de dingen die minder goed gingen. Kies eruit wat je kunt gebruiken. Ik kan immers alleen zeggen wat mijn eigen gezin nodig heeft en wat bij ons thuis werkt, en jij zult dat voor jouw gezin moeten bepalen. Maar ik weet zeker dat *Smartwise opvoeden* ook jullie relatie met de nieuwe media beter en evenwichtiger zal maken.

We zullen in de komende hoofdstukken uitgebreid stilstaan bij de impact die de nieuwe media hebben op onze maatschappij en bij de manier waarop onze kinderen ermee omgaan. Maar we zullen ons ook verdiepen in onze eigen waarheden, onze eigen verhalen en ons eigen leven. We kunnen het immers niet over opvoeden hebben zonder te reflecteren op onze eigen normen en waarden. Ik nodig je uit om de discussie volledig op je eigen situatie te betrekken. Je zult in dit boek lezen hoe je iRules voor jouw gezin kunt opstellen. iRules zijn praktische regels met betrekking tot beeldschermgebruik die zijn afgestemd op jouw behoeftes, gezinssituatie en opvoedstijl. Ze zullen jou en je gezin in staat stellen om een gezonde relatie met de nieuwe media op te bouwen, zowel in huiselijke kring als daarbuiten.

Samen zijn we sterker.

Janell

Het contract

Lieve Gregory,

vrolijk kerstfeest! Je bent nu de trotse eigenaar van een iPhone. Hoe cool is dat! Je bent een leuke, verstandige jongen en je verdient dit cadeau. Maar er zijn wel voorwaarden aan verbonden. Lees het onderstaande alsjeblieft aandachtig door. Ik hoop dat je begrijpt dat het mijn taak is om jou op te voeden tot een evenwichtige, goed functionerende jongeman, die in staat is de nieuwe media te gebruiken zonder zijn leven erdoor te laten beheersen. Bij overtreding van de onderstaande regels zul je je iPhone weer moeten inleveren.

Ik hou waanzinnig veel van je en verheug me nu al op de tigduizend berichtjes die we de komende tijd zullen uitwisselen.

1. Het is mijn telefoon. Ik heb hem gekocht, ik betaal ervoor. Je mag hem van me lenen. Wat heb je toch een geweldige moeder!
2. Ik moet alle wachtwoorden weten.
3. Het is een te-le-foon! Dus als hij gaat, dan neem je op en zegt netjes je naam. Druk nooit een oproep weg als er 'mama' of 'papa' in het scherm staat. En dan bedoel ik ook nooit.
4. Lever je telefoon 's avonds (doordeweeks om halfacht en in het weekend om negen uur) in bij mij of je vader. Hij gaat daarna uit tot de volgende ochtend halfacht. Bel, sms of whatsapp geen vrienden die je niet op hun vaste lijn wilt bellen omdat een van hun ouders misschien opneemt. Probeer zulke dingen aan te voelen en respecteer andere gezinnen zoals wij als gezin ook gerespecteerd willen worden.
5. Hij gaat niet mee naar school. Praat met degenen met wie je weleens sms't of whatsappt. Een gesprek kunnen voeren is een vaardigheid die

je in het leven nodig hebt. Voor schoolreisjes en naschoolse activiteiten maken we aparte afspraken.

6. Als hij in de wc belandt, op de grond in stukken valt of in het luchtledige verdwijnt, betaal je zelf de kosten van reparatie of vervanging. Zoek een bijbaantje of leg een deel van je verjaardagsgeld opzij. Het gaat een keer gebeuren, dus je kunt er maar beter op voorbereid zijn.

7. Gebruik je iPhone niet om te liegen, mensen te bedriegen of te misleiden. Doe niet mee aan gesprekken die kwetsend zijn voor anderen. Wees een goede vriend of houd je afzijdig.

8. Zeg in telefoongesprekken, chatberichten of e-mails niets wat je niet persoonlijk tegen iemand zou zeggen.

9. Zeg in telefoongesprekken, chatberichten of e-mails niets tegen iemand wat je niet hardop zou zeggen waar zijn of haar ouders bij zijn. Censureer jezelf.

10. Geen porno. Zoek op internet geen dingen op die ik niet zou mogen zien. Zit je met vragen, stel ze dan aan een persoon, bij voorkeur aan mij of je vader.

11. Zet in openbare gelegenheden je telefoon uit en stop hem weg, zeker in restaurants, in de bioscoop of terwijl je met iemand praat. Je bent geen onbeschoft persoon; laat je iPhone daar geen verandering in brengen.

12. Verstuur en deel geen naaktfoto's van jezelf of iemand anders. Niet lachen! Ik weet hoe ongelooflijk intelligent je bent, maar je zult op een dag in de verleiding komen. Het is riskant en het kan je tienerjaren, je studententijd en je verdere leven bederven. Het is altijd een slecht idee. De virtuele wereld is oneindig groot en veel invloedrijker dan jij. Het is moeilijk om zulke dingen ongedaan te maken, en dat geldt ook voor een slechte reputatie.

13. Maak niet overal foto's en filmpjes van. Je hoeft niet alles vast te leggen. Beleef je ervaringen, zodat ze voor altijd worden opgeslagen in je geheugen.

14. Neem af en toe bewust het besluit om je telefoon thuis te laten. Het is geen levend wezen, of een verlengstuk van jou. Zorg dat je er niet af-

hankelijk van wordt. Laat je niet leiden door de angst om iets te missen.

15. Wil je muziek downloaden, kies dan eens voor iets nieuws, iets van voor jouw tijd, iets anders dan waar al die miljoenen leeftijdgenoten van je naar luisteren. Er is vóór jullie geen generatie geweest die over zo veel muziek kon beschikken. Zie dat als een cadeau en maak er gebruik van om je horizon te verbreden.

16. Heb je zin in een spelletje, kies dan ook eens voor een woordspel, puzzel of hersenkraker.

17. Houd je hoofd rechtop. Let op wat er om je heen gebeurt. Kijk eens uit het raam. Luister naar de vogels. Ga een stukje wandelen. Maak een praatje met een onbekende. Verwonder je over de dingen zonder altijd maar alles te googelen.

18. Je gaat geheid een keer in de fout. Dan pak ik je telefoon af, we praten erover en beginnen opnieuw. Jij en ik moeten dit allebei leren, met vallen en opstaan. Ik sta aan jouw kant, we doen het samen.

Ik hoop dat je je in deze voorwaarden kunt vinden. De wijze lessen die erachter zitten zijn niet alleen van toepassing op je iPhone, maar op je hele leven. Je groeit op in een snelle, onophoudelijk veranderende wereld met veel verleidingen. Probeer altijd zo dicht mogelijk bij jezelf te blijven. Geef je hart en je verstand voorrang boven welk apparaat dan ook. Ik hou van je en hoop dat je veel plezier zult hebben van je supervette nieuwe iPhone.

xxx,
Mam

Inleiding

Gregory, mijn oudste zoon van net dertien, zeurde al jaren om een eigen mobieltje. Ik was echter onwankelbaar, op het moralistische af, in mijn opvatting dat kinderen zo'n ding niet nodig hadden. Mijn man en ik werkten allebei in onze woonplaats en er waren genoeg mensen in onze omgeving die onze zoon met liefde zouden helpen als hij iets nodig had. Ik beschouwde het eerder als een speeltje – of beter gezegd een zoethoudertje – dan als een vangnet bij zijn klim naar meer zelfstandigheid. Ik zag vriendjes die hun telefoons voortdurend lieten slingeren, kwijtraakten tussen de kussens van de bank of achteloos neergooiden in het gras van hun basketbalveldje. Het waren kinderen, vaak niet bestand tegen de verleidingen die hun telefoon bood, en het lukte me maar niet om de meerwaarde in te zien van het hebben van een eigen mobieltje. Het leek me eerder een last. Ik had geen zin in de verantwoordelijkheid, de kosten en de problemen die het met zich mee zou brengen. Uitstel leek de enige oplossing.

Na verloop van tijd vroeg Greg er niet meer om, en hij leerde zich zonder telefoon te redden op zijn tochten door onze woonplaats, naar de bioscoop en naar de ijssalon. Ik was trots op hem en voelde me gesterkt in mijn anti-smartphonefilosofie. Maar toen de druk eraf was en zijn interesse in het algemeen wat leek af te nemen, begon ik eens wat beter op te letten. Greg kon tekstberichten versturen met zijn iPod, chatten via de Xbox en privégesprekken voeren via de computer. Het enige wat hij niet deed was bellen, en bellen leek me nu juist de onschuldigste (of in elk geval de meest vertrouwde) mogelijkheid van de smartphone. En ook al had hij er zelf geen, vanaf zijn twaalfde was hij er toch steeds vaker mee in de weer doordat steeds meer van zijn leeftijdgenoten er een hadden. Ik zag hem voortdurend met gebogen hoofd zitten chatten of sms'en met de telefoon van iemand anders. Ik had mezelf voorgehouden dat ik mijn zoon tegen dit nieuwe medium kon beschermen, maar het was ons leven al lang en breed binnengedrongen.

Ik moest eens van mijn zeepkist stappen en mijn standpunt heroverwegen. Ik werd wat milder en begon in te zien wat er niet deugde aan mijn visie. Dat Greg van ons geen eigen smartphone mocht, weerhield hem er niet van zo'n ding te gebruiken. Maar het zorgde er wel voor dat ik hem niet leerde hoe hij er op een goede manier mee om kon gaan, en dat zijn twee heel verschillende dingen. Dat besef, samen met het feit dat Greg een paar grote sprongen naar meer volwassenheid maakte, vormde de belangrijkste motivatie voor de onvermijdelijke volgende stap – hem zijn eigen smartphone geven. Het leek opeens cruciaal om hem toegang te geven tot de wereld van mobiele communicatie en hem daarbij te begeleiden.

●   ●   ●

Ongeveer een maand voor Kerstmis komt onze telefoonprovider met een aanbieding: een oud model iPhone tegen een zeer lage prijs. Ik aarzel, want ik weet niet of dit het juiste moment is om aan dit avontuur te beginnen. Maar mijn man en ik hebben iPhones en onze zoon, die een druk sociaal leven heeft, dol is op muziek en graag filmpjes en foto's deelt, zou dolblij zijn met een plekje op onze iCloud. Een aanbod als dit, met zulke gunstige abonnementsvoorwaarden en net nu we een jongen gelukkig kunnen maken met een cadeau dat hij totaal niet verwacht, doet zich misschien geen tweede keer voor.

In de weken voor kerst lig ik er 's nachts wakker van. Ik kan alleen maar hopen dat hij er klaar voor is om toegang te krijgen tot de hele wereld, waarin privacy iets onvoorstelbaars is geworden, en op een moment in zijn jonge leven waarop risico's nemen een doel op zich is. Ik denk aan alle manieren waarop ik me zonder het te weten op dit moment heb voorbereid. In het dagelijks leven schrijf ik, geef ik opvoedworkshops en werk ik als gezinscoach. Ik heb in de loop der jaren heel wat ouders van tieners gesproken over de problemen die zij tegenkwamen en de regels die ze hanteerden met betrekking tot de nieuwe media, ik heb met ze gelachen om hun missers en ervan geleerd. Ik heb artikelen gelezen over voorzieningen voor ouderlijk toezicht. Ik heb voor sommige van de gezinnen waarmee ik werkte gesprekken georganiseerd met een jeugdmedewerker van de politie over de online veiligheid van tieners. Op een gegeven moment begon het me op te vallen dat in al mijn workshops en sessies het gesprek uiteindelijk op de nieuwe media kwam. Ook uit mijn contacten met kennissen en buurtgenoten werd me duidelijk dat we allemaal op een of andere manier probeerden om het mediagebruik van onze kinderen in goede banen te leiden. En ik heb de discussie altijd thuis voortgezet om ons scherp en alert te houden.

Ik hoop dat ik met Gregory vaak genoeg open en eerlijk heb gepraat over het maken van keuzes. Ik hoop dat hij zich herinnert wat ik hem heb verteld over de gevolgen die bepaalde handelingen kunnen hebben – bijvoorbeeld over het meisje dat in haar blog schreef hoe het delen van een topless foto haar reputatie blijvend had beschadigd, over de gevolgen die een door apparaten op het nachtkastje verstoorde nachtrust voor opgroeiende tieners kan hebben, of over de beroemdheid die haastig iets twitterde en daar later spijt van kreeg. Ik hoop dat hij beseft dat dit cadeau weliswaar een blijk van vertrouwen is, een teken van mijn liefde en respect voor hem, maar dat hij altijd bij ons terecht kan als hij erdoor in de problemen komt of er niet goed mee om weet te gaan. Weet hij dat? Ik besluit het in mijn achterhoofd te houden en goed op te letten.

Dan leg ik zijn cadeau, met een enorme doos eromheen om hem op het verkeerde been te zetten, onder de boom en wacht vol spanning af. Op kerstochtend scheurt hij het pakpapier eraf en graait tussen de proppen papier naar het kleine maar machtige pakje dat onder in de doos verstopt zit. Hij lacht zijn oprechte jongenslach, terwijl hij op en neer wipt en vraagt: 'Echt?' Er wordt gelachen en geknuffeld; zijn dankbaarheid is duidelijk. Binnen enkele minuten is hij druk doende de telefoon op te laden en de apps te rangschikken. Hij zet de telefoonnummers van zijn familie en vrienden erin en verstuurt een foto van zichzelf in zijn geruite pyjama en te grote pantoffels, met daarbij het bericht: 'Vrolijk kerstfeest! Ik heb een iPhone gekregen! Dit is mijn nummer!' We raken met z'n allen verwikkeld in een groepsgesprek – opa's en oma's, ooms van ver weg, vrienden van de familie, en tientallen dertienjarigen die elkaar een gelukkig kerstfeest wensen en opscheppen over hun cadeaus en hun plannen voor de kerstvakantie. Het sms'en gaat door tot op de late avond, tot de volwassenen de pubers smeken om een nieuw gesprek te beginnen onder elkaar. Mijn zoon geneert zich ervoor dat hij iedereen heeft betrokken bij een gesprek dat inmiddels honderden berichten omvat. Het herinnert mij eraan dat hij nog moet leren om ermee om te gaan, en dat het belangrijk is om hem daarbij te begeleiden. Als ik hem die avond instop, spreken we af dat we het de volgende ochtend over regels voor het gebruik van de iPhone zullen hebben. Later die avond komen mijn eerdere overpeinzingen, mijn moederliefde en de ervaringen van die dag als vanzelf samen en ziet het iPhone-contract het levenslicht.

Ik vraag aan mijn man wat hij van het contract vindt. We bespreken het, hij brengt hier en daar een verandering aan. Adam wil nog weleens schrikken van mijn openhartigheid en directheid tegenover de kinderen, maar nu is hij te spreken over het feit dat het contract onomwonden zegt waar het op staat. Het is volgens hem niet meer dan redelijk om vooraf duidelijk tegen Greg te zijn, zodat hij niet voor verrassingen komt te staan. Mijn man vindt het contract geestig en positief van toon en merkt terloops op dat het eigenlijk algemeen toepasbaar is.

De volgende ochtend laat ik mijn zoon het contract lezen. Hij glimlacht breed en zegt: 'Goh, mam, je bent hier echt goed in. Ik geloof niet dat je iets bent vergeten.' Hij wil de regel over het meenemen naar school graag aanpassen; we spreken af dat hij zijn telefoon mag meenemen als er een excursie op het programma staat en als hij na schooltijd gaat sporten. Verder doet het hem weinig. Hij denkt dat hij de regels ook uit zichzelf wel zou hebben gevolgd; hij wil graag ongestoord slapen, heeft een hekel aan zinloos geklets en vindt het geen probleem om mij zijn wachtwoorden te geven zolang ik maar geen *creeper* word. We gaan snel weer over tot de orde van de dag, maar ik voel me een stuk beter nu ik mijn verwachtingen duidelijk heb gemaakt. Het voelt alsof ik mijn plicht als ouder heb vervuld.

Veel van de zaken die ik in mijn workshops bespreek zijn vervat in de regels van het contract, en dus besluit ik het te delen met cliënten, vrienden en familieleden. Ik stuur het ook naar Farah Miller, mijn redacteur bij de nieuwssite *The Huffington Post*. Zij post het op mijn weblog en stuurt me een e-mail waarin ze schrijft: 'Dit is echt en oprecht. Het is in geen enkel opzicht afgezaagd. Ouders zitten hierom te springen. Zet je maar schrap.' Nog geen uur later twittert Arianna Huffington er iets over. De volgende ochtend – minder dan 24 uur nadat het contract online is gezet – staat de crew van het tv-programma *Good Mor-*

ning America in mijn keuken voor een interview. Het contract wordt gebombardeerd tot 'de eerste virale sensatie van 2013' en in de maanden die volgen stromen de aanvragen voor mediaoptredens binnen. We worden overspoeld met aandacht en mijn inbox puilt uit van de reacties. Als we een paar dagen later tot onze nek in de interviews en gesprekken zitten, kijkt mijn zoon me aan en zegt: 'Sorry, mam, maar wat is hier zo interessant aan? Is dit niet iets wat alle ouders doen?'

Blijkbaar niet. In deze tijd, waarin vrijwel alle tieners online zijn, sommige kinderen al op hun zesde een mobieltje hebben en sociale netwerksites razend populair zijn, weten veel ouders waarschijnlijk niet waar ze moeten beginnen. In het medische tijdschrift *Pediatrics* las ik dat kinderen en tieners meer tijd besteden aan de nieuwe media dan aan welke andere activiteit dan ook, met uitzondering van slapen. We hebben als opvoeders onze handen vol aan onze verantwoordelijkheden en kunnen ons door de nieuwe media overweldigd voelen. Wat is de beste aanpak? Hoe kunnen we grenzen stellen en goede afspraken maken met onze kinderen? We hebben behoefte aan duidelijkheid en aan inzicht in de continu veranderende technologie. Want smartphones zijn slechts het topje van de ijsberg. iPads, gameconsoles, laptops, apps, Twitter, Instagram, Facebook, Snapchat, FaceTime, Skype, Whatsapp, sms: er komen zo veel dingen ons huis binnen waarmee we overweg moeten kunnen. Volgens het rapport *Always Connected* van het Joan Ganz Cooney Center, een onderdeel van de educatieve non-profitorganisatie Sesame Workshop, zijn kinderen van 8 tot 18 jaar dagelijks gemiddeld 10 uur en 45 minuten blootgesteld aan media als televisie, computerspellen en mp3-spelers. Moderne apparaten maken het mogelijk om meerdere dingen tegelijk te doen, zoals op internet surfen, chatten, tv-kijken en naar muziek luisteren. Hoe houden we dat allemaal in de hand?

De verhalen die ik dagelijks hoor komen niet in het nieuws. Ze gaan niet over tieners die zelfmoord plegen nadat ze online zijn gepest, over identiteitsfraude of over pedofielen op internet. Ze trekken geen aandacht van de pers, maar veranderen niettemin onze manier van leven en de manier waarop we met elkaar omgaan. Ze gaan bijvoorbeeld over een lerares die door haar leerlingen wordt gefilmd als ze bukt om een vilstift op te rapen en zichzelf later terugziet op internet, over tienermeisjes die foto's van elkaar maken terwijl ze slapen of zich aan het omkleden zijn en die vervolgens ongevraagd online zetten, over een moeder die zich zorgen maakt over de gewelddadige computerspelletjes die haar zoon bij een vriendje thuis speelt, of over een kleuter die tijdens een familieweekend urenlang met de iPad van haar oudere neven mag spelen. Dit soort zaken, en de vragen die ze oproepen over gedrag, omgangsvormen en goede manieren, zijn in talloze huishoudens aan de orde. Ik heb dagelijks te maken met ouders die zich afvragen hoe ze met zulke situaties moeten omgaan. Ze zoeken naar manieren om zich te wapenen tegen de mobiele, overal toegankelijke technologie die doordringt in elk moment en elk aspect van ons leven.

Ik heb mijn oorspronkelijke iPhone-contract inmiddels uitgebreid tot een algemene verzameling regels die van toepassing zijn op alle apparaten in huis, en die ik iRules noem. In mijn workshops, lezingen en coachingsessies raad ik ouders aan hun eigen iRules-contract met regels voor beeldschermgebruik op te stellen. Mijn contract wordt inmiddels door veel ouders als voorbeeld gebruikt. Er is me honderden keren om kopieën gevraagd en ik word dagelijks benaderd door ouders, leerkrachten, kerkgroepen en ouderverenigingen die willen weten hoe ze zelf iRules kunnen opstellen of gesprekken over het gebruik van de nieuwe media het beste kunnen inkleden.

De meeste ouders die ik spreek – of het nu tijdens mijn wekelijkse bijdrage aan het radioprogramma *Marketplace Tech*, een van mijn workshops of coachingsessies is – vragen me hoe ze persoonlijke interactie kunnen stimuleren en hun kinderen kunnen leren om op een respectvolle, integere manier met de moderne technologie om te gaan. Ik noem dat *slow tech*-ouderschap, een onderwerp waarop ik hieronder zal terugkomen. Hoe daar in de praktijk invulling aan kan worden gegeven verschilt per gezin, misschien zelfs per kind, maar de manier waarop iRules tot stand komen is altijd hetzelfde. Ouders moeten hun eigen gedragsregels met betrekking tot de nieuwe media opstellen en die afstemmen op hun huiselijke omstandigheden en opvoedstijl, de leeftijd van hun kinderen en de apparaten die in huis aanwezig zijn. Naast de gang van zaken in mijn gezin beschrijf ik in dit boek ervaringen van andere gezinnen, onderwijsmedewerkers en andere mensen die beroepshalve met kinderen en gezinnen werken. Daarbij geef ik informatie en advies om je te helpen het persoonlijke contact te bewaren en toch gebruik te maken van de voordelen van de nieuwe media. Ook bespreek ik manieren om je daarmee vertrouwd te maken, zodat je je er beter tegen opgewassen voelt.

Smartwise opvoeden zal je in staat stellen de principes van mijn contract toe te spitsen op jouw kinderen, op basis van de normen en waarden die binnen jouw gezin gelden. Je kunt het beschouwen als een handboek voor opvoeden in het digitale tijdperk. De beste manier om huidige en toekomstige uitdagingen het hoofd te bieden, is teruggrijpen op de basisbeginselen van het opvoeden. Veel ouders creëren een valkuil voor zichzelf door te denken dat nieuwe technologie om nieuwe regels vraagt. Dat is niet zo. *We moeten simpelweg onze gebruikelijke opvoedstrategieën en opvattingen op de nieuwe media toepassen.* We moeten de normen en principes die we als ouders hanteren op een rij zetten en ze loslaten op de moderne technologie. Zo ontstaat er een persoonlijke verzameling iRules die een afspiegeling is van onze eigen denkbeelden over opvoeden.

Als voorbeeld gebruik ik in dit boek de drie pijlers waarop de opvoeding van mijn kinderen rust: respect, verantwoordelijkheid en het stimuleren van een bewuste levenshouding. In afzonderlijke delen bespreek ik hoe ik deze drie pijlers in de praktijk toepas op het gebruik van de nieuwe media.

Het leven van onze kinderen speelt zich niet meer alleen op school, thuis en in de speeltuin af. Ze zijn volledig ondergedompeld in een nieuwe online wereld met zijn eigen omgangsvormen, taal en potentiële problemen. Dit boek werpt licht op de talloze, onophoudelijk veranderende manieren waarop onze kinderen online actief zijn en maakt duidelijk hoe we hen kunnen helpen een goede relatie met de nieuwe media op te bouwen. De vraag in hoeverre wij ze in dit digitale tijdperk kunnen begeleiden is van grote betekenis voor hun zelfvertrouwen, zelfbeeld en sociale gewoontes en de omvang van hun concentratieboog.

Kinderen die zich in fysiek en emotioneel opzicht geborgen voelen, hebben meer zelfvertrouwen. Ze maken online betere keuzes en houden zich aan regels. Als kinderen grenzen opgelegd krijgen, gerespecteerd worden en zich daardoor serieus genomen voelen, ontstaat er een vertrouwensband tussen ouder en kind. De belangrijkste boodschap van dit boek is dan ook dat technologieën weliswaar veranderen, maar dat het noodzakelijk blijft om onze kinderen zelfrespect, integriteit en verantwoordelijkheid bij te brengen.

Aan het schrijven van dit boek ging een grondig zelfonderzoek vooraf. Ik moest zowel mijn eigen denkbeelden over opvoeden als mijn motivatie om ze met andere ouders te delen onder de loep nemen. Ik vond dat ik niets kon opschrijven voordat ik zelf precies begreep welke boodschap ik wilde overbrengen. In een gesprek met mijn literair agent Amy Hughes kwam op zeker moment ter sprake hoe belangrijk het is dat we ons tot de nieuwe media weten te verhouden en er op een evenwichtige, doelgerichte manier gebruik van maken. En opeens viel het me in! We kennen al de *slow food*- en de *slow living*-beweging, dus waarom kiezen we als ouders niet voor *slow tech*-ouderschap? Slow tech-ouders creëren een goede balans tussen mediagebruik en persoonlijke interactie, door te kiezen voor een actieve opvoedstijl waarbij de sociale media zodanig worden gebruikt dat ze een aanvulling zijn op traditionele vormen van menselijk contact. De slow tech-aanpak brengt degenen die de nieuwe media omarmen, degenen die er huiverig voor zijn en degenen die ermee opgroeien samen en overbrugt zo de kloof tussen moderne technologie en een bewuste levenshouding.

Maak kennis met

het gezin Hofmann

De ouders

Adam: 37 jaar
Rol in het dagelijks leven: Superheld, vader van vijf kinderen
Technologisch profiel: Alleskunner op technologisch gebied. Kan elk
probleem met een computer, televisie of ander apparaat oplossen.
Bouwt moeiteloos en met veel plezier websites zonder daarvoor enige
training te hebben gehad. Verslaafd aan het onderzoeken en kopen
van de nieuwste gadgets. Zeer te spreken over de
gebruiksvriendelijkheid van Apple-producten en het grote aanbod van
muziekdiensten als Spotify. Is een jaar geleden zomaar gestopt met het
gebruik van online sociale netwerken en heeft ze geen minuut gemist.

Janell: 34 jaar
Rol in het dagelijks leven: Spreekster, schrijfster, moeder van vijf
kinderen
Technologisch profiel: De ijverigste leerling van het gezin als het op
moderne technologie aankomt. Zelfbenoemd expert op het gebied
van de nieuwe media. Maakt dagelijks gebruik van Facebook, Twitter
en Instagram. Twijfelt ernstig aan zichzelf als ze rondkijkt op Pinterest,
maar kan er desondanks niet mee stoppen. De allergrootste iPhone-
fan die er bestaat. Verslaafd aan het maken van foto's en het toevoegen
van filters en randen om ze een artistieke uitstraling te geven. Blogt,
leest e-books en streamt. Luistert graag naar podcasts en muziek.

De nakomelingen

Gregory: 14 jaar
Rol in het dagelijks leven: Scholier
Technologisch profiel: Trotse eigenaar van een iPhone (met bijbehorend contract!). Houdt van chatten en de Xbox 360. Heeft een e-mail-, een Xbox-, een Twitter-, een Instagram-, een Skype-, een Snapchat-, eenYouTube-, een Vine- en een Kik-account.

Brendan: 11 jaar
Rol in het dagelijks leven: Basisschoolleerling (groep 7)
Technologisch profiel: Dol op de Xbox 360. Zou zijn ziel verkopen om vijf minuten langer Minecraft of Clash of Clans op de iPad te mogen spelen. Kan in beperkte mate gebruikmaken van Gregory's oude iPod Touch en doet dat voornamelijk om naar muziek te luisteren (sociale netwerkaccounts zijn niet toegestaan). Heeft ergens in zijn kast nog een Nintendo DS liggen. Zeurt sinds kort of hij een Instagram-account mag.

Ella: 9 jaar
Rol in het dagelijks leven: Basisschoolleerling (groep 6)
Technologisch profiel: Vindt het leuk om op de iPad naar videoclips te kijken en foto's van puppies en paarden te googelen, of advertenties waarin deze te koop worden aangeboden. Dol op apps als Angry Birds en Cut the Rope. Kijkt stiekem onder een deken naar televisieprogramma's waarvoor ik geen toestemming heb gegeven.

Lily: 7 jaar
Rol in het dagelijks leven: Basisschoolleerling (groep 4)
Technologisch profiel: Levert heel wat strijd om tijd met de gezins-iPad te bemachtigen, zodat ze spelletjes kan spelen, apps kan gebruiken en online kan oefenen met rekensommen. Dol op Minecraft. Heeft een iPod voor muziek, waar ze stiekem eenvoudige spelletjes op zet.

Cassidy: 5 jaar

Rol in het dagelijks leven: Basisschoolleerling (groep 1)

Technologisch profiel: Bezit een tweedehands iPod, die doorgaans
kwijt of niet opgeladen is. Dat leidt tot evenveel huilbuien als het niet
hebben van een iPod deed, zodat er geen sprake is van enige winst.
Heeft een serieuze iPad-verslaving.

Daar gaan we!

Alsof boeken over opvoeden nog niet vermoeiend genoeg zijn, heb jij ervoor gekozen om een boek over opvoeden en nieuwe media op te slaan. Al dat onbekende terrein, al die nieuwe informatie, wat een verschrikking! Maar ik beloof dat het geen pijn zal doen. Ga gewoon stapsgewijs te werk. Begin met wat zelfonderzoek en beantwoord de vragen op bladzijde 26. Bedenk dat je niet de enige bent die geneigd is de andere kant op te kijken omdat het allemaal zo overweldigend lijkt. Beroepsmatige techneut of digitale alleskunner of niet, onze kinderen met zulke dingen opvoeden is nieuw voor ons allemaal. Zelfs als je kind nog in de luiers ligt en je nog minstens tien jaar denkt te hebben voordat gierende hormonen en onverantwoorde keuzes om de hoek komen kijken, is de moderne technologie minder ver weg dan je denkt. Je zult te maken krijgen met online spelletjes voor peuters, leeftijdsindicaties op games en sociale netwerksites die mikken op kinderen uit groep 4. Zitten je oogappeltjes al op de middelbare school, dan zal jij ze met jouw kennis van de nieuwe media op weg moeten helpen en ze moeten voorbereiden op hun volwassen vrijheden en hun werkzame leven. We zullen in dit boek dus uitgebreid stilstaan bij de ins en outs van de nieuwe media – praktische aspecten, prangende kwesties en voorbeelden uit het leven van alledag. Maar we zullen het ook hebben over gezinswaarden als respect en verantwoordelijkheid, en prioriteiten als bewust en aandachtig leven. Hoe je als ouder met de nieuwe media omgaat zal niet veel verschillen van de manier waarop je je kinderen in het algemeen opvoedt. En dat is precies waar het om gaat!

Klaar voor de start... wacht!

Misschien heb ik het helemaal mis. Een vader schreef me: 'U hebt het bij het verkeerde eind. U maakt zich druk om niets. Wat maakt het uit dat onze kinderen naar beeldschermen zitten te kijken of alleen online met elkaar communiceren? U denkt er te veel over na. Alles waaraan u probeert vast te houden is in de ogen van onze kinderen achterhaald. Dit is de toekomst, accepteer dat.'

Ik heb kritisch over zijn woorden nagedacht. Echt waar. Ik weet dat ik de neiging heb om zaken uitvoerig te overdenken, te ontleden en te bediscussiëren (zoals op de volgende bladzijden duidelijk zal worden). En tot op zekere hoogte ben ik het met deze vader eens. De moderne technologie is de toekomst. Onze kinderen groeien ermee op. Wat heeft het voor zin om daar zo'n punt van te maken? Maar aan de andere kant ben ik het niet met hem eens. Wij hebben een unieke kijk op deze grote culturele verandering, doordat we zowel een wereld met als een wereld zonder nieuwe media kennen. Wij kunnen ervoor kiezen om bepaalde dingen te behouden. We kunnen de kindertijd van onze kinderen beschermen en echte ervaringen stimuleren. Ik weet niet waarom ik het zo belangrijk vind dat ze tijdens een autorit af en toe uit het raam kijken in plaats van naar een beeldscherm. Ik weet ook niet precies waarom ik er juist nu zo aan hecht dat mijn kinderen leren om degene bij wie ze een ijsje bestellen in de ogen te kijken, of hun telefoon weg te stoppen als ze met anderen aan tafel zitten. Maar ik denk dat pas echt alles mogelijk zal zijn als we ons best doen om deze simpele vormen van menselijk contact te bewaren en bewust met de moderne technologie om te gaan. Dan kunnen we alles veranderen en creëren wat we willen. Dat denk ik echt.

Misschien heb ik het inderdaad mis. Misschien denk ik er te veel over na. Maar ik moet deze gedachten uitspreken. Ik moet ze delen. Want weet je – ik heb meer dan ooit het gevoel dat ik gelijk heb.

Test jezelf!

Welke van deze vragen beantwoord je met 'ja'?

○ Voel je je soms overweldigd door de hoeveelheid sociale netwerken die je kind ter beschikking staan? Weet je hoe ze werken?

○ Ben je bang dat je kinderen denken dat je ze niet vertrouwt als je erop staat dat ze hun wachtwoorden geven en vertellen op welke sites ze allemaal zitten?

○ Weet je met wie je kinderen online praten en spelen?

○ Zijn je kinderen nog klein en voer je nu al veel strijd met ze over mobiele apparaten en beeldschermtijd?

○ Heb je weinig kennis van privacyinstellingen en voorzieningen voor ouderlijk toezicht?

○ Maak je zelf onophoudelijk gebruik van de nieuwe media en ben je bezorgd over het voorbeeld dat je je kinderen geeft?

○ Zitten je kinderen vaker over hun beeldschermen gebogen of aan hun gameconsoles vastgeplakt dan je lief is?

○ Heb je ongepast online gedrag geconstateerd, maak je je daar zorgen over en vind je het moeilijk om er met je kind over te praten?

○ Heb je een hekel aan moderne apparaten? Deins je terug bij de gedachte dat je je erin moet verdiepen en je kinderen regels moet opleggen voor het gebruik ervan?

○ Ben je je bewust van een culturele verschuiving op het gebied van omgangsvormen, sociale interactie en levensbewustzijn?

○ Wil je dat je kinderen zich ook zonder beeldschermen kunnen vermaken?

○ Wil je dat je kinderen de moderne technologie op een goede manier leren gebruiken zonder zich erdoor te laten overheersen?

○ Bemoei je je totaal niet met het mediagebruik van je kinderen en denk je dat het tijd is om daar verandering in te brengen?

Uitkomst: Misschien wil je het boek nu dichtslaan omdat deze vragen je een schuldgevoel geven, onzeker maken of irriteren. Wacht! Ik begrijp hoe je je voelt! Het is iets wat alle ouders herkennen, maar we kunnen het samen aan. Vind je dat je je als ouder al prima met de nieuwe media weet te redden, lees dan ook verder. Ik heb namelijk heel wat te vertellen. Doe gewoon je voordeel met wat je kunt gebruiken en laat de rest voor wat het is. Ik garandeer je dat je nieuwe dingen zult leren of op z'n minst iets zult tegenkomen wat aanleiding geeft tot discussie.

DEEL 1

Respect

*Wees vriendelijk, spreek de waarheid,
kom op voor wat goed is, werk aan positieve
relaties, eet gezond, ga op tijd naar bed,
geloof in jezelf, wees dapper,
geef het goede voorbeeld.*

Opletten en ingrijpen

Smartwise: Praten en nog eens praten

> **Mijn iRule:** Het is mijn telefoon. Ik heb hem gekocht, ik betaal ervoor. Je mag hem van me lenen. Wat heb je toch een geweldige moeder!

Toen we onze kinderen kregen, wisten we niet wat ons te wachten stond. We hadden geen idee dat technologische ontwikkelingen zo'n ingrijpende rol in ons leven zouden gaan spelen. We verwachtten niet dat zowel wij als onze kinderen er zo veel mee te maken zouden krijgen. Dat geldt tenminste voor mij. Toen ik in 1999 voor het eerst moeder werd, was ik nog bezig met mijn studie. We hadden een pc en die gebruikte ik maar voor één ding: tekstverwerken. Als een toonbeeld van doelgerichtheid maakte ik mijn opdrachten en verslagen tijdens babyslaapjes en in de late avonduren. Ik had ook al e-mail, maar ik gaf er toch meestal de voorkeur aan mensen op te bellen of met ze af te spreken voor een kop koffie. Ik weet nog dat we kabelinternet lieten installeren in de piepkleine hoekkamer van ons appartement toen Gregory ongeveer anderhalf was. Dat was het helemaal. Het werkte zo snel! Ik kon nu dingen opzoeken, online winkelen en muziek luisteren zonder in te bellen en te moeten wachten. Ik was verrukt over alle mogelijkheden van de computer en over alle manieren waarop ik – in een oogwenk – vanuit mijn huis de hele wereld kon bereiken.

Gelijktijdig met zijn spraakvermogen ontwikkelde Gregory belangstelling voor de computer. Zodra ik 's ochtends dat warme, slaperige babylijfje optilde zei hij: 'Elmo! Puter!' Vertederend! Ik vond hem ook heel slim, want ik had nog nooit een baby met een voorliefde voor computers meegemaakt. Na het ontbijt gingen we samen achter de 'puter' zitten om spelletjes te doen. Op mijn schoot gezeten vroeg hij dan om Sesamstraat of Bob de Bouwer. Eerst wees hij alleen naar dingen, die ik dan aanklikte. Zo speelden we samen en hadden we dikke pret om onze favoriete personages. Maar na verloop van tijd duwde hij steeds vaker mijn hand weg om zelf de muis te bedienen en wilde hij in zijn eentje achter de computer zitten. 'Nee, mama, ik doen!' Hij raakte in de ban van al die opwindende spelletjes, verhalen en liedjes die hij nu binnen zijn bereik had. Ze waren heerlijk voorspelbaar maar hadden net genoeg mogelijkheden om zelf dingen te veranderen of de actie te beïnvloeden om een tweejarige te blijven boeien. Zodra Greg bij zijn grootouders of bij vriendjes thuis de computer in het oog kreeg, wilde hij ermee spelen. We moesten timers instellen en andere hulpmiddelen gebruiken om zijn aandacht af te leiden en soms de computer voor een paar uur helemaal uitzetten om van het gezeur af te zijn. Ik moet nu lachen als ik eraan terugdenk, omdat ik besef dat we al het grootste deel van Gregs leven bezig zijn met het vaststellen en uitonderhandelen van beeldschermregels.

Maar zelfs toen nog, terwijl ik zag hoezeer Gregory in beslag werd genomen door de computer, besefte ik niet waar het naartoe zou gaan. Als je me toen had verteld dat mijn zoon binnen afzienbare tijd een computer en mobiele telefoon in één – uitgerust met een camera en allerlei handige communicatiefoefjes – in zijn achterzak zou hebben, had ik je voor gek verklaard. Niemand zal ooit zoiets nodig hebben, en een kind al helemaal niet, zou ik hebben gedacht. En zie nu eens op welk punt we zijn aanbeland. Wij zijn de generatie ouders die de brug vormen tussen vóór en ná de opkomst van de nieuwe media. We hebben het zelf zonder gedaan in onze kindertijd, en we voeden nu de eerste generatie op die ermee opgroeit. We profiteren van inzichten uit ons technologiearme verleden, maar er is niemand die ons de weg wijst naar onze technologische toekomst. Dus hoe pakken we dat aan? Hoe kunnen we als ouders de technologische ontwikkelingen van deze tijd de baas blijven met onze huidige kennis, vaardigheden en intuïtie?

Ik geloof dat de dialoog de belangrijkste factor is bij het opvoeden van kinderen. In gesprek met onze kinderen kunnen we oplossingen vinden, problemen voorkomen, samen lachen, een band smeden, het oneens zijn, elkaar begrijpen, delen en groeien. We moeten praten, vragen stellen, verhalen uitwisselen. We moeten overleggen met onze partners en familieleden, en in gesprek gaan met leraren, dokters en buren. We moeten de behoeftes, de doelstellingen, de normen en waarden van ons gezin in kaart brengen en toepassen op de nieuwe media – zelfs als dat betekent dat we het anders doen dan anderen. Want als we praten met onze kinderen, onze partners en de mensen in onze omgeving voelen we ons niet alleen. Dan sterken we elkaar in onze opvattingen, of het nu om gedeelde of tegengestelde standpunten gaat. We worden zekerder van onze zaak, en dat maakt ons betere ouders.

Als we het als ouders even niet meer weten, moeten we toch onze rug recht houden en ons hoofd fier rechtop. We mogen niet wegduiken voor het feit dat wij *de ouders* zijn. Wij hebben het gezag over onze kinderen. Niet op een autoritaire, overheersende manier die hun geen ruimte laat om fouten te maken, maar als rolmodel en gids voor hun hele verdere leven. We kunnen ze liefdevol begeleiden en toch grenzen stellen. We moeten achter onze keuzes staan en ons bewust worden van wat het voor ons betekent om een gezin te vormen. Maar opvoeden is een deels aangeboren, deels aangeleerde vaardigheid. We moeten onze taak serieus nemen en het ouderschap beschouwen als een van de grootste verantwoordelijkheden die we ooit zullen dragen. Daarvoor is het nodig dat we vertrouwen op onze intuïtie en elke gelegenheid aangrijpen om onszelf verder te ontwikkelen.

Beeldschermregels zullen per gezin verschillen. Zo zullen ouders die gebruikmaken van naschoolse opvang hun kinderen 's avonds misschien meer beeldschermtijd geven dan ik, omdat Greg meestal al om kwart voor drie uit school komt. We hebben allemaal onze eigen dagindeling, maar kunnen dezelfde strategieën toepassen om huisregels op te stellen. Voorafgaand aan de eerste stap – een goed gesprek over beeldschermgebruik – moeten we een paar dingen bespreken en stilstaan bij onze opvattingen.

Voor je erover begint

Werk samen! Om beeldschermregels te laten werken is het van groot belang dat jij, je partner en eventuele medeopvoeders op één lijn zitten. Ga als dat nodig is eerst in gesprek met elkaar, zonder de kinderen, zodat eventuele meningsverschillen uit de weg geruimd kunnen worden en iedereen die bij de opvoeding betrokken is kan meedenken over de iRules voor jouw gezin. Dat is absoluut noodzakelijk. Succes staat of valt met samenwerking!

Al was ik degene die destijds onze beeldschermregels opstelde, in de jaren daarvoor hadden Adam en ik al vaak gesproken over hoe we tegenover moderne technologie stonden. We zijn er allebei gek op, maar om verschillende redenen: hij waardeert een apparaat vooral om de functionaliteit, de strakke vormgeving en andere praktische zaken, terwijl ik meer oog heb voor de sociale gebruiksmogelijkheden – foto's maken, berichten versturen en dingen delen. Dat verschil in opstelling was van invloed op onze beeldschermregels. We praatten over de technologische ontwikkelingen die zich voltrokken, waarvan de invloed zich naar steeds jongere kinderen begon uit te strekken. We bespraken artikelen die we hadden gelezen en dingen die we van anderen hadden gehoord. Voor het aan Greg voor te leggen liet ik Adam ons iRules-contract doorlezen, wijzigen en en aanvullen, om er zeker van te zijn dat we het allebei consequent zouden naleven.

Ga voordat je in gesprek gaat over regels voor beeldschermgebruik eens bij jezelf na welke gevoelens verschillende apparaten oproepen. Ben je zelfverzekerd in het gebruik ervan, of voel je je erdoor geïntimideerd? Wat vind je ervan als je kinderen ze gebruiken? Kan je wel schreeuwen als je dochter al uren naar het scherm van haar smartphone zit te staren? Krimp je ineen als je zoon gewelddadige games speelt? Word je wanhopig als je peuter op de grond om je iPad ligt te brullen? Sta stil bij die gevoelens, zodat je je bij het bepalen van grenzen bewust blijft van welke emotionele lading daar voor jou achter zit.

Ik moet bekennen dat technologische ontwikkelingen mij soms een onbehaaglijk gevoel geven. Ik heb een mediastudie gevolgd en de schrijfopdrachten, onderzoeken en colleges hebben me blijvend beïnvloed. Ik heb gezien hoe de media waarneming en gedrag kunnen veranderen – vooral als er sprake is van onachtzaam gebruik – en hoe gemakkelijk de beelden en boodschappen onze standpunten en ideeën kunnen vervormen. Ik heb altijd geprobeerd te voorkomen dat mijn zoons en dochters hun opvattingen over rollenpatronen zouden baseren op wat ze bijvoorbeeld op televisie zien. Ik wilde hen aanmoedigen om zelf na te denken over wie ze willen zijn. Dat vind ik nog steeds belangrijk. Je zult zien dat de ervaringen uit je verleden je tolerantie ten aanzien van de nieuwe media beïnvloeden. Hoe groter ons inzicht in onszelf en onze opvoedstijl, hoe beter we weten welke kant we met onze kinderen op willen.

Ik heb een hekel aan bepaalde televisieprogramma's en games. Ik zou willen dat mijn kinderen altijd naar de *Teletubbies* bleven kijken en Super Mario bleven spelen, omdat die onschuldig zijn. Ik vind het belangrijk dat ze positieve relaties opbouwen, en het is me nooit gelukt om in te zien in hoe de hele dag rondhangen op sociale netwerksites daaraan zou kunnen bijdragen. Maar toen ik bezig was met het formuleren van mijn eigen iRules, kon ik naarmate ik me meer verdiepte in de achterliggende waarden steeds duidelijker mijn eigen invloed erin herkennen. Mijn maatstaven waren helder, dus ik kon het loslaten en Greg binnen de grenzen van mijn opvoedprincipes plezier laten beleven aan sociale netwerken.

Het is van belang dat we begrijpen wat ons motiveert als ouders. We moeten ons ervan bewust zijn waarom we soms ingrijpen en soms toegeven, ons de ene keer ergens boos over maken en het een andere keer door de vingers zien. Zelfinzicht geeft houvast bij het opvoeden. Ouders die weten wie ze zijn, waar ze voor staan en wat ze willen voor hun kinderen, hebben geen moeite met grenzen stellen. Wees niet bang om naar binnen te kijken en jezelf te leren kennen. Jaagt de moderne technologie je angst aan? Schrijf op waar je bang voor bent! Gevaarlijke individuen op internet? Beeldschermverslaving? Te weinig beweging? Verminderde verbeeldingskracht? Als we onze angsten onder woorden brengen, kunnen we regels en strategieën opstellen om te voorkomen dat ze werkelijkheid worden. Toen Greg zijn iPhone kreeg, was ik bang dat hij eraan verslaafd zou raken en hem al of niet stiekem overal mee naartoe zou nemen. Mijn bestaan als moeder was op dat moment al één grote uitdaging waarbij mijn onderhandelingsvaardigheden voortdurend op de proef werden gesteld. Ik was bang dat mijn open verstandhouding met Greg zou stuklopen op de iPhone. Ik wilde als ouder de controle houden en vreesde met name dat ik Greg aan zijn smartphone zou verliezen – dat het apparaat zijn hele wereld zou worden en al het andere zou overschaduwen. Dus stelde ik een aantal regels op om te voorkomen dat dit zou gebeuren.

Elk kind moet als een individu worden beschouwd. Dat klinkt heel eenvoudig, maar ik weet wel beter. Ik deel mijn kinderen bijvoorbeeld vaak in op basis van hun leeftijd en geslacht: 'De meisjes mogen niet naar dat programma kijken, zet een andere zender op', of: 'De jongens zijn moe, zij moeten vroeg naar bed.' Hoe meer kinderen je hebt, hoe moeilijker het soms is om hun individuele behoeftes in het oog te houden. Het is daarom belangrijk om met betrekking tot mediagebruik een profiel van elk kind te maken. Maak overzichten van leeftijden, interesses, voorkeuren, persoonlijke eigenschappen, moeilijkheden, enzovoort. Dat zal je helpen te bepalen hoe jouw iRules eruit moeten zien. Speelt je kind graag buiten of brengt het meer tijd binnen door? Is het extravert of verlegen? Is huiswerk maken een twistpunt? Staat de agenda vol met allerlei activiteiten? Dit is het profiel dat ik van Brendan maakte toen we de regels voor zijn beeldschermgebruik opstelden:

Brendan: Elf jaar oud. Houdt van basketbal en voetbal, speelt vaak met vriendjes uit de buurt. Maakt zijn huiswerk uit eigen beweging en zonder hulp. Heeft tien uur slaap nodig, maar zeurt onophoudelijk of hij later naar bed mag. Zeurt ook om tussendoortjes, over het eten en om meer beeldschermtijd. Wil dezelfde beeldschermregels als Greg, die drie klassen hoger zit.

Wat ik heb geleerd: Ik moet streng zijn en niet onderhandelen over zijn beeldschermtijd, want hij zal altijd proberen de grenzen op te rekken. Ik maak me zorgen dat hij stiekem games speelt die ongeschikt zijn voor zijn leeftijd (vooral wanneer hij niet thuis is). Ik ben niet bang dat hij te weinig buiten speelt, beweegt of met leeftijdgenootjes omgaat. Ik maak me ook geen zorgen over zijn schoolprestaties. Hij is beweeglijk en actief en moet dus goed eten en op tijd naar bed. Voor Brendan werkt een beeldschermverbod doordeweek (met uitzondering van televisieprogramma's voor het hele gezin en huiswerk op de computer) het best.

Deze twee korte alinea's zijn een goede basis voor Brendans beeldschermregels. Ik kan gebruikmaken van wat ik weet over mezelf en de anderen die bij de opvoeding van mijn kinderen betrokken zijn, onze opvoedprincipes en het profiel van mijn kind. Iedere ouder kan regels bedenken en er consequenties aan verbinden, dat is opvoeden in zijn simpelste vorm: 'Je moet om negen uur thuis zijn. Kom je ook maar een minuut later, dan heb je een week huisarrest.' Er zijn veel situaties te bedenken waarin dit soort rechttoe-rechtaan ouderschap geschikt is. Maar de nieuwe media maken het ons lastiger, omdat er soms sprake is van een grijs gebied. We zullen dus ons best moeten doen om grenzen vast te stellen die effectief zijn en zo min mogelijk weerstand oproepen. Daarom werken iRules zo goed: ze kunnen worden aangepast aan ieder kind, elke gezinssamenstelling en elke situatie. Je stelt je kinderen in staat vertrouwd te raken met nieuwe technologieën onder het toeziend oog van degenen die het dichtst bij hen staan – hun ouders. Een iRules-contract is een uniek en doeltreffend hulpmiddel dat niet alleen werkt voor het individu, maar voor het hele gezin.

Praten over beeldschermgebruik

Als je je normen en waarden onder de loep hebt genomen en de eigenschappen en behoeftes van je kinderen in kaart hebt gebracht, is het tijd om in gesprek te gaan. Voer met elk van je kinderen een goed voorbereide dialoog over de specifieke media die hij of zij gebruikt. Dat kan in fases en je kunt er altijd op terugkomen om standpunten bij te stellen, nieuwe situaties te bespreken of te overleggen over het gebruik van nieuwe apparaten. Technologieën en de manieren waarop we ze gebruiken veranderen onophoudelijk, en dat geldt ook voor je kinderen. Blijf opletten en wees zo nodig bereid om je regels voor beeldschermgebruik aan te passen! Lees voordat je het gesprek aangaat dit hoofdstuk door.

In het ideale geval vindt een gesprek plaats voordat een nieuw medium in gebruik wordt genomen – proactief handelen is altijd het beste – maar onze kinderen gebruiken nieuwe technologieën vaak al voordat we het in de gaten hebben. Een inventarisatie van gebruikte media is daarom een goed begin.

Fase 1: Verzamel informatie

o Welke media gebruik je?
o Kun je me laten zien hoe ze werken, en mij iets leren over de media die ik niet ken?
o Mag ik je online profiel zien?
o Wanneer zit je hier graag op en waarom?

Fase 2: Formuleer je verwachtingen

o Vertel voor elk medium wat jij verstaat onder passend gebruik, bijvoorbeeld wat betreft tijdslimieten, verwachtingen, enzovoort.
o Gesprekken over beeldschermgebruik kunnen plaatsvinden wanneer en zo vaak jij dat wilt.
o Wees duidelijk en direct, maar laat ruimte voor het stellen en beantwoorden van vragen.
o Hoelang het gesprek duurt en hoe diep het gaat, hangt af van leeftijd en karakter van je kind, van het aantal apparaten in huis en van wat jullie eerder besproken hebben.
o Als je de informatie die je kind geeft wilt laten bezinken voordat je regels stelt, kun je het gesprek onderbreken en je voorwaarden voor beeldschermgebruik later bespreken.

Voorbeeld: Dit is wat ik van je verwacht. Je mag op vrijdag na schooltijd op je Xbox spelen tot je naar bed gaat, en op zondag tot vijf uur. Je mag games spelen die geschikt zijn voor kinderen tot zestien jaar, maar je moet ons om toestemming vragen voor je een nieuw spel koopt.

Fase 3: Kom erop terug!

o Blijf praten. Wacht niet tot zich een crisis of meningsverschil voordoet. Praat regelmatig over beeldschermgebruik om de communicatie op gang te houden.
o Heeft je kind toen het naar de brugklas ging een nieuw account op een sociaal netwerk aangemaakt, of bijvoorbeeld een iPad gekregen? Ga dan opnieuw om de tafel.
o Merk je een gedragsverandering op of vermoed je dat je kind zonder

toestemming games koopt waar jij je niet prettig bij voelt? Voer dan een vervolggesprek.

Een vervolggesprek met Greg

Greg: Mam, kunnen we even praten over de beeldschermregels voor de zomervakantie? In de vakantie vind ik halfacht doordeweeks echt te vroeg om mijn telefoon uit te zetten.
Ik: Daar kan ik inkomen. Ik zal het met je vader bespreken en dan komen we erop terug.

Een dag of twee later spreken we af dat hij in de zomervakantie tot negen uur mag bellen, sms'en en facetimen. Greg mag in de zomer meer zijn eigen gang gaan, dus ik heb er wel begrip voor als hij af en toe iets langer online blijft, maar om tien uur moet alles uit. Achteraf blijkt trouwens dat hij dan meestal al diep in slaap is.

Het kan zijn dat je op verzet stuit. Een terugkerend punt van discussie in onze gesprekken met Greg is de leeftijdsindicatie op bepaalde games. In het algemeen hanteer ik strikte regels, maar ik ben wat flexibeler als zijn broer en zussen niet thuis zijn of al in bed liggen, als het geluid uit staat, als hij niet te lang tijd heeft om te spelen en (ik kan niet geloven dat ik dit zeg) de optie bloed is uitgeschakeld.* Jazeker! Veel games kunnen zo ingesteld worden dat er geen bloed te zien is tijdens gewelddadige scènes, om ze minder heftig te maken.

---

* Ik besef dat dit niet flexibel overkomt, maar ik heb een grote hekel aan de meeste games. Ik begrijp niet wat er leuk aan is. In plaats van ze allemaal in de vuilnisbak te kieperen sluit ik daarom een compromis: je speelt ze volgens mijn voorwaarden, of helemaal niet. Oké, helemaal niet flexibel, maar de reden is duidelijk.

Weet je niets van een apparaat of programma dat je kind gebruikt, neem dan de tijd om je erin te verdiepen. Je hoeft er niet alles van te weten, maar zorg dat je in elk geval de basisbeginselen onder de knie hebt en weet welke websites je kind bezoekt. Ik zou zonder kinderen waarschijnlijk ook wel op Facebook, Twitter en Instagram hebben gezeten, maar aan Vine of Snapchat heb ik zelf niet zo veel. Maar Gregory gebruikt ze allebei, en dus heb ik er ook accounts aangemaakt omdat ik wilde weten hoe ze werken. Ik gebruik ze weliswaar zelden, maar toch heb ik het idee dat ik beter begrijp hoe en waarom ze worden gebruikt. Dat maakt het gemakkelijker om er met Gregory over te praten, omdat ik snap waar hij het over heeft.

Aarzel niet om je verwachtingen bij te stellen als bepaalde beeldschermregels niet werken. De gesprekken over beeldschermgebruik vormen de grondslag voor de regels binnen jullie gezin, en die regels zullen met jullie meegroeien en -veranderen. Blijf gewoon praten!

Help!

Wanneer ik mijn workshop voor gezinnen geef of een praatje met iemand maak op het postkantoor of in de supermarkt, dan krijg ik vaak dingen te horen als: 'Janell, ik ben zó boos. Mijn zoon heeft zonder toestemming een Twitteraccount aangemaakt! Ik wist niet eens dat hij op Twitter zat! Ik heb uitdrukkelijk gezegd dat hij tot zijn zestiende voor elk account onze toestemming moet vragen, maar hij heeft het gewoon stiekem gedaan! Hij was er al een maand mee bezig zonder dat ik het wist. Wat moet ik doen?'

Ik begrijp ouders die met deze situatie zitten maar al te goed. Brendan, die nu in groep 5 zit, blijft me maar aan mijn kop zeuren om een eigen iChat- en Instagram-account op Gregs oude iPod Touch.*

---

*Wacht, ik mag niet meer 'Gregs oude iPod' zeggen. Brendan heeft liever dat ik het ding noem wat het is, namelijk 'Brendans iPod, waarmee ik hem niet vertrouw omdat ik hem behandel als een klein kind'. Bij deze.

Het joch geeft niet op. Ik heb hem verteld dat we het rustig aan doen en dat hij over een tijdje alle functies mag gebruiken, maar dat hij eerst maar eens moet oefenen met de instellingen en apps die er nu op staan. Op goede dagen vindt hij dat best en snapt hij waarom ik dat zeg. Maar als hij in een slechte bui is, klaagt hij dat ik alleen maar het juiste moment afwacht om een contract als dat van Greg voor hem te maken, zodat ik weer op tv kom en nog beroemder word. Hij heeft zelfs zijn oma Sue, mijn moeder, opgebeld om haar mening te vragen. Vond zij ook niet dat ik overbezorgd was? Kinderen... Hoe dan ook, voorlopig geef ik niet toe. En mijn moeder heeft zich er wijselijk niet mee bemoeid. Dat is tenminste wat ze mij hebben verteld.

Als Brendan buiten mijn medeweten een account aanmaakte, zou ik eerst ook niet weten wat ik moest doen. Ik begrijp de ouders wel die zich dan uit het veld geslagen, verraden en boos voelen. Maar als de gemoederen bedaard waren, zou ik weer weten wat me te doen stond: hem zijn iPod gedag laten zeggen en vertellen dat hij al zijn wensen op mediagebied voorlopig op zijn buik kon schrijven. Het account waar hij geen toestemming voor had: onmiddellijk verwijderen. Overige maatregel: iets inleveren waar hij veel om geeft, bijvoorbeeld een basketbalwedstrijd of een middagje met zijn vrienden. Het gaat hier over het beschamen van ons vertrouwen en het niet respecteren van onze grenzen. Als ik later het idee had dat hij wat verstandiger en volwassener was geworden, zouden we de maatregelen heroverwegen (maar zonder deze leerzame ervaring te vergeten). Ik hoef over dit soort gedrag niet lang na te denken, maar dat is hoe ik ertegenover sta.

Wat ik tegen andere ouders zeg is: 'Hoe ga je om met andere vormen van oneerlijk gedrag, zoals stiekem het huis uit gaan naar een vriendje, of erover liegen als ze iets kapot hebben gemaakt? Pak dit op dezelfde manier aan. Wees niet bang om je gebruikelijke opvoedmethodes toe te passen op de nieuwe media. Er moet een consequentie zijn, dus laat je kind rekenschap afleggen voor zijn of haar gedrag, ook als je besluit hem of haar het account te laten houden. En laat het niet bij straf geven! Grijp de gelegenheid aan om te praten over wat er is gebeurd en stel al die leuke vragen die bij het opvoeden horen:

○   Waarom heb je een account aangemaakt terwijl dat niet mocht?
○   Wat was er zo belangrijk aan dat je besloot het stiekem toch te doen?
○   Hoe maak je er gebruik van?
○   Hoe kunnen we ervoor zorgen dat dit niet weer gebeurt?
○   Help me de situatie te begrijpen; dacht je dat ik het niet zou merken?
○   Dacht je dat het me niet zou kunnen schelen?

> *Je kunt een brug slaan door te zeggen: 'Ik verbied je dit niet om je dwars te zitten. Ik moet dit ook nog leren en wil er zeker van zijn dat we er allemaal klaar voor zijn om zulke apps en diensten op een goede manier te gebruiken.'*

Huisregels

Je kunt zoals gezegd het beste met elk kind afzonderlijk in gesprek gaan over beeldschermgebruik. Maar misschien wil je ook huisregels invoeren die voor iedereen gelden. Bij ons thuis wordt op schooldagen niet met de iPad of Xbox gespeeld. Tot die afspraak zijn we gekomen toen we op een avond tijdens het eten bespraken wat voor regels op het hele stel van toepassing waren. Doordat mijn kinderen zo weinig in leeftijd verschillen werd er vaak ruzie gemaakt om de iPad en de computer, vooral door de meisjes. Ik moest constant bemiddelen, de wekker zetten, bijhouden wie welk spel speelde en wanneer, wie zijn klusjes had gedaan en dus twintig minuten mocht spelen, welke YouTube-filmpjes geschikt waren, wie de vorige keer als eerste had gemogen... Naast de naschoolse activiteiten, het huiswerk, het avondeten en het spelen zonder apparaten was er simpelweg geen ruimte meer voor recreatief mediagebruik, dus ik maakte het simpel en verbood het helemaal. Soms moeten we problemen gewoon wegnemen. Op zaterdagochtend, als ik aan het hardlopen ben of met Adam koffie drink in de tuin, mogen ze naar hartenlust ruzie maken om de iPad.

De kleintjes

Voor heel jonge kinderen zal een echt gesprek over beeldschermgebruik nog niet nodig zijn. Een aangepaste versie ervan kan echter geen kwaad. Verwerk het in de dagelijkse conversatie, iets wat je misschien al doet zonder erbij stil te staan. Misschien weten je kleintjes al dat ze geen apparaten mogen meenemen aan tafel of naar bed. Misschien weten ze al dat ze na het middageten even op de iPad of de computer mogen spelen voordat ze hun middagdutje doen. Kinderen houden van routine en ritme, dus regels voor beeldschermgebruik hoeven niet uitdrukkelijk opgelegd te worden. Ze ontstaan vanzelf uit de dagelijkse gang van zaken in het gezin. Kleine kinderen hebben behoefte aan structuur en willen hun ouders graag tevredenstellen.

Soms houden ze zelf in de gaten of anderen zich wel aan de regels houden. Als hun moeder in de auto naar haar telefoon reikte omdat er een sms'je binnenkwam, riepen mijn nichtjes van één en vier: 'Niet bellen in de auto, mam!' Toen ik vroeg hoe de kinderen dat wisten, vertelden mijn zwager en zijn vrouw dat ze het onderling hadden gehad over de gevaren van mobieltjes achter het stuur en dat ze hadden afgesproken om niet meer in de auto te bellen of te sms'en, zelfs niet voor een rood stoplicht. Doordat ze die gesprekken voerden waar de meisjes bij waren, hadden die de boodschap begrepen. Je kunt dus nooit te vroeg beginnen met praten over wenselijk gedrag, verwachtingen, grenzen en regels voor mediagebruik, al is het maar op een simpele manier. Zoals we onze kinderen al ver voor hun puberteit seksuele voorlichting geven en waarschuwen voor alcohol- en drugsgebruik, moeten we ze ook al vroeg gezonde gedragspatronen aanleren met betrekking tot mediagebruik en zelf het goede voorbeeld geven.

Het is niet de bedoeling om de kinderen bezorgd of bang te maken, het gaat erom dat we met ze communiceren op een manier waar we ons prettig bij voelen en die bij hun leeftijd past. We moeten onze gesprekken daarop afstemmen. Hier volgen enkele voorbeelden van dingen die ik tegen mijn kinderen zou kunnen zeggen.

Tegen Cassidy (5): Je mag af en toe op de iPad, maar niet de hele tijd. Het is belangrijk dat je genoeg tijd overhoudt om buiten te spelen, naar de bibliotheek te gaan of met vriendinnetjes af te spreken. Dat zijn dingen die je gezond en tevreden houden. De iPad is erg leuk, maar er te veel mee spelen is niet goed voor je.'

Tegen Ella (9): 'Ik vind het niet erg als je de iPad meeneemt naar je kamer om muziek te luisteren, maar ik wil niet dat je websites of YouTubefilmpjes bekijkt waarvoor ik geen toestemming heb gegeven. We kunnen op internet per ongeluk foto's of filmpjes tegenkomen die we liever niet hadden gezien, of die niet goed voor ons zijn. Soms zijn ze grappig bedoeld en niet echt, maar het is moeilijk om te zien wat echt is en te begrijpen waarom mensen allerlei rare dingen op internet zetten. Ik wil dat de iPad leuk voor je blijft, dus vraag eerst of iets mag, goed?'

Tegen Greg (13): 'Greg, ik zag vandaag op Twitter een heel nare foto van de bomaanslag in Boston tijdens de marathon. Heb jij die ook gezien? Denk je dat hij echt was? Ik snap niet waarom iemand zoiets post. Ik vind het al zo erg voor de families van de slachtoffers, en dat die foto overal op internet te zien is maakt het vast nog erger voor ze. Waarom zetten mensen zulke vreselijke dingen online? Misschien was die foto nep, maar ik krijg dat beeld niet meer uit mijn hoofd. Heb jij dat ook? Heb je weleens eerder zoiets gezien?'

Er wordt tegenwoordig veel gediscussieerd over de invloed van technologie op jonge kinderen. De Campaign for a Commercial-Free Childhood (CCFC), een actiegroep die zich ten doel stelt de blootstelling van kinderen aan reclame te beperken, maakte in de zomer van 2013 bekend dat ze een klacht bij de Nationale Handelscommissie had ingediend tegen twee grote bedrijven die

> hun populaire tablet- en smartphone-apps voor baby's als educatief aanprijzen. De klachten liggen in het verlengde van onze niet-aflatende – en zeer succesvolle – inspanningen om de zogenaamde 'slimmebaby-industrie' verantwoordelijk te stellen voor haar misleidende reclame (...). Beide bedrijven claimen dat hun mobiele apps baby's kennis en vaardigheden bijbrengen – zoals woorden en getallen – maar ze komen niet met bewijs om die bewering te staven. Tot op heden heeft geen enkel wetenschappelijk onderzoek uitgewezen dat baby's taal- en rekenvaardigheden ontwikkelen dankzij het gebruik van een beeldscherm. Blootstelling aan een beeldscherm kan voor baby's juist schadelijk zijn. Onderzoeken tonen een verband aan met slaapstoornissen, een achterblijvende taalontwikkeling en problemen later in de jeugd, zoals slechte schoolprestaties en overgewicht. De American Academy of Pediatrics raadt het gebruik van beeldschermen voor kinderen jonger dan twee jaar af.

Ik weet nog dat ik een enorme druk voelde om ervoor te zorgen dat mijn kinderen zo vroeg mogelijk het alfabet kenden en tot tien konden tellen (een verschijnsel dat zich vooral vaak voordoet bij eerstgeborenen!). Toen Greg een peuter was – nog maar tien jaar geleden – hadden we nog geen tablets of smartphones, maar wij kochten leerzame spelletjes en elektronische speeltjes die beloofden dat ze hielpen om het beste uit ons kind te halen. Wie wil dat nou niet? Als Greg al voor hij naar de kleuterschool ging alle vijftig staten uit zijn hoofd kende, was immers alles mogelijk? Maar dat gebeurde niet. Hij pakte alleen het plastic pennetje en ramde ermee op het scherm totdat het ding alleen nog maar 'Maine-Maine-Texas-Texas-Texas-Florida' zei. Een enkele keer wist hij Oklahoma of Kentucky aan te wijzen en dan riepen wij trots 'Goed zo.' Maar binnen de kortste keren liet hij zijn dure, pratende educatieve speelgoed links liggen om verder te spelen met zijn blokken en zijn Supermanpak.

Tegenwoordig zijn er talloze apparaten verkrijgbaar voor de allerkleinsten. Als we ze op die leeftijd toestaan om hun spelcomputer of iPod overal te gebruiken – in restaurants, tijdens familiebezoeken, tijdens dagelijkse autoritten – zal die gewoonte moeilijk te doorbreken zijn als ze ouder worden en apparaten zelfstandiger gaan gebruiken. Er is niets op tegen om tegen een zevenjarige te zeggen: 'De spelcomputer blijft thuis. We gaan op visite en dan wordt er niet gegamed.' Ik weet dat het gemakkelijker is om ze iets te geven dat ze bezighoudt. Ook wij geven onze kinderen heus weleens onze iPhone om een spelletje te spelen, maar alleen bij hoge uitzondering. Zelfs als ze op hun vervelendst zijn, in lange wachtrijen en tijdens de saaiste ervaringen moeten we voor ogen houden dat hier sprake is van een levenservaring – onze kinderen moeten leren dat ze niet altijd hun zin kunnen krijgen en vermaakt kunnen worden.

Mijn beste vriendin vertelde me onlangs dat ze met haar kinderen naar de speeltuin was geweest. Ze zei: 'Janell, echt iedereen, iedereen die zijn kind duwt op de schommel, bij de zandbak op een bankje zit of door het park wandelt, is ondertussen met zijn telefoon bezig. Zo gaat het tegenwoordig. Veel mensen werken thuis en proberen op twee plaatsen tegelijk te zijn. Je durft bijna geen gesprek meer aan te knopen, omdat je het gevoel hebt dat je stoort.' Ik vind het geen leuke ontwikkeling, maar het is mij ook opgevallen. Toen ik laatst mijn dochters van school haalde stonden de meeste andere ouders met gebogen hoofd te wachten, starend naar hun telefoons. De meesten van hen moesten ongetwijfeld nog even snel het laatste e-mailtje van die werkdag versturen of een of ander belangrijk bericht beantwoorden, maar ik dacht alleen maar dat ze een kans misten om in contact te komen met de mensen om hen heen. Ze hadden misschien een speelafspraakje voor hun kind kunnen maken om een ontluikende vriendschap tussen klasgenootjes te stimuleren, een ander gezin uit de buurt kunnen leren kennen of gewoon wat kunnen kletsen.

De technologie is razendsnel ons leven binnengedrongen. En ik weet dat we daar allemaal aan bijdragen. Ik doe het zelf ook. Op rustige momenten thuis of op mijn werk, of als ik ergens zit te wachten op de kop koffie die ik heb besteld, pak ik vaak mijn telefoon om doelloos wat te surfen of nutteloze tekst-berichten te versturen.

 ## Oefening in slow tech-ouderschap

Neem je kinderen eens mee als je iets te doen hebt waar ze meestal geen zin in hebben, zoals boodschappen, een afspraak met een andere volwassene of de tandarts. Laat alle apparaten (ook de jouwe!) thuis of in de auto, zodat er geen discussie over kan ontstaan of ze die wel of niet mogen gebruiken. Kijk vervolgens wat er gebeurt. De kans is groot dat er een gesprek tussen jullie ontstaat, dat ze een boek of tijdschrift pakken, wat gaan zitten tekenen met pen en papier uit jouw handtas of zelf een spelletje verzinnen. Ik zeg niet dat ze niet zullen zeuren of elkaar de haren uit het hoofd trekken; het is echter belangrijk dat ze leren geduld te hebben en zichzelf bezig te houden. Het zal meer opvoedvaardigheid en energie vergen dan ze je telefoon in handen drukken, maar het is een goede oefening.

Het is een gewoonte die ik probeer af te leren. Als ik op zo'n moment mijn tele-foon wil pakken, stel ik mezelf vragen als 'Is er iemand in de buurt met wie ik een praatje kan maken?' of 'Kan ik hier niet gewoon even zitten?'. Technologie is voor velen van ons een soort fopspeen geworden waar we in elke verloren minuut naar grijpen. Maar wat gaat er allemaal aan ons voorbij terwijl wij om-laag zitten te staren? Probeer je telefoon eens in de auto te laten als je bood-schappen doet, of hem uit te zetten tijdens het koken. De gewoonte is moeilijk te doorbreken, maar door het toch te proberen geef je je kinderen meteen het goede voorbeeld.

Onlangs zat ik in een broodjeszaak te lunchen met mijn moeder. Aan de tafel achter ons zat een gezin van vier personen, onder wie een jongetje van een jaar of vier. Hij zat met oordopjes in naar een film te kijken op een iPad die voor hem stond. De vader zat de krant te lezen en wiegde een wandelwagen waarin een klein meisje lag te slapen. De moeder was verdiept in een boek. Ik probeer zulke taferelen altijd onbevooroordeeld te benaderen (wat nog niet meevalt!) en er een rechtvaardiging voor te bedenken: *Dit is een toeristenstad, dus misschien hebben ze een lange reis achter de rug en moeten ze daar even van bijkomen. Misschien is het jongetje snel overprikkeld en is het rumoer in dit restaurant te veel voor hem.* Vervolgens laat de uitgeputte moeder in mij zich horen: *Ze hebben groot gelijk! Ze zien er allemaal ontspannen uit en tevreden uit. Wat is erop tegen om samen in stilte te lunchen?*

Maar ik kan het niet naast me neerleggen, want bijzondere omstandigheden of niet, ik zie dit wel erg vaak gebeuren. En waar ik me echt zorgen om maak, is dat zo'n kind is afgesneden van de wereld om hem heen, van de beelden, de geluiden, de mensen, de zonneschijn, waardoor het die niet werkelijk ervaart. Ik heb het gezin een uur geobserveerd en al die tijd wisselden de ouders geen woord met elkaar of hun zoontje, dat zijn oordopjes de hele tijd inhield. Persoonlijk zit ik liever naast een onrustig kind dat nog bezig is te leren hoe het zich moet gedragen, dan naast een zwijgende zombie. Waag het erop! Koppel je kleintjes los van hun apparaten en laat ze deel uitmaken van de wereld om hen heen!

 Smartwise-tip: Voordat ik een iPhone kocht voor mijn zoon, heb ik goed nagedacht over zijn mate van volwassenheid en mezelf de volgende vragen gesteld: is hij er wel aan toe? Is hij in staat om mijn regels te accepteren zonder trammelant? Dat zijn belangrijke vragen als je wilt inschatten of je kind klaar is voor een nieuw medium, of het nu een tablet, een spelcomputer, een televisieprogramma of een online account is.

Voorbeeldvragen:

○ Vervult mijn kind zijn/haar taken in huis?

○ Haalt hij/zij goede cijfers op school?

○ Kan hij/zij met verantwoordelijkheid omgaan?

○ Hebben we vaak meningsverschillen over nieuwe apparaten, apps, websites, enzovoort?

○ Zal dit nieuwe medium ons meer onenigheid dan plezier opleveren?

○ Stem ik alleen toe omdat al zijn/haar leeftijdgenoten het ook hebben?

○ Hoe zal hij/zij dit nieuwe medium gebruiken? Is toegang tot dit medium een noodzaak of een privilege?

Smartwise: Wachtwoorden

Mijn iRule: Ik moet alle wachtwoorden weten.

Om onze kinderen te kunnen begrijpen moeten we beseffen wat hun gedrag en handelwijze ons vertelt. Een open dialoog tussen ouders en kinderen is natuurlijk het beste om erachter te komen wat ze bezighoudt en in welke situaties ze zich begeven. Maar sociale netwerksites, chatgroepen en privacy-instellingen kunnen het internet tot een privéwereld voor onze kinderen maken. Hun wachtwoorden kennen stelt jou in staat om ze in die wereld van online activiteiten, waarin het nogal eens aan toezicht ontbreekt, bescherming te bieden. Niet uit angst, maar om ze goed te begeleiden. Als ouder hebben we het recht om de online wereld van onze kinderen te betreden, vooral wanneer ze daar hun eerste stappen zetten. Wij zijn hun gidsen en het is belangrijk dat we weten wat ze doen.

Zoals de meeste ouders beschouw ik het lichamelijk en geestelijk welzijn van mijn kinderen als mijn hoogste prioriteit. Ik houd ze altijd voor dat ik ze zowel kan beschermen als respecteren. Maar wat betekent dat precies? In de eerste plaats dat ik mijn kind ken (ik heb het nu even over Greg, want de anderen hebben nog geen eigen apparaten waarmee ze online kunnen). Ik vertrouw erop dat hij op zijn gevoel afgaat en zich aan de regels van ons gezin houdt. Ik weet hoe hij in elkaar zit: wat hij leuk vindt, hoe hij zich gedraagt, hoe hij praat, welke interesses hij graag deelt, enzovoort. In de tweede plaats ken ik zijn vrienden. Ik weet met wie hij het meest kan lachen, van wie hij af en toe stapelgek wordt en op wie hij echt kan bouwen. Dat weet ik doordat ik die vriendschappen heb zien ontstaan en groeien, maar ook doordat ik goed luister naar de verhalen die hij me vertelt over zijn sociale leven. In de derde plaats vertrouw ik op mijn intuïtie als ouder. Ik denk dat ik het zou merken als er iets met hem aan de hand was, in positieve of negatieve zin. Hopelijk lukt het mij of Adam in zo'n geval om uit hem te krijgen wat er speelt, zonder dat we in zijn online accounts naar antwoorden hoeven te gaan zoeken. Maar evengoed behoud ik me als ouder het recht voor om in te loggen op zijn accounts, voor het geval ik er om wat voor reden dan ook niet op een andere manier achter kan komen of hij steun of begeleiding van zijn ouders nodig heeft.

Ik geloof niet dat ik ooit opzettelijk iets zou doen waarmee ik inbreuk maak op het recht van mijn kind om gewone, bij zijn leeftijd passende contacten te onderhouden. Als ik een sms-gesprek tussen Greg en een meisje uit zijn klas onder ogen kreeg en het zag er allemaal ongedwongen en onschuldig uit, dan zou ik nooit verder lezen. Als hij me iets laat zien op een van zijn accounts of als ik zie dat hij iets op Twitter heeft gezet, klik ik niet door naar een volgend scherm. Ik ben er niet opuit hem ergens op te betrappen of hem in verlegenheid te brengen. Hij kan me vertrouwen en dat weet hij. Ik schrijf nota bene een heel boek over zijn digitale leven! Toen ik hem vroeg of hij het van tevoren wilde lezen, of tenminste de stukken die over hem gaan, antwoordde hij: 'Ik vertrouw je, mam. Het is oké.'

Ik ben wel van mening dat toezicht op mediagebruik een belangrijk instrument is voor ouders. Misschien zit het in de aard van je kind om risico's te nemen. Misschien heb je je kind al op jonge leeftijd online accounts toegestaan omdat zijn oudere broers en zussen die ook hadden. Misschien heeft je kind in het verleden gedrag vertoond dat niet door de beugel kon of zich niet aan regels gehouden, en vind je dat je hem – voor zijn eigen veiligheid of om het vertrouwen te herstellen – goed in de gaten moet houden. Toezicht op mediagebruik kan om allerlei redenen belangrijk zijn. Valt je een verandering op in het gedrag van je tiener? Is er binnenkort een groot evenement waar iedereen het over heeft? Gaan de schoolcijfers achteruit? Ik kan met één blik op het Twitteraccount van mijn zoon zien wat hem en zijn vrienden bezighoudt. Sommige ouders zouden zich doodschrikken als ze wisten wat hun kinderen posten, of wat hun online interesses zijn. Een meisje van veertien dat het constant heeft over strenge diëten en fitnessoefeningen. Een andere veertienjarige die allerlei berichten retweet over alcohol en drugs. Veranderingen in gedrag, welzijn en gezondheid van onze kinderen gaan geleidelijk, en hun veiligheid hangt af van onze aanwezigheid in hun echte én hun virtuele leven. Het opvoeden van pubers is soms een lastige aangelegenheid, en toezicht

Een misstap

Op het moment dat ik dit schrijf heeft Greg de voorwaarden van ons contract nog maar één keer geschonden. Ik las hoe hij en zijn goede vriendin June elkaar plaagden over een foto op Instagram. Hij noemde haar 'een slettebak' en daarop noemde zij hem 'een eikel'. Dat ging zo een tijdje door, en het zat me dwars. Hij gebruikte die termen wel erg achteloos, op het arrogante af, alsof hij wilde kijken hoe ver hij kon gaan. Ik liet hem niet meteen zijn iPhone inleveren maar sprak hem er eerst op aan:

Ik: Zeg, Greg, ik zag je gesprek met June op Instagram.
Greg: Hm?
Ik: Ik was niet zo gecharmeerd van je taalgebruik.
Greg: Kom op, mam, we waren maar wat aan het dollen.
Ik: Hoe kan ik dat weten? Het leek nogal serieus.
Greg: Ja, maar we zijn vrienden, dat weet je toch? Je snapt heus wel dat het niet serieus bedoeld was.
Ik: Ik weet dat misschien, maar het was openbaar. Al jullie volgers konden het lezen. Mensen kunnen wel denken dat je er een gewoonte van maakt om meisjes 'slettebakken' te noemen. Het was geen privébericht of grapje onder elkaar. Iedereen kon het zien.
Greg: Mam, dat kan niemand wat schelen.
Ik: Zou je haar ook zo genoemd hebben waar haar ouders bij waren? Wat als zij het lezen? Hoe voel je je dan?
Greg: *Stilte.* Daar heb ik niet echt bij stilgestaan. *Nog meer stilte.* Ik zou me stom voelen en me schamen. Ik zal het gesprek maar wissen.
Ik: Denk over zulke dingen na voor je iets post. Ik houd je iPhone de rest van de week, zodat je erover kunt nadenken.

houden op hun interacties met leeftijdgenoten kan veel duidelijkheid scheppen. Daarnaast is het belangrijk om te weten met wie je kinderen praten; je wilt toch ook weten met wie ze in het echte leven omgaan? Het is belangrijk om de vinger aan de pols te houden als het gaat over de media waar je kinderen gebruik van maken.

Nadat ik het iRules-contract voor Gregory op mijn website had gezet, verspreidde het zich razendsnel over internet en kreeg ik lokaal veel aandacht. Een van de leukste bijkomstigheden was dat alle jongens en meisjes met wie Greg online contact had nu op de hoogte waren van onze gezinsregels.

Als hij 's ochtends zijn telefoon aanzette, stonden er veel minder berichtjes van de vorige avond op dan voorheen, omdat zijn vrienden wisten dat wij een oogje in het zeil hielden en bij ons thuis respectvol gedrag verwachtten met betrekking tot mediagebruik. Natuurlijk kunnen niet alle ouders hun iRules online zetten zoals wij, maar het punt is dat de meeste mensen jouw regels en opvattingen zullen respecteren wanneer er binnen je gezin duidelijke normen gelden.

Uit een in 2012 gehouden enquête van het marktonderzoeksbureau Lab42, waarbij ouders van kinderen die actief waren op sociale netwerken werden ondervraagd, bleek dat 92 procent van de ouders op Facebook vrienden was met zijn of haar kinderen en dat 72 procent hun Facebookwachtwoord wist.

Dat is een grote meerderheid, iets waar we trots op kunnen zijn. Maar weten we het ook als een wachtwoord verandert? Geldt hetzelfde wachtwoord voor Twitter en Instagram? Kennen we de toegangscode van hun telefoon? Kennis van de wachtwoorden van alle accounts en apparaten is een goed begin als het aankomt op online begeleiding, zeker wanneer kinderen hun eerste ervaringen met een medium opdoen.

Vaak leer ik zelf iets van de deelnemers aan de workshops en gesprekken die ik leid. Een vrouw met een paar tienerdochters vertelde me onlangs dat ze bij haar thuis een wachtwoordlogboek hadden, een simpel notitieboekje waarin iedereen zijn of haar gebruikersnamen en de bijbehorende wachtwoorden noteerde. Het was geen opgelegde regel of verplichting, maar gewoon iets wat ze als gezin gewend waren. Ik vond het een handige manier om het overzicht te bewaren en de gegevens actueel te houden. Ook de ouders schreven hun wachtwoorden in het logboek, als een teken van vertrouwen en respect.

Geef mij maar de schuld

Toen ik opgroeide hadden mijn moeder en ik de afspraak dat ik haar de schuld mocht geven als ik ergens niet aan wilde meedoen, maar niet wist hoe ik dat moest zeggen. Ik mocht dan tegen mijn vrienden zeggen: 'Mijn moeder is zo'n zeur, ik kan maar beter naar huis gaan.' Of: 'Ik mag van mijn moeder niet mee, ze is zo streng!' Ik zeg nu hetzelfde tegen Greg. Geef mij maar de schuld als je een excuus nodig hebt! Ik heb liever dat je iedereen vertelt dat ik een gemeen loeder ben dan dat je iets doet waar je niet achter staat.

Praktijkvoorbeeld

Van alle verhalen die ik tijdens mijn werk als opvoedcoach heb gehoord is dat van Jimmy een van mijn favorieten. Jimmy was een vijftienjarige scholier die populair was bij zijn klasgenoten. Zijn moeder, Maggie, maakte een afspraak met me om iets te bespreken wat bij haar thuis was gebeurd. Ze had het die zomer druk gehad en niet echt in de gaten gehouden wat Jimmy online uitvoerde. Hij had een smartphone en gewoonlijk hadden ze weinig te klagen over de manier waarop hij die gebruikte. Jimmy was een prima knul, een goede leerling en had al sinds de kleuterschool dezelfde vrienden. Het was Maggie opgevallen dat hij al een week nors en humeurig was – hij sloeg met deuren en gedroeg zich brutaal en onverschillig – maar ze dacht dat hij moe was en dat het vanzelf wel over zou gaan. Maggie kende zijn wachtwoorden en controleerde tijdens het schooljaar wekelijks zijn telefoon. Maar die zomer was ze minder oplettend geweest. Op een middag kregen ze een woordenwisseling over karweitjes die gedaan moesten worden. Maggie vroeg hem: 'Wat is er toch met je aan de hand? Ik ben die houding van jou zat. Ik neem je telefoon in beslag tot je gedaan hebt wat ik je vraag.' Jimmy snauwde terug: 'Waarom kijk je er dan niet gelijk even in? Bereid je maar voor op iets wat je niet leuk vindt!' En hij stormde de kamer uit. Toen viel het kwartje bij Maggie: er speelde iets online wat het gedrag van haar zoon veroorzaakte. Uit het feit dat hij zei dat ze zijn berichten maar moest lezen, begreep ze dat het iets moest zijn wat behoorlijk heftig voor hem was. Dus logde ze in en las ze de tekstberichten en gesprekken op sociale netwerken van de laatste weken door. Het leek erop dat hij lastiggevallen werd door een groepje jongens met wie hij niet omging.

Het begon ermee dat ze hem sms'jes stuurden vanaf verschillende nummers die hij niet kende. Toen Jimmy terugschreef 'Wie is dit?' kreeg hij geen antwoord. In de berichtjes stonden seksueel getinte opmerkingen over zijn vriendin: 'Ik ben nu bij haar en we zijn aan het [...].' Hij reageerde op dezelfde vulgaire toon en schreef dat ze hun kop moesten houden, maar daarmee gooide hij olie op het vuur. De berichtenwisseling ging ruim een week door, waarbij het er soms heftig aan toe ging. Er waren ook gesprekken tussen Jimmy en zijn vriendin. Hij stelde zich afstandelijk op en wilde weten met wie ze allemaal optrok. Er sprak een zekere hulpeloosheid uit, vooral doordat Jimmy alleen maar kon raden naar wie hem die berichten had gestuurd. Moest hij boos op haar zijn? Moest hij haar verdedigen? Speelde ze een spelletje met hem?

Het is nogal wat voor een tiener (of eigenlijk voor iedereen) om in je eentje te worstelen met dit soort gevoelens van eenzaamheid en verwarring. En het verklaart zeker waarom Jimmy zich een tijdlang zo onmogelijk gedroeg. Als onze kinderen klein zijn kunnen we uit hun gedrag opmaken of ze moe zijn of last hebben van doorkomende tandjes, omdat ze dan huilerig of onrustig worden. Met tieners werkt het net zo. Als ze een grote mond opzetten of met deuren slaan, dan voelen we vaak dat er iets achter zit. Dat is het moment om op te letten en vragen te stellen. Na het lezen van zijn online gesprekken begreep Maggie wat Jimmy dwarszat. Maar hoe ging het verder?

Aanvankelijk was Maggie blij dat Jimmy naar haar toe gekomen was, al had hij er dan een week mee gewacht. Het kwam erop neer dat hij zei: 'Lees dit alsjeblieft en help me hierdoorheen.' Nou ja, misschien niet letterlijk, maar als ouders denken we dat onze kinderen constant onze hulp nodig hebben en dat we, als we maar over de juiste informatie beschikken, alles voor ze kunnen oplossen. Waar of niet, dat is wat ons drijft. En Jimmy wilde in ieder geval dat ze het zou zien.

Vervolgens werd ze kwaad op zichzelf. Waarom had ze ook al die tijd zijn telefoon niet gecontroleerd? Hij had vast heel wat te verduren gehad, en zij wist nergens van. Dit soort schuldgevoel is iets wat veel ouders zullen herkennen: hadden we het maar eerder geweten, dan hadden we ons kind kunnen beschermen.

Nu werd Maggie kwaad op die rotjongens die haar zoon treiterden. Ze had een vermoeden wie het waren en vond het typisch iets voor die lummels.

Haar volgende reactie was afschuw over de taal die haar zoon had gebruikt om terug te slaan. (Eigenlijk vond ze dat hij die jongens een paar keer uitstekend van repliek had gediend, maar dat kon ze maar beter niet tegen hem zeggen).

Nadat we dit allemaal op een rijtje hadden gezet, begreep Maggie dat ze met haar zoon in gesprek moest. Deze situatie kon van grote invloed zijn op hun relatie. Ze mocht vooral niet haar zelfbeheersing verliezen of laten blijken hoe geschokt ze was. Ze moest zich opstellen als de redelijkheid zelve, als een persoon die haar kind helpt bij het oplossen van problemen. Ik moedigde Maggie aan om met Jimmy om de tafel te gaan, hem te vertellen dat ze de berichten had gelezen en wist wat er aan de hand was. Hem te vragen haar het hele verhaal te vertellen, aangezien het zich misschien niet allemaal online had afgespeeld. Maggie wilde van mij horen wat ze Jimmy kon leren voor een volgende keer.

Een volmaakt antwoord daarop bestaat niet. We kunnen als ouders alleen maar hopen dat we door zelf aanwezig te zijn op nieuwe media de vinger aan de pols houden als het om dit soort situaties gaat, dat we zulke gesprekken te zien krijgen voor ze uit de hand lopen. En dat als we ze niet te zien krijgen, ons kind uit zichzelf naar ons toe komt: 'Ik weet niet van wie deze berichten zijn. Ik weet niet wat ik moet antwoorden.' Misschien hopen we dat ons kind geen olie op het vuur van een dergelijk conflict gooit, simpelweg door helemaal niet te reageren. Pestkoppen houden meestal vanzelf op als het slachtoffer niet meedoet. Aan Greg, en aan ouders die naar mijn workshops komen, geef ik verder het volgende advies. Als een online gesprek waar je in verwikkeld bent niet meer prettig voelt of je wilt dat het ophoudt, zeg dan iets simpels in de trant van: 'Hier praat ik niet over in een chatgesprek.' Dat is meestal afdoende om te bewerkstelligen dat een gesprek stopt of van onderwerp verandert.

Geloof het of niet

Onze kinderen willen dat we toezicht houden! Ze willen niet dat we in het duister tasten, ze willen begrepen worden. Dat geeft ze een gevoel van zekerheid. Ze willen regels en grenzen die hen helpen hun weg te vinden. Wat is er beter dan een omgeving waarin ze fouten mogen maken, de risico's kunnen nemen die bij hun leeftijd horen en zo nodig terechtgewezen worden, in de wetenschap dat er onvoorwaardelijk van ze gehouden wordt? Ze zullen het misschien nooit toegeven, maar je kunt ervan uitgaan dat je kinderen zich beter voelen als je betrokken bent bij hun mediagebruik.

Onze sessie sterkte Maggie in haar opvatting dat het regelmatig controleren van de apparaten van kinderen belangrijk is om ze een gezonde relatie te laten opbouwen met de digitale media. Kennis van wachtwoorden is geen schending van hun privacy, maar hoort bij onze plicht om ze te beschermen en te respecteren. Toen we het gesprek afrondden, hoorde ik een nieuw zelfvertrouwen in Maggies stem. Ze wist wat ze belangrijk vond voor haar gezin en welke gedragsnormen ze thuis en in hun online leven wilde handhaven. Dit zou zeker niet de laatste keer zijn dat Jimmy hulp of begeleiding nodig had, maar Maggie beschikte nu over het zelfvertrouwen om hem de weg te wijzen.

Gênante situaties vermijden

Toen Instagram een paar jaar geleden op het toneel verscheen gaf ik Greg toestemming om een account aan te maken op zijn iPod Touch. Zelf opende ik ook een account. Ik was in die periode leidster van een zomerprogramma voor tieners waaraan Greg en veel van zijn vrienden deelnamen. Op een dag postte hij een foto van een grappige gebeurtenis, waar een paar vrienden reacties bij plaatsten. Ik wist dat het inderdaad een erg grappig voorval betrof, want ik was er zelf bij geweest. Dus besloot ik ook een reactie te plaatsen: 'Echt lachen! LOL!' Greg kwam vrijwel meteen naar me toe. 'Mam, niet doen. Geen reacties plaatsen. Dat is niet grappig, het is gênant!' Ik was diep gekwetst. Ik was toch grappig en cool? En ik kende deze kinderen, het ging mij toch ook aan? Maar het ging mij dus niet aan. Ik had niet moeten proberen grappig te doen tegen vrienden van mijn zoon, ook al werkte ik elke dag met ze. Ik kan mijn zoon online wel privéberichten sturen – we wisselen vaak opmerkingen uit, bijvoorbeeld over iets wat we grappig vinden of iets wat iemand heeft gepost – maar in het openbaar moet ik me afzijdig houden.

In het Engels wordt de term *creeper* gebruikt voor iemand die veel tijd doorbrengt op sociale netwerken zonder zelf iets te posten, ongepaste reacties plaatst of zich als buitenstaander in gesprekken mengt. Daarmee maak je je niet geliefd. Ouders die zich als creepers gedragen, houden niet alleen hun eigen kinderen in de gaten maar ook die van anderen. Ze hangen rond op internet om op de hoogte te blijven van wat er leeft onder jongeren. Ze willen alles weten. Soms sturen ze zelfs berichten naar aanleiding van dingen die besproken worden. Dat doen ze in de meeste gevallen waarschijnlijk uit bezorgdheid of omdat ze willen helpen, maar we moeten goed nadenken voordat we ons in het sociale leven van onze kinderen mengen. In hoeverre moeten we bij die contacten betrokken zijn? Welke rol moeten we spelen? Iemand zijn op wie kinderen kunnen vertrouwen is iets heel anders dan je als een kind of tiener gedragen. Een creeper zijn kan je relatie met je kind negatief beïnvloeden. Stel daarom duidelijke grenzen voor jezelf als het gaat om de communicatie met leeftijdgenoten van je kind. Ga je te ver, dan kan dat het vertrouwen beschadigen en zal je kind minder geneigd zijn je beeldschermregels te accepteren. Hier volgen enkele tips om toezicht te houden zonder een creeper te worden. Ik noem dat toezicht op gepaste afstand.

Toezicht op gepaste afstand

O   Vraag oudere kinderen altijd om toestemming voor je foto's van hen plaatst of tagt. Vraag ze dat ook bij jou te doen om ze wederzijds respect bij te brengen.

O   Wees terughoudend met openbare reacties op foto's en berichten.

○ Snuffel niet zonder reden rond op sociale netwerken. Je gedraagt je dan als een creeper, iemand die dingen wil weten die hem niet aangaan.

○ Wees terughoudend met reacties op posts van de leeftijdgenoten van je kind, ook wanneer zij jou volgen of als vriend toevoegen.

○ Maak je niet druk over alledaagse gesprekken. Let alleen op dingen die het welzijn of de veiligheid van je kind in gevaar kunnen brengen, en aarzel niet om in te grijpen als dat nodig is.

Geen paniek!

Ben je boos of bezorgd over iets wat je op internet hebt gezien, spreek je kind er dan offline op aan. Ongewenst gedrag kan meestal in de kiem worden ge-smoord met een gesprek van persoon tot persoon. Praat ook over situaties waar je kind alleen indirect bij betrokken is. Dat is de beste gelegenheid om iets duidelijk te maken, omdat er dan minder emoties in het spel zijn.

○ Zorg dat je kinderen beseffen dat posts, tekstberichten en e-mails nooit echt privé zijn, maar gemakkelijk kunnen worden gedeeld en dan door iedereen bekeken. Voorkom dat ze een vals gevoel van veiligheid krijgen met betrekking tot internet. Dat zal ze helpen betere keuzes te maken, zodat je ze minder in de gaten hoeft te houden.

○ Bedenk wat je in het echte leven onacceptabel vindt en pas diezelfde principes toe op online activiteiten. Als je online en offline consequent dezelfde normen hanteert, weten je kinderen waar ze aan toe zijn en zullen ze minder snel het gevoel hebben dat hun vrijheid ingeperkt wordt.

Het lastige aan wachtwoorden

Toen mijn iRules-contract zich over internet verspreidde, waren met name over de regel voor wachtwoorden de meningen verdeeld. Privacy en privacy-bescherming zijn beladen onderwerpen, omdat ze verbonden zijn met waarden als vertrouwen en eerlijkheid. Een moeder van een groot gezin ver-telde me dat ze vond dat haar kinderen geen recht op privacy hadden zolang ze onder haar dak woonden. Voor een andere moeder was beschikken over het wachtwoord van haar tienerdochter net zoiets als lezen in haar dagboek, een schending van haar privacy die ze nooit zou overwegen. Een vrouw uit de andere kant van het land vertelde me in een e-mail dat ze niemand meer vertrouwde, omdat haar dochter op internet was bedrogen door een vreemde. Ze dacht dat ze sneller een einde aan die situatie had kunnen maken als ze haar dochters wachtwoord had geweten. Ik kreeg ook veel reacties van tieners en ouders die vinden dat ik Greg niet vertrouw en dat ik zijn wachtwoorden wil hebben om hem te kunnen bespioneren. We hebben allemaal onze eigen opvattingen over privacy en wachtwoorden. Wat de beste manier is om daarmee om te gaan, zal voor de een lastiger te bepalen zijn dan voor de ander. Vertrouw altijd op je intuïtie en probeer te handelen naar jouw overtuiging. Zelf ga ik altijd uit van deze eenvoudige stelregel: 'Ik wil een wachtwoord weten als er zich een situatie kan voordoen waarin ik het nodig heb.'

Maar hoe zit het met situaties waarin een wachtwoord niet genoeg is? Ik heb verhalen gehoord van neven, nichten, ooms of tantes die ongewenst online gedrag van hun jongere familieleden signaleerden. Een jonge vrouw vertelde me: 'Een van mijn nichtjes, die pas op de middelbare school zat, had een Instagram-account en vroeg vreemden om volger te worden. Daar maakte ik me zorgen over, dus maakte ik een screenshot en stuurde dat naar mijn moeder en mijn oom. Dat vond ze geen coole actie van me, maar ik vind het belangrijk dat ze beseft hoe gevaarlijk chatten met vreemden kan zijn. Een paar andere nichtjes van me maakten hun vader wijs dat ze niet op Facebook zaten. Hij controleerde geregeld de computer, maar had niets in de gaten omdat ze de app verborgen hadden in een map.'

Mijn zus Kellie is 25 en heeft een goede band met mijn kinderen. We hebben afgesproken dat ze hen (op dit moment gaat het alleen nog maar om Greg) er zelf op mag aanspreken als ze hen online iets ziet doen wat ze ongepast vindt. Hopelijk respecteren ze haar genoeg om naar haar te luisteren. Maar als ze iets ziet wat gevaarlijk is of direct ingrijpen vereist, dan moet ze meteen naar mij of Adam toe komen. Greg zal haar er niet minder leuk om vinden, want hij weet dat ze het beste met hem voor heeft. Gregory is ook op de hoogte van onze afspraak en hij begrijpt wat de reden ervan is. We hebben allemaal steun nodig van mensen op wie onze kinderen kunnen vertrouwen. Moedig de mensen in je omgeving aan om online het goede voorbeeld te

geven voor je kinderen. En kunnen ze dat niet omdat ze zich zelf ongepast gedragen, laat dat dan een voorbeeld zijn!

De wachtwoorden van je kinderen weten is geen afdoende methode om
te waken over hun online veiligheid. Praat met ze over wat ze online doen en
vertel duidelijk wat je van ze verwacht. Wijs op risico's en bespreek die. Eerlijkheid tussen ouder en kind moet boven alles gaan. En consequenties verbinden aan hun gedrag is noodzakelijk, vooral wanneer ze online met vuur spelen. Kennis van wachtwoorden is een passieve vorm van opvoeden, niet meer
dan een stukje van het geheel. De nieuwe media vereisen een actieve opstelling; we moeten regels stellen en blijven praten over technologieën en de manier waarop onze kinderen ermee omgaan.

Wat is privacy?

Bij mij thuis ziet online privacy er als volgt uit. Greg mag privégesprekken voeren, hij mag achter gesloten deuren facetimen of tekstberichten uitwisselen,
maar alleen met mensen die hij persoonlijk kent. Ik hoef niet alles te lezen en
wil dat ook niet! Maar ik vraag wel af en toe: 'Met wie chat je de laatste tijd zoal?'
Over het algemeen kijk ik wekelijks even op zijn accounts, omdat ik vind dat ik
het recht heb om te peilen hoe het er in zijn online wereld aan toe gaat. Maar
eerlijk gezegd sla ik ook weleens een weekje over. Er wordt in ons gezin veel
gesproken over nieuwe media, en dat biedt hem een kader voor zijn online
gedrag. Daar vertrouw ik op. Voor online gamen geldt hetzelfde. De centrale
vraag is: zouden we degene met wie hij speelt thuis uitnodigen? Zo niet, dan
moet hij eerst toestemming vragen.

Een andere overweging is dat we Greg op andere vlakken kunnen vertrouwen. Hij is niet iemand die liegt of stiekem doet. Hij is volwassen voor zijn leeftijd en hij zit goed in zijn vel. Hij is in staat zijn gevoelens te uiten. Als hij niet
thuis is, weten we dat hij is waar hij zegt dat hij is. Ik ken zijn vrienden en weet
waar hij naartoe gaat. En hoe ik hem zie komt overeen met wat ik van leraren,
trainers en andere ouders hoor. Waarom is dit allemaal van belang als het over
mediagebruik gaat? Hoe Greg zich in het dagelijks leven gedraagt, vertelt mij
iets over zijn online gedrag. Niet alles, want de nieuwe media bieden veel vrijheid en afzondering, wat het gemakkelijk maakt om risico's te nemen of im-
pulsief te handelen. Maar wat ik uit hun dagelijks leven over mijn kinderen

weet, helpt me te bepalen hoeveel ruimte ik ze online kan toestaan. Als ik Greg wat bewegingsvrijheid geef en hij voldoet uit zichzelf aan mijn verwachtingen: fantastisch! Dat is het doel: mijn kinderen zo opvoeden dat ze op hun eigen oordeel afgaan en zelf grenzen stellen. Hoe ze dingen beoordelen hangt af van wat wij ze hebben bijgebracht. Maar geef ik Greg diezelfde ruimte en zeg ik niet tegen hem: 'Het is halfacht, je moet nu je telefoon uitzetten', en is hij er dan om halftien nog mee in de weer, dan weet ik dat hij er nog niet aan toe is zelf de grenzen te bewaken. Dan heeft hij nog steeds mijn begeleiding en discipline nodig. Welke opvoedstijl we hanteren, wat voor begeleiding we bieden en hoeveel privacy we toestaan, hangt in hoge mate af van het individuele kind. Als je je kinderen door en door kent, kun je ze alles meegeven wat ze nodig hebben voor goed mediagebruik.

Snapchat is voor mij een van de lastigste sociale netwerken om in de gaten te houden, omdat alles wat Greg ontvangt en verstuurt na tien seconden verdwijnt. Mij stuurt hij via Snapchat maffe, vreselijke selfies en met mijn zus deelt hij foto's van lekkere dingen die hij eet. En ik heb ongetwijfeld weleens een aan zijn vrienden verstuurde opgestoken middelvinger gemist, of iets anders wat op het randje was. Maar ik moet erop vertrouwen dat we zulke duidelijke regels hebben afgesproken en er zo uitvoerig over hebben gepraat dat hij ook buiten mijn blikveld mijn verwachtingen respecteert.

In de gesprekken die ik voer over online privacy gebruik ik altijd veel voorbeelden. Als er iets is waar ik door leraren, ouders en overheidsinstanties telkens weer aan herinnerd word, is het dat op het internet niets echt privé is. Een gedeelde foto of tekst wissen op onze smartphone is geen garantie dat die ook echt weg is. Er zijn voorbeelden genoeg die we aan onze kinderen kunnen vertellen om te voorkomen dat ze in lastige situaties terechtkomen doordat ze dachten dat iets privé zou blijven. Ik heb al zo vaak ouders gehoord over topless of seksueel getinte foto's die circuleerden op Snapchat en daarbuiten. Ze verdwijnen weliswaar na een paar seconden, maar door er een screenshot van te maken kunnen ze toch worden bewaard. Meisjes die zulke foto's van zichzelf versturen, denken dat ze privé blijven. Jongens delen en bewaren ze vaak zonder aan de gevolgen te denken. Door de privacy-aspecten van de nieuwe media met onze kinderen te bespreken, helpen we ze ermee om te gaan. We kunnen onze dochters uitleggen hoe verkeerd het kan uitpakken als ze seksueel getinte foto's van zichzelf versturen, en dat privacy in dit verband niet bestaat. We kunnen onze zoons wijzen op hun verantwoordelijkheid om zich correct te gedragen. Maak je zoon duidelijk wat je vindt dat hij moet doen als hij zo'n foto ontvangt.

Als ik ouders vraag welke waarschuwing ze hun kinderen (van welke leeftijd ook) in hun iRules-contract vooral willen geven, hoor ik meestal iets als: 'Niets wat je online zegt of doet is privé.' Wat houdt bescherming van de 'privacy' van je kinderen voor jou in? Een lijst bijhouden van hun volgers? Elke dag hun e-mails en tekstberichten doorkijken? Accounts op sociale netwerken verbieden? Toegang hebben tot hun foto's? Misschien heb je er heel andere opvattingen over dan ik. Het is dus belangrijk om goed na te denken over wat je zelf verstaat onder privacy en welke verwachtingen je daaromtrent hebt, vervolgens stil te staan bij het karakter van je kind en dan op grond van die twee dingen een afweging te maken. Je keuzes beperken zich niet tot volledige vrijheid of toezicht houden op elke stap die je kinderen online zetten. Bedenk wat jouw kinderen nodig hebben!

En wat vangen we aan met kinderen die de tienerleeftijd nog niet hebben bereikt? Ook al mag Brendan niet de hele tijd op zijn iPod Touch, hij vindt het geweldig dat hij die helemaal voor zichzelf heeft en dat het wachtwoord ervoor zorgt dat zijn zusjes hem niet kunnen gebruiken om spelletjes te spelen of muziek te luisteren. Meestal weet ik wat zijn wachtwoord is, maar hij heeft er lol in om het steeds te veranderen. Zijn zusjes doen er dan weer alles aan om erachter te komen. Soms is een van hen 'uitverkoren' om deelgenoot te zijn van het geheime wachtwoord – een typisch voorbeeld van hoe broers en zusjes elkaar kunnen kwellen. Het is Brendans manier om macht over hen uit te oefenen, zoiets als een slotje op een dagboek of een bordje 'verboden toegang' op de slaapkamerdeur. Omdat ik weet welke apps hij heeft, dat hij geen sociale netwerkaccounts heeft, geen berichten verstuurt en het apparaat maar af en toe gebruikt, maak ik me er niet druk om. Maar als de tijd komt dat hij met leeftijdgenoten gaat chatten, foto's gaat delen en buitenshuis online gaat, wil ik zijn wachtwoord wel weten. Heb je een kind in de basisschoolleeftijd dat een e-reader, een mobiel apparaat of een gameaccount heeft dat afgeschermd is met een wachtwoord, en heb je het vermoeden dat hij of zij dingen voor je verborgen houdt, maak het jezelf dan gemakkelijk en verbied wachtwoorden helemaal! Vergelijk ze met een slaapkamerdeur – je vindt het prima om te kloppen voordat je binnenkomt, maar je zou je kind nooit toestaan om jou buiten te sluiten.

Een andere belangrijke kwestie wat betreft wachtwoorden is de vraag met wie ze gedeeld worden. Een regel die boven elke discussie verheven zou moeten zijn, is dat wachtwoorden binnen het gezin moeten blijven. Raad je kinderen aan om wachtwoorden voor e-mail- of sociale netwerkaccounts en de toegangscode van hun telefoon nooit aan vrienden te geven. Ik heb gehoord van een meisje dat haar wachtwoorden toevertrouwde aan een paar leeftijdgenoten, die vervolgens in haar telefoon gingen snuffelen, vanaf haar accounts reacties plaatsten, berichten verstuurden en zo een hele heisa veroorzaakten. Het delen van wachtwoorden wordt soms (onterecht) gezien als een teken van vriendschap en loyaliteit. Er wordt dan druk uitgeoefend in bewoordingen als: 'Als ik echt je beste vriendin ben, vertel me dan je wachtwoord. Ik zweer dat ik het niet zal gebruiken of doorvertellen!' Kinderen moeten bovendien weten dat niemand van buiten hun gezin – en zeker geen volwassene – om hun wachtwoord hoort te vragen, om wat voor reden dan ook. Volwassenen moeten met volwassenen praten, zo simpel is het. Formuleer zulke grenzen om je kinderen te helpen veilig met hun wachtwoorden om te gaan.

iRules zorgen voor een goed evenwicht tussen privacy en toezicht, zodat kinderen hun zelfstandigheid kunnen ontwikkelen binnen de grenzen die wij als ouders stellen. Preventieve maatregelen zoals het bijhouden of ongeldig maken van wachtwoorden helpen kinderen goede gewoontes te ontwikkelen met betrekking tot de nieuwe media, en kunnen aan alle leeftijden, persoonlijke eigenschappen en behoeftes worden aangepast.

 Smartwise-tip: Maak een lijstje van alle online accounts die je kind heeft. Heb je van allemaal de wachtwoorden? Weet je hoe ze werken en waar je binnen de accounts moet zoeken, voor het geval het nodig is ze te bekijken? Zo niet, maak je dan vertrouwd met de toepassingen die je kind gebruikt. Blijf op de hoogte. Is je kind actief op Twitter, neem dan een Twitteraccount. Volg elkaar. Zorg dat je online even aanwezig bent als in het echte leven.

Smartwise: Slapen gaat boven alles

Mijn iRule: Lever je telefoon 's avonds (doordeweeks om halfacht en in het weekend om negen uur) in bij mij of je vader. Hij blijft daarna uit tot de volgende ochtend halfacht. Bel, sms of whatsapp geen vrienden die je niet op hun vaste lijn wilt bellen omdat een van hun ouders misschien opneemt. Probeer zulke dingen aan te voelen en respecteer andere gezinnen zoals wij als gezin ook gerespecteerd willen worden.

Er moet absoluut een iRule zijn over slapen. Een van de grootste problemen die zich vanaf het begin voordeed met Gregory's iPhone waren groepsberichten. Op een ochtend toen Greg zijn telefoon weer aanzette bleek dat hij 672 tekstberichten had. Ik was verbijsterd! Het was een doordeweekse dag; het laatste bericht was 's nachts om halfdrie verzonden, het volgende 's ochtends om halfzeven. Niet te geloven. Stel je voor dat ik niet als regel had ingesteld dat Gregs telefoon niet mee mocht naar zijn slaapkamer, dan was hij letterlijk honderden keren in zijn slaap gestoord door binnenkomende berichten. Bovendien slaapt hij samen op de kamer met Brendan, dus zijn broertje van elf zou er ook de gevolgen van hebben ondervonden. De nachtrust van mijn opgroeiende tiener leek een van de belangrijkste dingen om te beschermen.*

---

* Het is niet vreemd dat ik alles wat de nachtrust in ons gezin zou kunnen verstoren als een bedreiging ervaar – ik heb in acht jaar tijd vijf kinderen op de wereld gezet. Een moeder beschermt wat haar dierbaar is!

Tieners en jonge volwassenen vertellen me vaak dat ze hun telefoon als wekker gebruiken, of als hulpmiddel om in slaap te vallen. Maar als ik doorvraag blijkt vaak dat ze hun telefoon bij zich houden omdat ze bang zijn om iets te missen, of dat er iets ergs zal gebeuren. Hier volgen een paar fragmenten uit gesprekken die ik heb gevoerd met jongeren die hun telefoon 's nachts naast hun bed leggen.

o   *Toen ik mijn mobieltje pas had, waren er nogal wat problemen in onze familie. Ik liet het aanstaan [als ik op mijn studentenkamer overnachtte] voor het geval ik snel naar huis zou moeten. Nu laat ik het aanstaan voor het geval iemand mijn hulp nodig heeft, of gewoon een luisterend oor.*

o   *Ik heb het gevoel dat ik iets zal missen als ik hem uitzet. Of het nu om een berichtje of een status-update op Facebook gaat, het geeft me een prettig gevoel als ik weet wat er speelt in mijn vriendenkring.*

o   *Mijn ervaring is dat mensen verwachten dat je je telefoon altijd aan hebt staan. Als ik niet opneem wanneer mijn vriend, een familielid of een vriendin belt, denkt diegene meteen dat er iets mis is en krijg ik berichtjes als 'Gaat het wel goed?' of 'Neem op!'.*

o   *Ik heb de slechte gewoonte om sociale media te bekijken en op het web te surfen voor ik ga slapen. Ik ben gewoon te lui om daarna mijn telefoon uit te zetten.*

o   *Ik houd mijn telefoon altijd bij de hand, omdat ik altijd wil kunnen communiceren. Het is vreselijk, maar ik kan het niet laten. Ik wist niet waar ik het zoeken moest toen het scherm van mijn iPhone een keer stukging en ik drie dagen op een nieuwe moest wachten.*

Ik denk dat deze uitspraken illustreren hoe vergroeid we zijn geraakt met onze apparaten en hoe belangrijk sociale media en online communicatie zijn geworden. Het belang van mijn avondverbod op het gebruik van apparaten werd bevestigd toen ik een lezing van een kinderarts bijwoonde over tieners en slaap. Hij stelde dat een onregelmatige of verstoorde nachtrust bij kinderen tot allerlei concentratie- en gezondheidsproblemen leidt. Hij deed dan ook een dringend beroep op ouders om goede slaapgewoontes te creëren. Uit de jaarlijkse enquête van de National Sleep Foundation bleek in 2011 dat ongeveer twee derde van de tieners van dertien tot achttien jaar in het uur voor ze naar bed gingen hun computer of smartphone gebruikte. Een groot aantal van die tieners zei meerdere keren per week 's nachts wakker te worden van een bericht of telefoontje.

Denk na over gezonde slaapomstandigheden voor je kinderen. In ons gezin geldt de regel dat apparaten uiterlijk een uur voor bedtijd uit moeten. Het gebruik van elektronische apparatuur stimuleert onze hersenen; die worden erdoor aan het werk gezet. Misschien herken je het volgende. Tijdens het schrijven van dit boek maakte ik (hoe ironisch) veelvuldig gebruik van mijn computer, iPad en smartphone om informatie op te zoeken, documentaires te bekijken, met mensen te praten en artikelen te lezen. Precies in de periode dat ik steeds vaker de avond met mijn apparaten doorbracht, begon ik onrustiger te slapen. Terwijl ik anders altijd meteen in slaap viel en de hele nacht doorsliep, lag ik nu rusteloos in bed nadat ik het licht had uitgedaan. Ook werd ik 's nachts telkens wakker met gedachten over dingen die ik had gehoord of gezien. Nu weet ik wel dat ik erg in beslag werd genomen door naderende deadlines en lezingen die ik moest voorbereiden. En ja, ik zal vanwege al die opwinding sowieso wel wat meer hebben liggen woelen dan anders. Maar ik geloof niet dat die apparaten een gunstige invloed hadden. Dus legde ik mezelf de regel op die ik ook voor mijn kroost hanteer: alle apparaten moesten minstens een uur voordat ik naar bed ging uit. Ik las geen e-books meer, bekeek geen filmpjes, speelde geen woordspelletjes om in slaap te vallen. En door die kleine aanpassing ging ik weer beter slapen. Ik merkte dat mijn geest tot rust kwam.

In die maanden van overmatig beeldschermgebruik heb ik veel nagedacht over kinderen en tieners. Ik herinnerde me mijn eigen jeugd en hoe belangrijk alles toen leek: sport, het sociale leven, verliefdheden, school, ouders, ruzies. Die dingen namen in mijn jeugd waarschijnlijk een even grote plaats in mijn gedachten in als mijn werk nu doet. Hoe zou het zijn geweest als ik als tiener elke avond mijn hele wereld – met al zijn ups en downs – had meegenomen naar mijn slaapkamer? Wat als die hele wereld naast me op het nachtkastje had gelegen en me geen moment met rust had gelaten? Ik begon de ouders die ik begeleidde te adviseren om hun kinderen 's avonds afstand te laten nemen van hun apparaten.

Zorgen dat je kinderen genoeg slaap krijgen is slow tech-ouderschap op zijn best. Een goede nachtrust is van essentieel belang voor hun ontwikkeling en moet als heilig worden beschouwd. We moeten 's avonds in bed even alleen kunnen zijn met onze gedachten, en de dag achter ons kunnen laten voordat we in slaap vallen. Als kind en als tiener las ik altijd in bed voor het slapengaan, en dat is nog steeds een vast – en waardevol – ritueel. Aan de andere kant: Gregory en Brendan delen een kamer. Voor mij zijn de gesprekken die ik ze 's avonds in bed hoor voeren een mooi vertoon van broederschap: *Wie is jouw favoriete basketbalspeler? Heb je die goal gezien die ik vandaag maakte bij voetbal? Hoe is het om naar de middelbare school te gaan?*

Dus als je kinderen 's avonds in bed nog met sociale media bezig zijn, bedenk dan eens wat ze op dat moment allemaal níét doen. Een hoofdstuk lezen in een boek? Praten met hun broer of zus? Hun gedachten de vrije loop laten? Het lijkt misschien onbelangrijk, maar ik ben van mening dat juist die momenten en ervaringen het waard zijn om beschermd te worden.

Welterusten smartphone!

Gedurende het schooljaar vraag ik Greg doordeweek om halfacht 's avonds zijn online gesprekken en bezigheden te beëindigen en zijn telefoon uit te zetten. Die legt hij dan in de keuken op het aanrecht – een centrale plek in ons huis –, waar hij 's nachts wordt opgeladen. Pas de volgende ochtend gaat hij weer aan. Deze regel is kort maar krachtig en staat niet open voor onderhandeling. En er is nooit discussie over! Een goede nachtrust gegarandeerd.

Dit onderwerp komt vaak ter sprake tijdens mijn workshops. Ouders willen weten hoe ik Greg zover krijg dat hij zijn telefoon weglegt. Dat vind ik een lastige vraag, want eerlijk gezegd vraag ik me af wanneer het moment komt dat hij daar moeilijk over gaat doen. Hij heeft zijn iPhone nu een jaar en tot nu toe is het nooit een probleem geweest. Hij vraagt weleens om een paar minuutjes extra om een gesprek af te kunnen ronden, maar dat is alles. Ik kan een aantal redenen bedenken waarom hij zo meegaand is:

1   Hij heeft wat tijd met ons alleen, omdat zijn jongere broer en zussen al naar bed zijn.
2   Hij is moe van een dag vol school en sport.
3   Hij heeft niets meer met zijn vrienden te bespreken.

Bereid je voor op elk excuus

Dit zijn enkele uitvluchten die ik vaak hoor als ik met ouders en kinderen over smartphones in de slaapkamer praat:

○ Ik gebruik hem als wekker. *Koop een wekker.*
○ Ik slaap beter als ik weet dat hij er ligt. *Dat is een slechte gewoonte.*
○ Stel dat iemand me wil bereiken? *Dat kan tot morgen wachten.*
○ Ik wil naar muziek luisteren. *Koop een radio (of een wekkerradio – twee vliegen in één klap!).*
○ Ik word er niet wakker van. *Jawel, maar je bent je er niet van bewust.*
○ Ik gebruik hem om te lezen. *Pak een boek.*
○ Ik speel graag een spelletje voor ik ga slapen. *Maak een kruiswoordpuzzel.*
○ Ik zet hem in de 'niet storen'-stand. *Mooi! Hij zal je ook niet storen als je hem bij mij achterlaat.*

Voor een gezond slaappatroon is het nodig dat apparaten ruim voor het naar bed gaan worden uitgezet. Ze moeten ook uit de slaapkamer worden verbannen en er moet een vaste bedtijd worden aangehouden.

Als ik heel eerlijk ben...

Ik gebruik de iPad vaak om rustgevende muziek voor mijn dochters te draaien als ze naar bed gaan, iets wat ik ook voor mijn zoons deed toen ze kleiner waren. Het verschil is dat wanneer een apparaat op deze manier wordt gebruikt, ze niet bezig zijn met berichten versturen of websurfen en er geen dopjes in hun oren zitten wanneer ze in slaap vallen. Ze luisteren alleen naar de muziek. Als ik zelf naar bed ga zet ik het uit. Dit bewijst dat ik best flexibel ben, toch? Beoordeel per situatie of je het gebruik van apparaten acceptabel vindt.

Het mobiele tijdperk

Als ik vroeger een vriendin of een vriendje wilde bellen, moest ik eerst moed verzamelen omdat de kans bestond dat een van hun ouders zou opnemen! Voordat ik hun nummer draaide, moest ik me – al dan niet bewust – een aantal dingen afvragen, zoals:

○ Hoe wil ik klinken? Beleefd? Brutaal? Rustig? Nerveus? Zelfverzekerd?

○ Is het niet te laat om te bellen?

○ Is het niet te vroeg om te bellen?

○ Is dit een goed moment om te bellen of ben ik te giechelig omdat ik op een pyjamafeestje ben met nog acht meiden van twaalf?

○ Ga ik iets inspreken op het antwoordapparaat wat de hele familie kan horen als het wordt afgespeeld?

○ Heb ik vandaag al eerder gebeld? Kom ik niet over als een stalker als ik niet gewoon wacht tot ik word teruggebeld?

○ Weet ik wat ik moet zeggen als zijn of haar vader, moeder of oudere broer opneemt?

○ Bestaat het risico dat ik snel ophang omdat ik niet weet wat ik moet zeggen?

○ Waarom bel ik eigenlijk? Als degene die ik bel opneemt, wat wil ik dan tegen hem of haar zeggen?

Dat ik me dit soort dingen afvroeg, maakte ook dat ik tot op zekere hoogte nadacht over het nut van een telefoontje. Ik weet zeker dat mijn leeftijdgenoten zich ook zulke vragen stelden voordat ze naar míjn huis belden. Meer dan eens heb ik mijn vader horen opnemen en zeggen:'Het is nu te laat. Ze kan niet aan de telefoon komen.' Dat was dan dat. Ze hadden geen andere manier om mij te bereiken.

Nu moeten we onze kinderen leren om diezelfde normen te hanteren, ondanks het gemak van mobiele telefoons en de mogelijkheden die ze bieden om voortdurend met elkaar in contact te blijven. En ouders moeten ook met elkaar blijven praten! Persoonlijk contact met andere ouders maakt het gemakkelijker om op de hoogte te blijven van elkaars regels en die te respecteren. Stel je daarom voor aan andere ouders, vraag toestemming, bevestig afspraken, bedank ze en neem elke gelegenheid te baat om persoonlijk in contact te komen.

Smartwise-tip Maak het je kind gemakkelijker om zich los te maken van zijn of haar apparaten. Trek de stekker eruit! Ga er niet over in discussie. Uiterlijk een uur voor bedtijd is een prima tijdstip om alles uit te zetten en nog wat tijd met elkaar door te brengen, of even tot rust te komen.

Omgangsregels

Smartwise: Behandel anderen met respect

Mijn iRule: Gebruik je iPhone niet om te liegen, mensen te bedriegen of te misleiden. Doe niet mee aan gesprekken die kwetsend zijn voor anderen. Wees een goede vriend of houd je afzijdig.

Mijn iRule: Zeg in telefoongesprekken, chatberichten of e-mails niets wat je niet persoonlijk tegen iemand zou zeggen.

Mijn iRule: Zeg in telefoongesprekken, chatberichten of e-mails niets tegen iemand wat je niet hardop zou zeggen waar zijn of haar ouders bij zijn. Censureer jezelf.

Dit hoofdstuk gaat over omgangsvormen en nieuwe media: hoe behandelen we elkaar in de digitale wereld? Als ouders hebben we de plicht om ervoor te zorgen dat onze kinderen online respectvol omgaan met leeftijdgenoten. Dat moeten we ze leren, zoals we dat ook doen met betrekking tot contacten buiten het internet. Op de volgende bladzijden komen cyberpesten, foute acties van vrienden en de macht van het woord aan de orde. Ik geef concrete voorbeelden en sta ook stil bij de maatschappelijke discussies over deze onderwerpen.

Cyberpesten

Opmerking: Ik zou letterlijk een heel boek kunnen wijden aan dit onderwerp. De onderzoeken die ik hier bespreek en de voorbeelden die ik geef vormen absoluut geen volledige beschrijving van het probleem. Cyberpesten is een even veelomvattend als ernstig fenomeen. De gevolgen lopen uiteen van onschuldig tot dramatisch. Schoolbestuurders, politiemensen, juristen en mediakopstukken proberen dag in dag uit vat op het probleem te krijgen en nieuwe manieren te vinden om het tegen te gaan. De nieuwe media spelen zo'n grote rol in het leven van onze kinderen dat cyberpesten voor veel gezinnen een voortdurende bron van zorg is. Mijn doel is je meer inzicht in dit onderwerp te geven en je eenvoudige hulpmiddelen aan te reiken voor een gesprek aan de keukentafel, zodat het binnen jouw gezin altijd bespreekbaar zal zijn en niet verborgen of onderbelicht blijft.

Volgens de actiegroep Stop Cyberbullying is er sprake van cyberpesten als

een kind of tiener door een leeftijdgenoot wordt getreiterd, bedreigd, lastiggevallen, vernederd of in verlegenheid gebracht via internet, sociale media of de mobiele telefoon. Beide partijen zijn minderjarig, of er is sprake van pesterijen jegens een minderjarige die begonnen zijn op initiatief van een andere minderjarige.

Cyberpesten is net als pesten buiten het internet een vorm van machtsvertoon. Het gebeurt opzettelijk en langdurig. Maar volgens DoSomething.org, een organisatie die zich op verschillende manieren inzet voor een betere maatschappij, denkt 81 procent van de jongeren dat cyberpesten gemakkelijker gaat dan andere vormen van pesten, omdat het vaak anoniem, buiten het zicht van anderen of buiten schooltijd gebeurt en de pestkoppen de reacties van hun slachtoffer niet zien. DoSomething.org zegt ook dat niet meer dan 10 procent van de slachtoffers hulp zoekt bij een volwassene. De National Crime Prevention Council (NCPC), de Amerikaanse raad voor criminaliteitspreventie, geeft op zijn website de volgende voorbeelden van cyberpesten:

○ Iemand kwetsende of bedreigende e-mails of andere tekstberichten sturen.
○ Iemand zonder reden uitsluiten van een contactenlijst binnen een instant messenger, of zijn of haar e-mailadres blokkeren.
○ Iemand persoonlijke of beschamende informatie ontlokken en die met anderen delen.
○ Inbreken in iemands e-mail- of instant messengeraccount om uit zijn of haar naam berichten te versturen die kwetsend of niet waar zijn.
○ Een website maken waarop iemand, bijvoorbeeld een klasgenoot, belachelijk wordt gemaakt.
○ Websites gebruiken waarop scores kunnen worden gegeven aan het uiterlijk van leeftijdgenoten.

De NCPC gaat vervolgens in op de effecten van dit soort acties:

○ Het pesten stopt niet als het kind thuis is. Dat kan een kind de plek ontnemen waar het zich het veiligst voelt.
○ Het kan wreder zijn dan andere vormen van pesten. Kinderen zeggen online vaak dingen die ze niet persoonlijk tegen iemand zouden zeggen, vooral omdat ze de reactie van de ander niet kunnen zien.
○ Het kan een groot bereik hebben. Kinderen kunnen berichten waarin ze iemand belachelijk maken met een paar muisklikken naar al hun klasgenoten sturen, of op een website zetten waar ze voor iedereen zichtbaar zijn.
○ Het kan anoniem gebeuren. Cyberpesters verschuilen zich vaak achter gebruikersnamen en e-mailadressen die hun identiteit niet verraden.

Niet weten wie er achter de pesterijen zit kan een slachtoffer nog onzekerder maken.

O   Het kan onontkoombaar lijken. Cyberpesten lijkt misschien gemakkelijk te ontwijken door niet online te gaan, maar het internet vormt voor veel jongeren een van de belangrijkste ontmoetingsplekken.

Hier volgen enkele praktijkvoorbeelden van cyberpesten die ik tijdens mijn workshops en weerbaarheidstrainingen voor jongeren heb gehoord of van dichtbij heb meegemaakt.

O   Chris, een jongen uit groep 8, maakt met zijn smartphone elke dag foto's van zijn klasgenote Leanne. Leanne is niet populair op school en wordt vaak buitengesloten, geplaagd of genegeerd door de kinderen in haar klas. De meeste foto's zijn gemaakt terwijl Leanne het niet in de gaten had. Ze staat er vaak lezend of huiswerk makend op, en de meeste zijn niet erg flatteus. Chris post ze op Twitter met bijschriften als 'Mijn vriendin' en 'Knap hè?'. Veel van zijn volgers liken of retweeten de foto's, en al gauw verspreidt de 'grap' zich ook over andere sociale netwerken. Leanne hoort er zelf ook van en krijgt een paar van de tweets onder ogen. Ze reageert er niet op, in de hoop dat het zal overwaaien.

O   Angie is een sportieve zestienjarige scholiere die goede cijfers haalt en geen problemen heeft op school. Op een dag krijgt ze ineens tekstberichtjes vanaf een onbekend nummer. Er staat alleen maar 'Hoi Angie', maar als ze een paar keer antwoordt met 'Wie is dit?' of 'Sorry, ik ken dit nummer niet' wordt er niet gereageerd. Het zit haar dwars. Al gauw krijgt ze dagelijks meerdere berichten. Ze krijgen een steeds explicieter seksueel karakter en er worden zelfs pornografische foto's gestuurd met teksten als 'Je weet dat je dit wilt, Angie'. Ze reageert met 'Hou op!' of 'Wie ben je?', maar dat lijkt de afzender alleen maar aan te moedigen. Ze krijgt antwoorden als: 'Je hoeft niet te weten wie ik ben. Ik weet wie jij bent, Angie'. Het gaat weken zo door, maar Angie vertelt niets aan haar ouders omdat ze het zelf wil oplossen en zich geneert voor de inhoud van de berichten. Bijna een maand lang wordt haar leven beheerst door angst en boosheid, terwijl de pesterijen doorgaan. Uiteindelijk besluit ze haar ouders in vertrouwen te nemen.

○ Molly is vijftien en heeft het onlangs uitgemaakt met haar vriendje Mike. Ze zitten niet op dezelfde school, dus ze ziet hem niet zo vaak meer. Om de breuk gemakkelijker te maken besluit ze Mike uit al haar sociale netwerkaccounts te verwijderen. Ze blijft gewoon foto's posten van haar vrienden en haar sociale bezigheden. Op een dag stuurt Mike haar een privébericht via het Facebookaccount van zijn vriend Jay, dat luidt: 'Molly, waag het niet om nu al met een ander uit te gaan. Slet!' Ze is beduusd en weet niet hoe ze moet reageren. Uiteindelijk antwoordt ze: 'Hou op met het bespioneren van mijn account. Word volwassen.' Mike gebruikt accounts van verschillende vrienden om haar berichten te sturen, zoals 'Wat doe je als ik dit weekend kom opdagen op je schoolfeest?' en 'Ik weet dat je met Aaron naar een voetbalwedstrijd gaat. Ik zal er ook zijn.' Molly blokkeert al hun gezamenlijke kennissen en vraagt Mike om op te houden, maar hij vindt steeds weer een manier om in haar leven binnen te dringen. Ze is ten einde raad; ze denkt dat ze misschien overdrijft en wil hem niet in echte moeilijkheden brengen, maar aan de andere kant wil ze dat hij haar met rust laat.

Het lastige aan cyberpesten

○ In al deze verhalen ervaart het slachtoffer een mengeling van schaamte, boosheid, verwarring, angst en machteloosheid.

○ De slachtoffers weten niet wat ze moeten doen. Met wie kunnen ze erover praten? Wie kunnen ze in deze situatie vertrouwen?

○ De gevolgen voor de slachtoffers zijn vaak onzichtbaar voor volwassenen – sociale uitsluiting, de angst om als klikspaan te worden beschouwd of ervan beschuldigd te worden dat je overdrijft of niet tegen een geintje kunt.

○ De gevolgen voor de dader zijn vaak ernstig – meer of minder streng gestraft worden, in aanraking komen met de politie, er in je latere leven blijvend door achtervolgd worden.

○ Cyberpesten gebeurt in een afgeschermde omgeving – via

smartphones, computers en sociale netwerken – en ouders zien het dus alleen als ze ernaar op zoek gaan. Het is niet te vergelijken met steeds thuis gebeld worden door een pester; dan heeft de rest van het gezin vaak al snel in de gaten dat er iets speelt, doordat de telefoon meestal op een centrale plek staat en door iedereen gebruikt wordt. Ook hatelijke briefjes die naar iemands huis worden gestuurd zullen meestal niet lang onopgemerkt blijven.

Er wordt online nog op andere manieren bewust gekwetst. 'Subtweets' (een afkorting van 'subliminal tweets') zijn tweets die duidelijk over iemand gaan zonder dat hij of zij bij naam wordt genoemd. Er worden dan dingen geschreven als 'Wat een sukkel!', 'Echt veel te dik!' of 'Geen vriendin van mij!'. Het komt veel voor, in allerlei vormen, en is vaak pijnlijk voor de persoon die publiekelijk op de korrel wordt genomen. Maar ook andere leeftijdgenoten kunnen er onzeker van worden: *Over wie heeft hij/zij het? Gaat het over mij? Heb ik iets verkeerd gedaan?* Subtweets worden vaak geretweet en kunnen een eigen leven gaan leiden.

Als we beseffen dat conflicten onvermijdelijk deel uitmaken van de online wereld van onze kinderen (en van die daarbuiten), kunnen we ze helpen er op een goede manier mee om te gaan. Conflicten horen bij het leven en hebben ook een positieve kant; ze bieden de gelegenheid behoeftes te uiten en tot een oplossing te komen voor een probleem. Dat is een belangrijke les die geldt voor het leven met of zonder de nieuwe media. In de meeste gevallen ontstaat een probleem in het echte leven – op school of tijdens een sportwedstrijd – en wordt het daar niet opgelost. Vervolgens wordt het conflict online voortgezet, waar volwassenen er geen zicht op hebben.

Andersom kan een misverstand dat online ontstaat zich ook verplaatsen naar het schoolplein. Praat daar met je kinderen over. Hebben ze dat weleens meegemaakt? Kennen ze iemand die het is overkomen? Vraag om voorbeelden. Om conflicten te begrijpen, moet je ze eerst kunnen herkennen. Oefen vervolgens manieren om ze op te lossen. Bedenk samen met je zoon of dochter een aantal conflictsituaties die zich online zouden kunnen voordoen en vraag hoe hij of zij daarop zou reageren. Help bij het bedenken van de juiste aanpak. Leg uit dat conflicten nuttig kunnen zijn, maar dat een persoonlijk ge-

Thuis conflicten oplossen

Een goede manier om je kinderen te leren hoe ze conflicten met leeftijdgenoten kunnen oplossen is er thuis mee te oefenen. Begeleid ze, geef ze uitleg en praat erover.

Een voorbeeld: Ella roept allerlei lelijke dingen tegen Lily. Vervolgens komt ze naar mij toe en klaagt dat Lily net doet alsof het hondje dat Ella heeft gekregen van háár is. Ik wil haar leren om Lily rechtstreeks aan te spreken op dingen die haar dwarszitten, dus laat ik ze met elkaar praten. Dat gaat als volgt:

Ella: Ik ben boos omdat jij telkens eerder wakker bent dan ik en dan stiekem met de hond gaat wandelen, zonder te vragen.
Lily: Ik deed het niet stiekem. Ik wou je helpen. Waarom doe je zo gemeen?
Ella: Ik wil dat je me wakker maakt, zodat ik ook de kans krijg om met hem te gaan wandelen. Je mag hem niet zomaar meenemen omdat jij toevallig het eerst wakker bent.
Lily: Goed. Mag ik af en toe wel alleen met hem wandelen?
Ella: Misschien. Maar je moet het me 's avonds vragen.

Het is niet perfect, maar de gemoederen zijn bedaard. De meisjes zijn doorgedrongen tot de kern van het conflict: macht. Ze hebben een compromis bereikt en zijn allebei bereid iets op te geven. Het is een goede oefening in communiceren zonder te schreeuwen, te schelden, oude ruzies op te rakelen of te klikken. Ik moedig ze aan om zo direct mogelijk te zijn (hun leeftijd in aanmerking genomen). Als broers en zussen dingen leren uitpraten, oefenen ze in een veilige omgeving de vaardigheden die ze nodig hebben om conflicten met leeftijdgenoten op te lossen.

sprek meestal het beste werkt om ze op te lossen: het verkleint de kans dat een ruzie op straat komt te liggen of dat we niet duidelijk zeggen wat we bedoelen. Heeft je kind het gevoel dat het onder vuur ligt, of is het onzeker in het omgaan met online conflictsituaties, laat hem of haar dan terugvallen op dat ene simpele zinnetje: 'Hier wil ik niet online over praten'. Als we onze kinderen leren dat conflicten erbij horen en dat ze ze zelf kunnen oplossen, kunnen we een hoop online narigheid voorkomen.

Reageren en melding maken

Elizabeth Englander, hoofd van het Massachusetts Aggression Reduction Center van de Bridgewater State University, bespreekt in een artikel over (cyber)pesten uit 2010 het verschil tussen 'reageren' en 'melding maken'. Als we gedrag zien dat ons niet bevalt moeten we volgens haar altijd onze afkeuring laten blijken, ook als het niet nodig is het te melden bij de schoolleiding, andere ouders of een toezichthouder. Ook elke online misdraging vereist een reactie.

Waargebeurd: Ik scrolde op een avond door Gregs tekstberichten en zag dat een paar vrienden het hadden over een nieuwe rage die ze 'slap cam' noemden. Een van de jongens vertelde dat een andere vriend hem terwijl hij lag te slapen al filmend een klap in zijn gezicht had gegeven, en het filmpje vervolgens op internet had gezet. Ik was geschokt. Toen ik op Google naar meer informatie zocht, ontdekte ik dat er duizenden voorbeelden van deze rage online staan. Dus besloot ik er met Greg over te praten, ook al was hij er zelf niet bij betrokken geweest.

Dit zijn enkele voorbeelden van vragen die ik hem stelde:

O   Wat weet jij over slap cam?
O   Ik zag groepsberichten waarin een paar jongens het erover hadden. Is het jou weleens overkomen? Heb jij het weleens bij iemand gedaan? Heb je het ooit zien gebeuren?
O   Ik vond de filmpjes die ik op internet zag nogal heftig en gewelddadig. Ik vind het naar en gemeen, niet grappig. Jij wel?

De lasten van het ouderschap

Na ons *slap cam*-gesprek vroeg Greg 's avonds of hij ergens mocht logeren waar uitgerekend die jongens die zulke fimpjes maakten ook zouden zijn. Meende hij dat nou? Natuurlijk wilde ik nee zeggen, mijn poot stijf houden en voorkomen dat mijn zoon letterlijk met een klap uit zijn dromen zou worden gewekt. Maar ik kon het niet over mijn hart verkrijgen. Tegen zijn vrienden had hij gezegd: 'We doen niet mee aan dat stomme slap cam-gedoe, Wie dat bij mij flikt, die is nog niet jarig.' Zijn vrienden zeiden toen dat ze er eigenlijk ook een hekel aan hadden en dat ze er 'wel klaar mee waren'. Ik had er moeite mee om hem te laten gaan, ik heb zelfs nog geprobeerd hem om te kopen met ijs en een film. Steeds weer zag ik de slap cam-filmpjes voor me die ik op YouTube en Vine had gezien. Maar ik wist dat hij moest leren om voor zichzelf op te komen en met dit soort puberale ongein om te gaan. Ik vertelde hem nog maar eens dat ik zou ingrijpen als ik zoiets op een van zijn accounts voorbij zag komen. Ik gaf hem een preek over de privacyschending, het geweld en het gebrek aan respect dat zulke filmpjes vertegenwoordigen. Ik zei dat ik hem direct zou komen halen als het uit de hand liep, al was het midden in de nacht. Misschien heb ik zelfs iets geroepen als: 'Is er dan niets meer heilig? Kunnen jullie niet gewoon lekker lang opblijven zonder alles maar te filmen en te delen?' Greg lachte alleen maar en zei: 'Mam, dat doen we heus niet.' En ze deden het inderdaad niet. Verdorie, een liefhebbende ouder zijn valt soms niet mee.

○ Waarom doen jongeren dit bij elkaar? Wat is er leuk aan? Snap je dat ik er niets van begrijp?

○ Ik zou erg boos zijn als het bij jou gebeurde, of bij iemand die bij ons te gast is. Hoe kunnen we dat voorkomen?

Het gesprek werd met elke vraag serieuzer, maar het bleef luchtig en duurde niet lang aangezien we er grotendeels hetzelfde over dachten. Maar ik had nu in elk geval het gevoel dat hij wist wat ik van hem verwachtte en zelf ook de kans had gekregen om te zeggen wat hij ervan vond.

Door meteen te reageren als zich iets nieuws aandient, kunnen we erover in gesprek gaan voordat onze kinderen er direct mee te maken krijgen. Zo kunnen we er als gezin over van gedachten wisselen en onze grenzen en verwachtingen aangeven zonder het zelf mee te maken. Ik meen dat wij meteen zouden weten hoe we moesten reageren als Greg 'geslapcamd' werd, doordat we al hebben besproken hoe we tegenover dat verschijnsel staan. Greg zou weten dat hij naar ons toe kon komen. Als hij er als dader bij betrokken was – of hij nu had geslagen, gefilmd of gepost – zou hij weten dat het serieuze gevolgen voor hem zou hebben, omdat we ook dat van tevoren hebben besproken.

Opmerking: Ik heb het onderwerp slap cam nog eens aangesneden toen Adam erbij was, zodat hij ook zijn mening kon geven. Tot mijn grote vreugde vond hij het even weerzinwekkend als ik en deed hij het niet af als 'iets wat jongens nu eenmaal doen'.

Wat belangrijk is bij cyberpesten

○ Zorg ervoor dat je kind weet dat het naar je toe kan komen als er online dingen gebeuren – klein of groot – die niet goed voelen. Laat de deur wijd openstaan!

○ Begin zelf het gesprek over wat zich op internet afspeelt. Hou het luchtig en aangenaam. Je krijgt misschien meer te horen dan je zou denken als er sprake is van tweerichtingsverkeer. Vraag je kinderen naar hun mening. Vraag of ze iets gezien of gehoord hebben waar jij moeite mee hebt. Vertel ze wat jij daarvan weet en welke dingen je niet begrijpt.

○ Vertel over een keer dat jij gepest werd. De kans is groot dat je kind ook zoiets heeft meegemaakt – het kan de aanzet zijn tot een openhartig gesprek over vervelende ervaringen.

o Vraag je kind om zich voor te stellen hoe het voelt om slachtoffer te zijn van cyberpesten. Laat hem of haar nadenken over wat het betekent om niet een enkele keer, maar dag in dag uit gepest te worden. Stimuleer empathie! Zo'n gesprek kan voorkomen dat je kind in de toekomst meedoet aan pesterijen.

o Ook als cyberpesten via apparaten thuis gebeurt komt het waarschijnlijk voort uit een probleem op school, of zal het op school worden voortgezet. Het heeft een nadelige invloed op de schoolprestaties.

o Op de meeste scholen werkt een vertrouwenspersoon die getraind is in het omgaan met (cyber)pesten. Daarnaast kunnen ouders en leraren voor hulp en advies terecht op de website www.digitaalpesten.nl.

o Ook de politie kan advies en hulp bieden bij cyberpesten. Pesten is op zich niet strafbaar, maar kan wel uitmonden in strafbaar gedrag. Wijkagenten werken daarom samen met scholen om cyberpesten tegen te gaan of bestaande gevallen op te lossen voor ze kunnen escaleren.

Cyberpesten is een relatief nieuw fenomeen. Beleidsmakers en scholen gaan er op verschillende manieren mee om. Het kan zich in allerlei vormen voordoen, maar in alle gevallen is het belangrijk is dat we als ouders een steunpunt zijn voor onze kinderen. Door binnen ons gezin heldere normen en waarden te hanteren, kunnen we hen leren zich ook online op een positieve, respectvolle manier te gedragen.

Melden! Blokkeren! Verwijderen!

Het eerste wat kinderen zouden moeten doen als ze zich zorgen maken over iets wat online gebeurt, is het melden aan hun ouders. 'Vrienden' door wie ze zich onaangenaam bejegend voelen, kunnen geblokkeerd of verwijderd worden voordat hun gedrag kan uitgroeien tot pesterij – niemand verdient het om zo behandeld te worden! Facebook kent de mogelijkheid om een gebruiker definitief te blokkeren. Ook de meeste aanbieders van mobiele telefonie bieden mogelijkheden om een nummer te laten blokkeren. Informeer bij je provider als je niet weet hoe dat in zijn werk gaat.

Blijf opletten!

Ik herinner me dat ik toen ik in groep 7 zat eens een anonieme brief kreeg. Er stonden allerlei gemene dingen in: dat ik flaporen had, dat niemand mij leuk vond, dat mijn neus te groot was, dat ik mijn haar te vaak in een staart droeg, dat ik te veel naar de jongens keek. Ik herinner me de kleur van het papier, het handschrift, de grote envelop. Ik kreeg alinea na alinea de volle laag. Dat deed zeer! Ik weet nog dat ik als een klein, verslagen hoopje op mijn bed ging liggen, met de brief nog steeds bij me. Maar wat me het meest is bijgebleven is het moment dat mijn moeder mijn kamer binnenkwam om schone kleren op te bergen. Ze zag dat er iets aan de hand was, ging op de rand van mijn bed zitten en vroeg wat er scheelde. Ik wilde niet dat ze zou denken dat ik niet goed in mijn vel zat of dat andere kinderen mij misschien niet mochten, en daarom zei ik dat ik gewoon moe was. Ze bleef zitten en zei niets. Na een paar minuten gaf ik haar de brief. Ze las hem en toen ze hem uit had, sloeg ze haar armen om me heen. Ik huilde even flink uit. Daarna praatten we erover. Ze legde me uit dat mensen die gekwetst zijn soms andere mensen willen kwetsen. We hadden het over wat iemand tot een goede vriend of vriendin maakt. Mijn moeder was net zo boos en verdrietig als ik. Ze hielp me het achter me te laten. Ze kende mij en mijn gedrag door en door en hielp me het gedrag van mijn leeftijdgenoten beter te begrijpen. Ze had gezien dat er iets aan de hand was! Ook al kunnen we als ouders niet altijd alles oplossen, we moeten blijven opletten.

Zoals mijn moeder aanvoelde dat er bij mij iets speelde, zo kun jij dat ook aanvoelen bij jouw kinderen. De vinger aan de pols houden is vooral belangrijk vanwege het ongrijpbare en onzichtbare karakter van cyberpesten. Het gebeurt vaak in ons eigen huis, en toch is de kans groot dat we er niets van merken. Maar misschien zien we wel gedrag dat ermee samenhangt. De NCPC noemt op zijn website een aantal klassieke signalen van cyberpesten. Voorbeelden daarvan zijn:

○ Je kind wil niet meedoen aan activiteiten die hij/zij normaal gesproken leuk vindt.
○ De eet- of slaapgewoontes van je kind veranderen.
○ Je kind gaat niet meer met bepaalde kinderen of ineens met andere kinderen om.

o Er doen zich plotseling problemen voor op school.

o Als je kind de computer uitzet of afschermt wanneer er iemand in de
   buurt komt, kan dat erop wijzen dat hij/zij zich schuldig maakt aan
   cyberpesten.

o Als je kind overmatig gebruikmaakt van zijn computer of smartphone
   kan dat eveneens betekenen dat hij/zij online iemand pest.

Cyberpesten is te voorkomen. We moeten er met onze kinderen over praten,
vragen wat ze hebben gezien, ze helpen het te herkennen en hen aanmoedigen om met hun online problemen en conflicten naar ons toe te komen. Zorg
dat ze zulke dingen niet verzwijgen, ook niet uit angst dat hun beeldschermgebruik misschien voorlopig aan banden wordt gelegd!

Foute acties van vrienden

Julie wordt tijdens een logeerpartijtje wakker in het huis van een vriendin. Op
het moment dat ze haar ogen opendoet, moe en suf doordat ze amper heeft
geslapen, maakt Katie een foto van haar. Een paar tellen later, nog voordat Julie heeft kunnen reageren, staat de foto al online. Katie zegt dat het 'maar een
grapje' was, dat ze het niet kwaad bedoelde, en dat het niets is om je druk over
te maken. Intussen wordt de foto door tientallen leeftijdgenoten bekeken,
van commentaar voorzien en gedeeld. Julie schaamt zich en smeekt Katie om
de foto weg te halen. Dat doet Katie, maar hij is al op zo veel plekken opgedo-
ken dat hij niet meer permanent van internet verwijderd kan worden. Dit is
een voorbeeld van een foute actie. Katie heeft Julie gekwetst en voor schut
gezet, maar als ze dat beseft is het al te laat. Het verschil met cyberpesten is dat
het niet gaat om iets met een langdurig of bedreigend karakter, maar om on-
aardig of oneerlijk behandeld worden door een vriend(in) die dezelfde mate
van sociale macht bezit.

Ik adviseer de kinderen, tieners en ouders met wie ik werk altijd om toestemming te vragen voordat ze foto's van iemand anders taggen, posten of
delen. Dat is een eenvoudig teken van fatsoen dat zelfs kan leiden tot een zinnig gesprek (hoe kort ook), zoals in dit voorbeeld:

Katie: Hé Julie, mag ik die grappige foto van jouw slaperige hoofd op Instagram zetten?
Julie: Laat eens zien? Nee, ik zie er verschrikkelijk uit! Maar je mag hem wel naar Jenny sturen, die ligt vast in een deuk om mijn duffe blik.

Gregory en zijn vrienden maakten laatst foto's van elkaar terwijl ze bij een van hen in de tuin aan het basketballen waren. Als er een leuke bij zat, bewerkten ze die zo dat degene op de foto er helemaal cool uitzag (hangend in de lucht, tijdens een mooie dunk of met een stoere gezichtsuitdrukking) en zetten hem vervolgens op Instagram. Toen ik later die avond Gregs account bekeek, zag ik dat hij een paar onflatteuze foto's had gepost van zijn vriend Joey die de perfecte dunk probeerde te maken, en er een paar sarcastische bijschriften bij had gezet. Dat zat me niet helemaal lekker, dus ik besloot hem ernaar te vragen. Dit zou weleens een leermoment voor hem kunnen zijn, dacht ik. Ik had het gevoel dat Greg en zijn vrienden zichzelf goed uit de verf wilden te laten komen ten koste van een ander.

Ik: Hé, hoe komt het dat jij, Scott en Tyler er telkens geweldig uitzien, terwijl er alleen van Joey foto's zijn gepost waar hij stom op staat?
Greg: Omdat ze grappig zijn. Het is wel goed, mam, Joey vindt het niet erg. Hij vindt ze ook grappig.
Ik: Heeft hij dat gezegd? Heb je hem gevraagd of je ze online mocht zetten? *(Ik wijs hem er vervolgens nog maar eens op hoe belangrijk het is om in dit soort gevallen toestemming te vragen.)*
Greg: Goed mam, maar ik weet dat het hem niet kan schelen.
Ik: Zou het jou iets kunnen schelen als het foto's van jou waren?
Greg: Ik geloof het wel.
Ik: Doe me dan een plezier en vraag Joey of hij het goed vindt dat die foto's online staan. Als hij er geen problemen mee heeft, kun je ze laten staan. Anders moet je een goede vriend zijn en ze verwijderen.

Joey vroeg Greg toch om de foto's te verwijderen. Hij maakte er niet echt een punt van maar had toch liever niet dat ze met iedereen werden gedeeld. Dit is een goed voorbeeld van hoe we onze kinderen met behulp van beeldschermregels kunnen leren rekening te houden met de gevoelens van anderen – nadenken voordat je iets doet is ook in de digitale wereld belangrijk. We moeten onze kinderen, vergroeid als ze zijn met hun apparaten, leren om de belangen van anderen serieus te nemen en niet zomaar van alles te posten om likes of aandacht te krijgen.

Een soortgelijk verhaal dat ik heb gehoord, ging over een stel meiden die bij een van hen op de kamer zaten te chillen. Drie van de meisjes begonnen op een gegeven moment gek te doen en te dansen en zingen voor de spiegel. Twee anderen maakten daar stiekem een filmpje van en plaatsten het op Vine. De drie meisjes hadden geen idee dat hun optreden online was gezet, totdat ze die avond hun accounts openden en ontdekten dat ze ruim honderd likes en tientallen reacties hadden gekregen.

Dit verhaal geeft goed weer wat er voor onze kinderen – naar ik vrees – weleens bij in zou kunnen schieten: de mogelijkheid om zich af en toe te laten gaan. Tieners staan onder druk om altijd betrokken en alert te zijn en er op hun best uit te zien, want een foto is in een oogwenk gemaakt, verstuurd en gedeeld. Ze zijn zich constant bewust van wat ze doen, hoe ze eruitzien en wie er in de buurt zijn. Kinderen hebben echter een veilige zone nodig waar ze niet op hun hoede hoeven te zijn en zich niet druk hoeven te maken om hoe ze overkomen – een plek waar ze gewoon zichzelf kunnen zijn. Ze hebben behoefte aan wegwijzers op hun gezamenlijke tocht door de digitale wereld. Proberen een goed mens en een goede vriend(in) te zijn moet daarbij hoog in hun vaandel staan. Ik geloof dat wij die wegwijzers kunnen zijn, en hen ervoor kunnen behoeden dat ze de weg kwijtraken en volledig worden opgeslokt door de technologische ontwikkelingen. Die horen immers niet tot alle hoeken en gaten van hun leven door te dringen.

De macht van het woord

Bekijk het Instagram- of Twitteraccount van je kind en je kunt er donder op zeggen dat je in de reacties woorden als 'homo', 'slet' en 'hoer' tegenkomt. Volgens de website ThinkB4YouSpeak.com komt op Twitter maandelijks meer dan een miljoen keer het woord 'flikker' voorbij. Zulke woorden worden voor de grap gebruikt of zonder erbij na te denken. 'Ik bedoelde het niet zo, we wa-

ren maar wat aan het dollen,' is wat ik jongeren daar steevast over hoor zeggen. Als ik ze dan vraag te omschrijven wat ze wél bedoelden, komen ze met
woorden als 'raar', 'stom', 'cool' of 'anders'. Taal is een machtig wapen waarmee
we anderen kunnen treffen, ook wanneer dat niet onze bedoeling is. Woorden
hebben wel degelijk impact! Hatelijke taal hoort niet te pas en te onpas rond-
gestrooid te worden, niet in de virtuele en niet in de echte wereld. Als ik kinderen of tieners zulke taal hoor gebruiken geef ik ze geen uitbrander, maar zeg ik
alleen: 'Zoek een ander woord.' Dat simpele zinnetje blijft hangen. Ik hoor ze
het vaak onderling herhalen, wat betekent dat ik ze heb gestimuleerd om zich
bewust te zijn van hun taalgebruik, te zeggen wat ze bedoelen en zich niet te
verschuilen achter woorden die kwetsend of aanstootgevend kunnen zijn
voor anderen.

Tijdens mijn workshops vraag ik ouders altijd hoe ze hun kinderen voorbereiden op het gebruik van bepaalde nieuwe media. Een moeder wilde vooral
dat haar zoon zich ervan bewust was dat de meeste ouders de tekstberichten,
accounts en online geschiedenis van hun kinderen controleren, en dat hij er
dus altijd van uit moest gaan dat alles wat hij online met anderen deelde ook
hun ouders onder ogen zou komen. Ze drukte hem op het hart geen taal te
gebruiken die andere ouders niet zouden waarderen. Met andere woorden:
als je het niet zou zeggen in hun bijzijn, zeg het dan ook niet online. Die invals-
hoek maakte het haar zoon gemakkelijk om te begrijpen wat ze bedoelde: wil
je dat de ouders van je vrienden lezen wat je hebt geschreven?

Van ouder tot ouder

Een van de vragen die ouders me het meest stellen tijdens mijn coachingsessies, luidt: moeten we andere ouders inlichten als hun kind iets online zet wat
reden geeft tot zorg? Voordat je in zo'n geval actie onderneemt, moet je jezelf
een aantal vragen stellen:

O   Duidt een bericht, foto of gesprek erop dat er iets gevaarlijks,
     levensbedreigends of strafbaars gaande is? Als dat zo is en je kunt de
     dochter in kwestie voor erger behoeden door met haar moeder (laten
     we haar Judy noemen) te gaan praten, aarzel dan niet. Judy zal
     misschien niet blij zijn met wat ze te horen krijgt, maar jij kunt in elk

geval met een gerust hart gaan slapen in de wetenschap dat je hebt gedaan wat juist is.

o   Lijkt er geen sprake van een gevaarlijke situatie, stel jezelf dan de volgende vragen: *Wat voor relatie heb ik met Judy? Hoe zou ik reageren als ze mij zoiets vertelde over mijn kind? Is Judy in staat om op een volwassen manier te reageren, of zal ze zich beoordeeld of aangevallen voelen? Wat probeer ik te bereiken door haar dit te vertellen? Doe ik het om de juiste redenen of reageer ik overdreven?*

Heb je een open, vriendschappelijke relatie met Judy, dan hebben jullie hopelijk al afspraken gemaakt over zulke situaties voordat ze zich voordoen. Mijn schoonmoeder Karen heeft vier jongens grootgebracht. Haar twee beste vriendinnen hadden ook zoons van ongeveer dezelfde leeftijd. De jongens waren allemaal goed bevriend. Toen ze de tienerleeftijd bereikten, spraken hun moeders af dat ze misdragingen van hun zoons alleen aan elkaar zouden melden als er bemoeienis van de politie, een ziekenhuisbezoek of serieus bloedvergieten bij kwam kijken. Ook alles wat hun gezinnen in verlegenheid zou kunnen brengen, schade zou kunnen berokkenen of moeilijk zou zijn om van een buitenstaander te horen, viel onder de afspraak. Het had een blijvende invloed op de vriendschap, doordat ze aan het begin duidelijke regels overeen waren gekomen waaraan iedereen zich ook hield. In andere vriendschappen werkt het misschien juist beter om wel alles te delen, in vertrouwelijke sfeer. Als Judy een goede vriendin is, zul je er misschien geen moeite mee hebben om haar te vertellen dat je op Instagram een foto van haar bierdrinkende dochter hebt gezien. Ook hier geldt weer: je kunt zelf het beste inschatten wat je relatie is met andere ouders, en op grond daarvan tot de juiste aanpak besluiten.

Is Judy niet zo'n goede vriendin of niet meer dan een vage kennis, en is er geen sprake van een gevaarlijke of bedreigende situatie, wacht dan even voordat je met haar gaat praten. Het is haar verantwoordelijkheid om de online activiteiten van haar kinderen in de gaten te houden, dus als er iets aan de hand is zal ze daar hopelijk zelf achter komen. Bovendien kan het zijn dat ze het al heeft gezien, of eerder zoiets aan de hand heeft gehad. Bedenk dat je het alleen voor het zeggen hebt in je eigen gezin.

Vergeet daarbij niet dat het online gedrag van anderen leerzaam kan zijn voor je eigen kinderen. Het biedt de mogelijkheid om verschillende situaties met ze te bespreken voordat ze er daadwerkelijk mee te maken krijgen. Zulke gesprekken kunnen veel bijdragen aan de ontwikkeling van een gezonde relatie met de nieuwe media, omdat je het niet over potentiële gevaren of hypothetische gevallen hebt, maar over iets wat echt is gebeurd.

Waar hebben ze het online over?

Vrijwel alle (pre)pubers praten met elkaar over hun interesses. Ik zie gesprekken over games, sport, beroemdheden, school, muziek, eten, mode, feestjes, familie, leeftijdgenoten, vakanties, het weer en ga zo maar door. Wat ik lees gaat meestal over alledaagse dingen. We kunnen een goed beeld krijgen van onze kinderen en hun interesses door hun online profielen en updates te bekijken. (Dat geldt volgens mij trouwens ook voor volwassenen. Denk maar eens aan je eigen Facebookpagina; die geeft waarschijnlijk een aardig beeld van wie je bent en wat je bezighoudt!) Er is online zo veel te ontdekken – hoe het ervoor staat met hun vriendschappen, van welke muziek ze houden, welke teleurstellingen ze ervaren, waar ze warm voor lopen, wat er zoal verandert in hun leven... We kunnen hun aanwezigheid op internet benutten om inzicht te krijgen in wie ze zijn, welk beeld ze van zichzelf neerzetten en hoe ze met leeftijdgenoten omgaan. Het is niet altijd leuk dat onze kinderen zo veel online delen, maar we kunnen vrij gemakkelijk voeling houden met wat zich van dag tot dag (of zelfs van uur tot uur) in hun leven afspeelt.

Opvoedtip: *Kijk of de online persoonlijkheid van je kind overeenkomt met zijn of haar werkelijke persoonlijkheid. Zijn de interesses hetzelfde? Herken je de manier van praten en het temperament van je kind in de berichten die hij of zij uitwisselt met leeftijdgenoten? Zorg ervoor dat je kind op een gezonde manier met de sociale media leert omgaan. Moedig hem of haar aan om zowel in de echte als in de virtuele wereld zichzelf te zijn!*

Zoals gezegd kunnen posts en online reacties van vrienden een prima aanleiding zijn om de dialoog aan te gaan met onze eigen kinderen. Hieronder staan enkele voorbeelden van gesprekken over online gedrag van leeftijdgenoten. *Het is erg belangrijk om je tijdens zo'n gesprek met je kind begrijpend op te stellen.* Als we afkeurend reageren op gedrag van leeftijdgenoten, ons geschokt tonen of er schande van spreken, zullen onze kinderen zich juist meer van ons afsluiten. Maar als we er (ook als spreken we er inwendig schande van) beheerst op reageren, vergroten we de kans dat ze in de toekomst met hun vragen of twijfels naar ons toe zullen komen.

Dit zijn gesprekken die ik daadwerkelijk met Greg en Brendan heb gevoerd, naar aanleiding van dingen die me waren opgevallen:

○ Ik constateerde dat Sam het de laatste tijd in zijn tweets vaak over wiet had. Ik vroeg aan Greg: 'Heb je dat gelezen? Wat denk jij daarvan? Zou hij het zelf gebruiken?' Greg vertelde me vervolgens openhartig dat hij een paar mensen kende die weleens wiet hadden geprobeerd.

○ Kimmy was online heel negatief over zichzelf. Ze zei bijvoorbeeld dat ze dik of lelijk was. Naar aanleiding daarvan hadden Greg en ik een gesprekje over meisjes die online naar aandacht of complimentjes vissen ('Je bent niet dik! Je bent mooi! Je bent precies goed!').

○ Op JP's Instagram stonden alleen selfies waarop hij heel serieus keek. Ik vroeg: 'Is dat het imago dat hij probeert te creëren? Ik vind het juist zo leuk aan hem dat hij altijd zo aardig en grappig is. Waarom die stoere houding online?' Hierna praatten we over het feit dat sommige mensen online een valse persoonlijkheid creëren en over waarom ze dat doen.

Opvoeden doe je niet alleen!

Met beeldschermregels om ons aan vast te houden, wordt het eenvoudiger om weloverwogen en op een concrete manier in gesprek te gaan met onze kinderen. We kunnen open en eerlijk ingaan op de dingen waarover we afspraken hebben gemaakt. Ouders moeten niet het gevoel hebben dat ze er alleen voor staan als het gaat om opvoeden en nieuwe media; een iRules-contract geeft houvast en bevordert overleg en samenwerking.

Toen onze kinderen klein waren, gingen we met ze naar het voorleesuurtje in de bibliotheek of babbelden we met ze terwijl ze in de speeltuin op de schommel zaten. We maakten speelafspraakjes en dronken koffie met andere ouders. We lazen boeken en online artikelen, bezochten voorlichtingsmiddagen en spraken over zindelijkheidstraining, doorkomende tandjes en voedingen. Maar het duurde niet lang voor ze naar school gingen, en sindsdien worden doordeweekse dagen meer en meer in beslag genomen door huiswerk en andere activiteiten. We rennen en vliegen en zijn druk met halen en brengen. Ergens onderweg zijn we opgehouden met elkaar te praten over het opvoeden van kinderen. De mijlpalen in hun ontwikkeling lijken niet meer zo bijzonder, en meestal proberen we de problemen waarmee de opvoeding gepaard gaat alleen op te lossen. Doe daar iets aan! Begin een speelgroep voor grotere kinderen die eens per week – of desnoods eens per maand – bij elkaar komt na schooltijd of na het werk, laat de kinderen hun gang gaan in de speeltuin en ga zelf intussen in gesprek met de andere ouders. Of organiseer een koffie-uurtje voor ouders van pubers in de plaatselijke bibliotheek. Je hoeft geen deskundige te zijn om ervaringen uit te wisselen en elkaar advies te geven.

Tijdens mijn workshops vind ik het altijd weer een mooie ervaring om iets te zien wat ik 'de opklaring' noem: het moment ongeveer halverwege de sessie waarop zich opluchting aftekent op de gezichten van de ouders. Toen ze binnenkwamen, hadden ze zo hun bedenkingen over een workshop 'opvoeden en de nieuwe media'. Moesten ze anderen vertellen over fouten die hun kind heeft gemaakt? Moesten ze toegeven dat ze niets van Twitter weten? Maar als we eenmaal zijn begonnen, komen ze tot de ontdekking dat er nog een paar ouders zijn die hetzelfde hebben meegemaakt als zij. Dat gebeurt meestal als iemand anders de vraag stelt waarvan ze zelf dachten dat ze zich ermee te kijk zouden zetten als slechte ouders. En opeens voelen ze zich niet meer zo alleen. Er is een veilige omgeving ontstaan waarin ze hun gebreken mogen tonen, vragen mogen stellen, onwetend mogen zijn en steun mogen vragen. En dat is iets geweldigs!

Ik begin altijd met de vraag: 'Als je elke dag avondeten haalt bij de MacDonald's, zou je je dan zonder schroom opgeven voor een cursus gezond eten?' Nee dus! Ouders krijgen voortdurend te horen hoe ze het 'zouden moeten doen', maar ik wil dat ze weten dat digitaal opvoeden niet half zo moeilijk is als ze denken. Ik wil niet dat mijn workshop (of dit boek) ouders afschrikt, ik wil ze zelfvertrouwen geven. De beste manier om dat te doen is ze hulpmiddelen en adviezen aanreiken die houvast geven, en die ze weer met anderen kunnen delen. Zo ontstaat samenwerking. Er wordt niet voor niets gezegd dat er een heel dorp nodig is om een kind op te voeden!

Om mijn dorp om me heen te bouwen en samen te kunnen werken met de mensen in mijn omgeving moest ik nieuwe contacten leggen. Hoe maak je daar een begin mee? Ik kan die vraag het best beantwoorden door je te adviseren je smartphone thuis te laten. Stel je open voor de wereld om je heen en ga zonder telefoon naar die ouderavond, dat voorleesuurtje van de bibliotheek, die speeltuin of die voetbalwedstrijd. Meld je aan als vrijwilliger voor activiteiten bij jou in de buurt. Maak kennis met nieuwe mensen en leer oude bekenden beter kennen. Laat je kinderen de weg wijzen. Hebben zij een nieuw vriendje of vriendinnetje gemaakt, ga je dan voorstellen aan zijn of haar ouders (kinderen vormen een geweldige buffer in ongemakkelijke situaties).

Toen wij naar Cape Cod verhuisden, had ik drie kinderen van wie de oudste nog geen vijf was. In het begin wist ik alleen de weg in mijn eigen buurt, naar de supermarkt en de bibliotheek. Dat waren de plekken waar ik kwam, dus daar ontstond ook mijn sociale kring. Ik leerde de bibliothecaresse kennen, die me voorstelde aan haar collega's. Zij stelden me op hun beurt voor aan andere ouders die regelmatig in de bibliotheek kwamen. Van hen hoorde ik over voorleesuurtjes, speelgroepen en sociale activiteiten voor gezinnen. Zo breidde mijn dorp zich langzaam uit.

Maak tijdens een sportwedstrijd of muziekuitvoering van je kind eens een praatje met iemand die je niet kent. Praat over dingen die jullie gemeen hebben, over het ouderschap of over een goed boek dat je gelezen hebt. Nodig eens een kennis uit voor een kop koffie. Laat je e-mail, je tablet en je Facebookpagina even voor wat ze zijn, en probeer elke keer dat je de deur uit gaat een of twee nieuwe contacten te leggen. Al snel zal je dorp groeien en zullen de gesprekken die je voert meer inhoud krijgen. Stel vragen als: 'Van wat voor games houden jouw kinderen?', 'Welke regels hanteer jij?' of 'Heeft jouw dochter een smartphone? Hoe zorg je dat ze daar verstandig mee omgaat?' Als het om opvoedkwesties zoals het omgaan met nieuwe media gaat, is het goed om relaties te onderhouden met andere ouders, zodat we bij elkaar terecht kunnen om meningen en ideeën uit te wisselen en niet het gevoel hebben dat we het allemaal zelf moeten uitzoeken. Ik heb zo veel geleerd van de ervaringen en opvattingen van andere mensen in mijn omgeving. Ook al denken we er misschien niet altijd hetzelfde over, we kunnen zoveel meer inzicht krijgen in onze eigen manier van opvoeden als we in contact blijven met andere gezinnen in onze omgeving.

Over omgeving gesproken... toen ons iRules-contract een hit werd op internet, waren ineens alle ogen in onze woonplaats gericht op Greg en zijn smartphone. En dat heeft hij geweten! We hebben er veel lol om gehad. Mensen die hem na schooltijd of tijdens het sporten tegenkwamen zeiden: 'Hé Hofmann, doe je wel wat je moeder zegt?' In de maand na kerst vertrouwden een paar bevriende ouders me toe dat Greg zich echt aan mijn contract hield, en een goede vriend van hem deed hetzelfde: 'Janell, je weet dat Greg je regels niet overtreedt, toch? Ik vind het allemaal leuk en aardig, maar ik hoop dat je voorlopig mijn moeder niet tegenkomt. Ze heeft geen idee hoe vaak ik mijn telefoon gebruik.' Ik vond het geweldig dat zowel kinderen als ouders ons erover aanspraken en vroegen hoe het ging. We zijn immers aangewezen op de gemeenschap waarin we leven als we onze kinderen willen steunen en goed op ze willen letten. Onlangs zei de eigenaar van een plaatselijke cafetaria tegen me: 'Janell, ik was blij om te zien dat Gregs eetlust niet onder zijn hersenschudding heeft geleden. Hij bestelde gisteren een flinke lunch!' Dat bedoel ik nou. Ik prijs me gelukkig dat ik in zo'n gemeenschap leef.

 Smartwise-tip: Hanteer online dezelfde gedragsregels als op andere gebieden. Pas simpelweg je gezinsnormen toe op het gebruik van nieuwe media. Wil je niet dat je kind grove taal gebruikt of anderen uitscheldt, sta dat dan ook niet toe op internet. Als je hem of haar wilt leren vriendelijk te zijn tegen anderen en niet te liegen of bedriegen, moet je die principes ook toepassen met betrekking tot de digitale wereld.

DEEL 2

Verantwoordelijkheid

Zeg 'alstublieft' en 'dank u wel', kijk mensen aan, werk hard, wees dankbaar voor wat je hebt, houd je familie in ere, leg de lat hoog, wees betrokken, denk na bij wat je doet.

Beleefdheid? Belangrijk!

Smartwise: Goede manieren

> **Mijn iRule:** Het is een te-le-foon! Dus als hij gaat, dan neem je op en zegt netjes je naam. Druk nooit een oproep weg als er 'mama' of 'papa' in het scherm staat. En dan bedoel ik ook nooit.

Waarom zijn manieren belangrijk? Waarom zo hameren op beleefdheid? Het lijkt misschien wat ouderwets om daar een heel hoofdstuk aan te wijden als het over modern ouderschap en nieuwe media gaat. In de loop der jaren zijn we in onze cultuur veel minder streng geworden als het op goede manieren aankomt. Tegenwoordig mogen onze kinderen op hun stoel zitten wiebelen of met hun handen eten. We stellen ze vragen als 'Wat wil je vanavond eten?' en 'Wat zullen we vandaag gaan doen?' Toen ik een jaar of vier was kocht mijn moeder een T-shirt voor me met de opdruk 'Kinderen zijn ook mensen!' Dat was in de jaren tachtig een nieuwe gedachte! Er ontstond een hele beweging rond het idee dat kinderen eigen gedachten, gevoelens, meningen en rechten hadden. Er werd zelfs een tv-programma over gemaakt. Mijn moeder en ik hebben het nog weleens over dat T-shirtje. Ze was er destijds trots op dat ze er een statement mee maakte: dat haar kleine meid *gezien* en *gehoord* moest worden. En dat werd ik ook. Ze vroeg bijvoorbeeld mijn mening over een boek dat ik aan het lezen was of welk schoolvak ik het leukst vond, en of het nu om het kiezen van een sport, een muziekinstrument of een universiteit ging, er werd naar me geluisterd. Ik mocht mijn mening geven, en die werd door volwassenen gerespecteerd. Mijn moeder, zelf in de jaren zestig en zeventig met haar drie broers opgegroeid in een traditioneel gezin, beschouwde dat als vooruitgang. Het idee dat kinderen alleen maar moesten luisteren en niet gehoord hoefden te worden, raakte langzaam maar zeker achterhaald. Maar veertien jaar als moeder van kleine kinderen heeft mij ervan overtuigd dat we er goed aan doen om sommige van die ideeën van vroeger in ons achterhoofd te houden, en ze desgewenst in ons eigen gezin toe te passen. Het belang van respect voor jezelf en voor anderen, voor oudere mensen en voor leeftijdgenoten, zou in onze opvoeding centraal moeten staan. Het gaat er niet om dat we macht over onze kinderen uitoefenen, maar dat we ze bijbrengen dat iedereen respect verdient.

Tijdens de mediagekte rond mijn oorspronkelijke iRules-contract werden me eindeloos veel vragen gesteld over mijn manier van opvoeden. Iedereen wilde me een etiket opplakken, me in een hokje stoppen. Als ik het had over 'inschatten hoe volwassen mijn kind is' of over 'naar mijn kind luisteren voordat ik een beslissing neem', werd ik te toegeeflijk of beïnvloedbaar genoemd. Had ik het over 'grenzen stellen' en 'mijn kinderen leiden', dan vond men me ouderwets en autoritair. Ik ben dat geen van alle, en tegelijkertijd ben ik het allemaal. Ik herken in elke ouder wel iets van mezelf, van mijn worstelingen, mijn successen en mijn opvoedmethodes. Maar dat is geen geschikt antwoord om te geven tijdens een televisie-interview. Te vaag en te nietszeggend. Maar het is wel waar. Ik ben niet in één zin te beschrijven. Tijdens een interview werd me gevraagd: 'Dus u laat uw kinderen hun eigen regels bepalen?' *Nee.* 'U vindt dat kinderen en volwassenen evenveel te zeggen moeten hebben?' *Nee.* Er is sprake van een hiërarchie, en Adam en ik staan bovenaan. Dat is belangrijk om te onthouden bij het vaststellen van beeldschermregels. Het betekent niet dat we niet overleggen of ideeën niet bespreken. We willen dat onze kinderen het gevoel hebben dat er naar hen wordt geluisterd. Zij zijn tenslotte ook mensen! We geven ze verantwoordelijkheid met betrekking tot hun beeldschermgebruik, maar wíj nemen uiteindelijk de beslissingen. Als we de juiste koers aangeven, hoeven we zelf minder te sturen.

In sommige opzichten is de weegschaal in vergelijking met veertig jaar geleden echter doorgeslagen naar de andere kant. Kinderen moeten en willen tegenwoordig alles! Onze verwachtingen en opvattingen met betrekking tot onze kinderen zijn veranderd. We vinden dat er in al hun behoeftes moet worden voorzien, zowel lichamelijk als geestelijk. Ze moeten gelukkig zijn, goed te eten hebben, voldoende aandacht krijgen en niet te zwaar worden belast. Ze moeten goed presteren – hun tijd nuttig besteden, studeren en deelnemen aan allerlei activiteiten waar wij voor betalen. Zelf vind ik dat ook! Ik heb mijn kinderen pontificaal in het middelpunt van mijn bestaan geplaatst. Adam en ik laten alles wat we doen afhangen van de 'gevolgen' of 'waarde' die het heeft voor ons gezin – preciezer gezegd: onze kinderen. Maar ik heb ook mijn twijfels. We richten ons leven volledig in op de behoeftes van onze kinderen. En dat is goed, nietwaar? *Maar is dat wel zo?* Moet hun leven in sommige opzichten ook niet om ons draaien? Ik bedoel, als ik elke ochtend uit bed kom om die apenkoppen te voeden, te beschermen, lief te hebben, te helpen en overal naartoe te brengen, dan mag ik op mijn beurt toch best hoge verwachtingen van ze hebben? Ik kan nogal veeleisend zijn, dat zal ik niet ontkennen. Maar ik vind het belangrijk om hoge eisen aan onze kinderen te stellen als het gaat om de manier waarop ze andere mensen behandelen. En daar horen wij, hun ouders, ook bij. Een van de simpelste manieren waarop ze hun waardering voor al onze inspanningen en offers kunnen tonen is ons aankijken en 'alsjeblieft' en 'dank je wel' zeggen – ook als het om hun beeldschermgebruik gaat.

Van de tieners en jonge volwassenen die ik ontmoet of begeleid, onderscheiden degenen die het meest zelfverzekerd zijn en gewaardeerd worden door anderen zich vaak door hun beleefdheid. Afgelopen zomer heb ik gewerkt met Michael, een stille, aardige scholier die zo consequent en vanzelfsprekend 'goedemorgen', 'alsjeblieft', 'dank je wel' en 'neem me niet kwalijk' zei dat zelfs zijn leeftijdgenoten er bewondering voor hadden. Het deed mij nog eens beseffen dat ik moet blijven proberen om mijn kinderen het belang van goede manieren bij te brengen, en dat ik ook op mijn eigen manieren moet blijven letten.

Online ongemanierdheid

Een herinnering aan het feit dat je (ook in tekstberichten) het meest bereikt door beleefd te zijn

Het is zaterdagochtend, halfnegen. Mijn telefoon piept; ik heb een nieuw bericht van Greg, die de nacht ervoor bij een vriend is blijven slapen.

Greg: Hoe laat kom je?
Janell: Goedemorgen, Greg. Hoe gaat het met je?
Greg: Hoi. Ik ben klaar om te gaan. Ik heb vannacht geen oog dichtgedaan. Ik wil voor 10.00 uur opgehaald worden.
Janell: Nou, ik ben aan het werk. Ik snap dat je een slecht humeur hebt, maar wees niet zo onbeleefd. Vraag het eens wat vriendelijker.
Greg: Mam, wil je me alsjeblieft zo snel mogelijk komen halen? Ik heb slecht geslapen en ik wil graag nog een tukje doen voor mijn wedstrijd. Dank je.
Janell: Dat is beter! Ik maak even iets af en dan kom ik als een speer naar je toe!
Janell: PS: Zie je hoe goed het werkt? ☺
Greg: Jaaaah, mam. ☺

Toen ik Michael ernaar vroeg, vertelde hij dat hem op de middelbare school was geleerd om mensen te begroeten door 'hallo' te zeggen en ze met hun naam aan te spreken. Hij zei dat hij het belangrijk vond om oogcontact te maken en te glimlachen als je iemand begroet. Doordat hij dat had geleerd van mensen voor wie hij respect had, was het ook buiten de schoolmuren een gewoonte geworden.

Ik doe vrijwilligerswerk in Cassidy's peuterklas, en daar zag ik op een dag een poster met de tekst: WEES AARDIG, RESPECTVOL, BEHULPZAAM, BE-

LEEFD, EEN VRIEND. Die woorden zetten me aan het denken. We leren onze kinderen al op jonge leeftijd elementaire, maar belangrijke manieren. Het kost ons geen moeite om een vierjarige te leren zich beleefd te gedragen – om vriendelijk te lachen en 'dank u wel' te zeggen. Dat voelt vanzelfsprekend. Maar wat doen we om ervoor te zorgen dat onze kinderen nog net zo beleefd zijn als ze dertien zijn en zich in zo'n beetje elke situatie ongemakkelijk voelen? Hoe maken we duidelijk wat we van ze verwachten? We zullen eigenschappen als vriendelijkheid en behulpzaamheid moeten stimuleren door te blijven oefenen met het tonen van goede manieren, zodat het net als voor Michael een tweede natuur wordt. We moeten hoge verwachtingen van onze kinderen hebben, geloven dat ze over genoeg inlevingsvermogen beschikken om hun zitplaats aan iemand af te staan of een deur voor iemand open te houden. Ik vind niet dat pubers zich erachter mogen verschuilen dat ze nu eenmaal bekendstaan als humeurig en brutaal. Ik zou willen dat we dat stereotiepe beeld ongedaan konden maken, zodat we niet verbaasd zouden opkijken van een groepje tieners dat ons in het voorbijgaan vriendelijk gedag zegt. Toen mijn kinderen nog klein waren maakte ik in de supermarkt een keer een praatje met een buurvrouw. Zij had vier van haar kinderen bij zich, variërend in leeftijd van tien tot zestien. We stonden misschien twintig minuten te praten, en ik herinner me dat haar kinderen al die tijd netjes stonden te wachten. Er werd niet één keer met de ogen gerold of ongeduldig gezucht. Toen ik haar niet veel later weer tegenkwam, vroeg ik hoe ze haar kinderen die goede manieren had weten bij te brengen. Ze antwoordde dat het een kwestie was van verwachtingen. Dat is me altijd bijgebleven. Onze kinderen passen zich aan aan de verwachtingen die wij van ze hebben. Als wij ze toestaan om te zeuren, te jengelen of ons te onderbreken, dan zullen ze dat ook doen. Maar gaan we ervan uit dat ze hun mond houden tot de volwassenen zijn uitgesproken, netjes 'alstublieft' en 'dank u wel' zeggen, iemand hun zitplaats aanbieden of een handje helpen, dan zullen ze zich daarnaar gedragen.

Ik geloof dat dit ook geldt voor hun gedrag online. We mogen van onze kinderen verwachten dat ze zich netjes en respectvol gedragen wanneer ze apparaten of programma's gebruiken. Het is nergens voor nodig dat we voortdurend onze ogen ten hemel te slaan en verzuchten: 'Pubers!', alsof de ontwikkelingsfase waarin ze zich bevinden een excuus is om fatsoensnormen aan

Oefening voor slow tech-communicatie

Als je een persoonlijk gesprek moet voeren – een vriendin wil met je praten over haar scheiding of de hersenschudding van haar zoon, of je moeder wil je alles vertellen over de operatie van tante Annie of de hond van de buren die is doodgegaan – stel dat dan nog even uit. Voer dat gesprek niet terwijl je de kinderen wegbrengt of boodschappen aan het doen bent. Neem de tijd en ga rustig ergens zitten om die ander te spreken, via de telefoon of in levenden lijve. Ik zie vaak vrouwen die een goede vriendin en dochter proberen te zijn, maar toch maar met een half oor luisteren naar persoonlijke verhalen van iemand om wie ze geven terwijl ze een pak ontbijtgranen uit het schap pakken of hun kinderen van school halen. Dat werkt niet! Het is onbeleefd en ook al denk je misschien dat het je tijd bespaart, je doet jezelf, degenen die bij je zijn (meestal je kinderen), de mensen die getuige zijn van je poging om in het openbaar een zinvol gesprek te voeren en de persoon aan de andere kant van de lijn tekort, omdat je nergens echt met je hoofd bij bent. Wacht dus even! Maak tijd, zodat je je volledig op het gesprek kunt richten.

Bedenk van tevoren hoelang een gesprek zal duren. Begin niet om tien voor halfvier aan een serieus gesprek als je om halfvier je kinderen van school moet halen. Dat werkt ook niet, zoals je ongetwijfeld weet! Ik was er zelf altijd een ster in. Als ik eindelijk tien minuten voor mezelf had, bijvoorbeeld in de auto op weg naar een doktersafspraak, probeerde ik allerlei mensen te bereiken die ik nog wilde spreken. Als een van hen dan opnam, ging ik uitgebreid in gesprek, tot ik na een minuut of acht in paniek begon te raken. Ik stond nog met één been in het gesprek terwijl mijn andere been al buiten de auto stond, in het besef dat ik me naar de wachtkamer moest haasten. Dat waren stressvolle momenten, want het draaide erop uit dat ik of te laat kwam voor mijn afspraak, of degene die ik aan de telefoon had ruw moest onderbreken. Tegenwoordig probeer ik mijn energie beter te verdelen. Ik gebruik die momenten alleen in de auto om naar muziek te luisteren of te genieten van een beker afhaalkoffie, en verder niets. Maar het kost me nog steeds moeite om niet te bellen.

Als je je als drukbezette ouder aan deze slow tech-aanpak probeert te houden, dan bestaat natuurlijk de kans dat zich nooit een rustig moment aandient om die vriend(in) te bellen of met aandacht naar je moeders verhalen te luisteren. Plan het dan, zoals je ook zou doen met een aerobicsles of een tandartsafspraak. Ik probeer wekelijks een vriendin te bellen en dan ongeveer een halfuur met haar te praten. Soms doe ik dat terwijl ik de was opvouw of onderweg ben naar de stad, of terwijl de kinderen televisiekijken. Ik stuur mijn moeder vaak een berichtje om af te spreken dat ik haar de volgende dag zal bellen wanneer ze thuiskomt van haar werk. Afspraak is immers afspraak!

hun laars te lappen. We mogen wat dat betreft hoge eisen aan ze stellen en ze daar ook op aanspreken. Opvoeden heeft tegenwoordig ook betrekking op het gebruik van de nieuwe media.

We weten allemaal welke uitwerking welgemanierdheid op ons kan hebben. We hebben allemaal weleens kinderen of tieners meegemaakt die ons netjes een hand gaven, ons aankeken, vriendelijk groetten en 'alstublieft' en 'dank u wel' zeiden. Die kinderen herinneren we ons. Ik zou er zo tien kunnen noemen van wie ik dacht: wat een aardig, beleefd kind. Zij gaan in mijn herinnering niet op in de groep waar ze bij hoorden, een sportteam, een schoolklas of de club deelnemers van een kamp, maar nemen er een eigen plek in. Ik weet ook nog van vroeger dat mijn moeder vaak zei: 'Wat leuk dat die of die zich zo keurig gedraagt.' Ze vestigde onze aandacht op zo'n kind en stelde hem of haar als voorbeeld van hoe het is om anderen met respect te behandelen en dat ook terug te krijgen. Het gaf mede vorm aan mijn idee van hoe ik door andere ouders gezien wilde worden. Ik geloof dat goede manieren – ook in de virtuele wereld – een boodschap overbrengen.

Veel van onze communicatie heeft door de technologische ontwikkelingen een informeel karakter gekregen. Dat heeft tot gevolg dat we in tekstberichten directer en nonchalanter kunnen zijn dan we ons in een telefonisch of persoonlijk gesprek zouden permitteren. Kijk je eigen berichten maar eens door. Begin je ooit een gesprek met: 'Hallo, hoe gaat het met je? Schikt het om even te kletsen?'? Ik in ieder geval niet. Ik probeer wel op de tijd te letten zodat ik niemand wakker maak, maar als ik bedenk dat ik iemand een tekstbericht wil sturen dan doe ik dat meestal meteen. Ik heb er echt grote moeite mee om een gedachte of een grappige anekdote die ik met iemand wil delen te bewaren tot de volgende dag op het werk of tot ik die persoon weer zie. Cindy Post Senning en Peggy Post schrijven in hun boek *Teen Manners*: 'Tussen welke tijdstippen kun je iemand het beste bellen? Een goede richtlijn is niet eerder dan negen uur 's ochtends en niet later dan negen uur 's avonds.' Dat is een heldere regel die ik behalve op telefoneren graag toepas op instant messaging, FaceTime, Skype en andere rechtstreekse vormen van online communicatie. Als ik kijk naar de berichten die ik aan collega's heb gestuurd, zie ik veel boodschappen zonder enige context: 'Kun jij dit doen?', 'Heb je dat gezien?', 'Wat vind jij daarvan?', 'Wie komen er allemaal?' En tegen degenen die het dichtst bij me staan ben ik soms ronduit onbeleefd!

Ook als we niet onbeleefd zijn, maar wel kort van stof, kan in een dialoog veel van de betekenis verloren gaan. Als we vooral via tekstberichten met elkaar communiceren, moeten we daar rekening mee houden. We denken al snel dat onze boodschap sneller overkomt en tot resultaat leidt dan als we meer woorden hadden gebruikt. En we willen ook geen ellenlange tekstberichten versturen. Maar wat valt er weg? Aan welke aspecten van sociale interactie gaan we voorbij? Hoe effectief is die manier van communiceren? Volgens de principes van de slow tech-beweging is telefoneren een betere methode om tot een zinnig en gelijkwaardig gesprek te komen. Die vorm van interactie is nog steeds belangrijk! Begrijp me niet verkeerd, ik verstuur dagelijks ook (te) veel tekstberichten. Ik ben er gek op. Instant messaging is (afgezien van GPS) mijn favoriete technologie omdat het tijd bespaart, mensen met elkaar verbindt en zo gemakkelijk is. Maar ik vind ook dat we bewust en met aandacht moeten blijven communiceren, ook in tekstberichten. Dat moeten we onze kinderen ook leren, want zij kennen eigenlijk niet anders dan deze snelle, gemakkelijke communicatiemethodes. Hoe zorgen we ervoor dat ook kwalitatieve vormen van sociale interactie behouden blijven? Hoe zorgen we dat we in een tekstbericht werkelijk zeggen wat we bedoelen?

Oog voor andere ouders

Een moeder vertelde me dat ze zich erg had gestoord aan de manier waarop een paar vriendinnen van haar dochter na een logeerpartijtje bij haar thuis waren vertrokken. Hun moeders hadden vanuit de auto een berichtje gestuurd toen ze voorreden, waarna de meisjes met een haastige groet het huis uit waren gelopen. Ze zei tegen me: 'Janell, dit zijn vrouwen die ik al jaren ken. Onze dochters zijn samen opgegroeid. En nu onze kinderen allemaal een smartphone hebben, spreken we elkaar niet eens meer. We tonen geen belangstelling. We lopen niet naar de deur als we onze kinderen komen halen om even te bedanken en te vragen of alles goed is gegaan. Ouders praten niet meer met elkaar, en daar maak ik me zorgen over. Het zit me echt dwars dat volwassen mensen zich dankzij de smartphone zo lomp gedragen. Het is toch heel normaal om even een praatje te maken met degene bij wie je twaalfjarige dochter een nachtje heeft gelogeerd? Waar zijn we mee bezig? Van een paar van die meisjes had ik niet eens in de gaten dat ze al waren opgehaald!'

Op zulke momenten vraag ik me af welke prijs we betalen voor het gemak van de technologische ontwikkelingen. Worden we gemakzuchtig? Krijgen we het te druk? Sluiten we ons af? Het is gemakkelijk om Greg na een nachtje logeren een berichtje te sturen: 'Haal je om 10.00 uur op, zorg dat je klaarstaat.' En ik heb het ook weleens gedaan, maar ik heb wel altijd de moeite genomen om de ouders gedag te zeggen, te bedanken en te informeren of Greg zich gedragen had. Ik was dan ook blij om van een andere moeder te horen dat ze niet gelukkig was met deze bijkomstigheid van de nieuwe online wereld van tieners. Het is een veelomvattend onderwerp dat het waard is om uitgebreid bij stil te staan.

Haal je je kind op bij een vriendje of vriendinnetje thuis, leg dan je telefoon even neer, loop naar de deur en bedank degene bij wie hij of zij te gast was. Probeer daar ook als je haast hebt even de tijd voor te nemen. Zie je geen kans om persoonlijk met iemand te praten, bel diegene dan voor je van huis ver- trekt even op en zeg iets als: 'Dag Barbara, ik kom Emma over vijf minuten op- halen. Ik heb weinig tijd omdat ik haar voordat ik naar mijn werk ga nog naar balletles moet brengen, dus ik wil je alvast even bedanken dat ze bij jullie mocht logeren.' Laten we het contact met andere ouders in stand houden, zelfs als 'contact' niet meer betekent dan simpelweg 'dank je wel' zeggen.

Hoe zit het met de kinderen?

Mijn moeder zat vroeger vaak uren in onze keuken aan de telefoon met haar vriendinnen of mijn oma te praten (of misschien waren het minuten, maar voor mij als zevenjarige leek het een eeuwigheid). Ik weet niet meer waar ze het zoal over hadden, maar een kort telefoontje om te zeggen dat we eraan kwamen kon zomaar uitmonden in een lang gesprek over de beproevingen van het huwelijk of de huizenprijzen. Als tiener zat ik zelf ook uren op mijn ka- mer via de vaste lijn te kletsen met vriendinnen en vriendjes, over kleinighe- den, huiswerk, sport, plannen die we hadden, dingen die we grappig vonden, of over pure flauwekul. We hielden bij ons thuis wel van een praatje. Ik geloof niet dat mijn moeder me bewust de ruimte gaf om betekenisvolle gesprekken te voeren met mijn leeftijdgenoten omdat ze dacht dat het goed zou zijn voor mijn ontwikkeling. Ik denk dat ze zich er helemaal niet zo mee bezighield.*

Behalve als ik te lang bleef praten terwijl ik mijn huiswerk nog niet af had; dan maakte ze zich er wel druk om. Eerst riep ze naar boven dat mijn tijd om was. Vervolgens nam ze het andere toestel van de haak en zei ze dat ik moest ophangen. Ten slotte vertelde ze het aan mijn vader, die (voor zover ik me kan herinneren) één keer mijn slaapkamer binnenkwam en zonder iets te zeggen de telefoonstekker met contactdoos en al uit de muur trok. Einde gesprek.

In de eerste plaats kon ze me horen. Ze kon uit mijn bijdrage aan het gesprek afleiden waar we het over hadden. Als ze meer wilde weten, hoefde ze maar aan mijn slaapkamerdeur te luisteren. In de tweede plaats zat ik vast aan een snoer van nog geen meter. Ik kon niet eeuwig zo blijven zitten, tegen de muur naast mijn bed geleund. Mijn moeder wist dat het niet lang zou duren voordat ik weer naar buiten kwam om naar die vriendin toe te gaan met wie ik had zitten kletsen, of om te gaan doen wat ik net met iemand had afgesproken. Ik kon de telefoon niet meenemen! Niet in de auto, niet naar het winkelcentrum, niet naar het huis van een vriendin. Er was een grens aan wat ik allemaal kon met een telefoon, dus die gesprekken hielden vanzelf een keer op. Maar dat is nu wel anders.

Tegenwoordig zijn we werkelijk overal bereikbaar; de moderne technologie en de eindeloze communicatiemogelijkheden dringen door tot in de haarvaten van ons leven. We zullen er dus bewust voor moeten waken dat het nooit een keer ophoudt. Wij moeten ervoor zorgen dat onze kinderen een deel van hun tijd niet bellend, chattend of sms'end doorbrengen. Het is natuurlijk niet ineens verboden om van een praatje te houden – persoonlijk juich ik het gemak dat de moderne technologie ons verschaft van harte toe – maar we moeten er wel op toezien dat onze kinderen nu en dan hun kamer uit komen om iets te ondernemen.

Met wie gaan ze om?

Iets wat ik vaak hoor van ouders, is dat ze niet precies weten met wie hun kinderen online allemaal contact hebben. En dat ze de leeftijdgenoten van hun kinderen nauwelijks kennen, wil zeggen dat ze al helemaal niet weten wie de ouders zijn. Mijn moeder hanteerde altijd een vaste regel als ik naar het huis van een leeftijdgenoot ging: ze wilde weten of zijn of haar ouders thuis zouden zijn, en als ze die mensen niet kende wilde ze kennismaken voor ik bij hen thuis mocht komen. Ik zal nooit vergeten dat ik in groep 8 een keer werd uitgenodigd om een avond door te brengen met een groep jongens en meisjes van de middelbare school met wie ik bevriend was geraakt.*

Het waren eigenlijk vrienden van Adam, en dat was de avond waarop we elkaar voor het eerst hebben gekust. Jazeker, dezelfde Adam. Maar dat is iets voor een andere keer. Of een ander boek. En reken maar dat mijn moeder me in de gaten hield.

Mijn moeder kende die jongens en meisjes wel, maar niet de ouders bij wie we waren uitgenodigd. Ik was als de dood dat ze me daar zou afzetten en dan ten overstaan van al die coole oudere kinderen zou vragen: 'Zijn je ouders thuis?', alsof ik een klein kind was. Maar daar liet ze zich niets aan gelegen liggen; ze deed het toch. De vader kwam naar de deur om kennis met haar te maken en dat stemde haar redelijk tevreden, zodat ik twee uurtjes mocht blijven. Nu ik erop terugkijk begrijp ik wat ze tegen die vader wilde zeggen door zich aan hem voor te stellen:

○ Mijn kind is hier, onthoud dat.
○ Ik ben haar moeder, onthoud dat.
○ Jij bent verantwoordelijk voor haar, onthoud dat.
○ Bedankt dat ze hier welkom is. Dat stel ik op prijs.

Volgens mij hebben ouders van nu grote behoefte aan dit soort gesprekjes en kennismakingen, hoe kort ze ook zijn. Wil je weten met wie je kinderen omgaan, of wie de ouders van hun vrienden zijn? Zorg dan dat je erachter komt! Wil je persoonlijk kennismaken? Stel dat dan als voorwaarde!

Smartwise-tip: Een van mijn voornaamste redenen om mijn zoon een smartphone te geven, was dat ik hem gemakkelijk wilde kunnen bereiken. Daarom moet hij van mij altijd opnemen als ik hem bel. Waarom heb jij bepaalde apparaten in huis gehaald en welke voorwaarden verbind je aan het gebruik ervan? Zet die op een rij en breng ze in praktijk!

Smartwise: Etiquette

Mijn iRule: Zet in openbare gelegenheden je telefoon uit en stop hem weg, zeker in restaurants, in de bioscoop of terwijl je met iemand praat. Je bent geen onbeschoft persoon; laat je iPhone daar geen verandering in brengen.

Etiquette wordt in het Merriam-Webster online woordenboek gedefinieerd als 'omgangsvormen die blijk geven van een goede opvoeding of van hogerhand zijn opgelegd met betrekking tot sociale of officiële gelegenheden'. Wat mij betreft springen vooral de woorden 'goede opvoeding' in deze omschrijving in het oog. Ze herinneren me eraan dat wij als ouders de taak hebben om onze kinderen alle vormen van etiquette bij te brengen. Dan denk ik bijvoorbeeld aan tafelmanieren. Het avondeten is bij ons een lastig punt. Ik zou mijn kinderen niet met een gerust hart meenemen naar een chic diner. We moeten steeds maar weer dezelfde vermaningen herhalen: 'Recht op je stoel zitten. Ellebogen van tafel. Gebruik je mes en vork. Niet schreeuwen. Hou je handen bij je. Goed kauwen. Wacht op je beurt. Vriendelijk vragen.' Ik probeer me weleens voor te stellen hoe ze zich bij iemand anders aan tafel gedragen als ze uitgenodigd worden voor het eten. Dat beeld beangstigt me genoeg om stug te blijven hameren op goede tafelmanieren.

Onlangs ontving ik een e-mail van een moeder die vertelde dat zij en haar man het achttienjarige vriendje van hun dochter hadden uitgenodigd om bij hen thuis te komen eten. Het was voor de meeste gezinsleden de eerste kennismaking, dus ze beschouwden het als een bijzondere gelegenheid. Toen ze aan tafel zaten, haalde de jongen op een gegeven moment zijn telefoon tevoorschijn om te gaan sms'en. De gezinsleden wisselden onderling verbaasde blikken, maar ze zeiden er niets van. Even later deed hij het nog een keer.

De ouders waren verbijsterd, de dochter geneerde zich. De vader zei: 'Als je interessantere dingen te bespreken hebt via je telefoon, stel ik voor dat je dat thuis gaat doen.' De jongen reageerde verrast en geschrokken. Hij zei dat hij niet onbeleefd had willen zijn, maar alleen even iets had willen checken. Ze vroegen hem zijn telefoon de rest van de avond in zijn zak te laten. De moeder schreef dat ze hem in eerste instantie de deur had willen wijzen, maar toen begreep dat hij echt niet inzag wat er niet deugde aan zijn gedrag. Hij had gewoon geen flauw benul van fatsoensnormen in het algemeen of wat betreft mediagebruik. Ik had medelijden met hem. Hij had zijn enige kans om een goede eerste indruk te maken verspeeld, en dat zou de familie niet snel vergeten.

Het aanleren van mobiele etiquette is een nieuw punt op de opvoedagenda. Maar het is noodzakelijk, want of we het nu leuk vinden of niet, hoe ze omgaan met hun mobiele apparaten zegt veel over onze kinderen. Ik ben sterk van mening dat kinderen en tieners de verleiding moeten weerstaan, hoe groot die soms ook is, om die apparaten te gebruiken als ze bij iemand op visite zijn, of iemand voor het eerst ontmoeten. Anders wekken ze misschien onbedoeld de indruk dat ze ongeïnteresseerd, verveeld of ongemanierd zijn. Ze hebben tijd genoeg om te surfen, te twitteren en tekstberichten te versturen, dus dat hoeven ze niet bij iemand anders aan de eettafel te doen.

Wat onze kinderen (en wijzelf) doen berust grotendeels op gewoonte. Pak je regelmatig je telefoon om zomaar wat door berichtjes of foto's te scrollen? Ik wel. Haal je dat ding tevoorschijn zodra je uit de auto stapt, een gebouw uit loopt of uit een vergadering komt? Ik wel. In de tijd dat ik aan dit boek werkte, ben ik er beter op gaan letten of ik met mijn eigen mobiele gewoontes de bijbehorende etiquette wel in acht neem. Ik heb geprobeerd me voor te stellen hoe groot de drang om steeds maar hun telefoon te pakken en hun berichten te checken moet zijn voor onze kinderen. Hoe kunnen we ze helpen die drang te beteugelen, en ervoor zorgen dat ze met hun mobiele gewoontes aan onze verwachtingen voldoen? Door ze op hun gewoontes te wijzen, kunnen we hen bewust maken van wat ze doen. Concrete aansporingen als 'Waarom ga je je niet met je vrienden vermaken nu ze hier zijn? Je telefoon kan wel even wachten tot ze naar huis zijn' of 'Meiden, wat dachten jullie ervan om een uurtje geen selfies te maken voordat we de deur uit moeten naar balletles?' hel-

Algemene huisregels

Sta er eens bij stil dat er bij jou thuis allerlei afspraken gelden die niets met nieuwe media te maken hebben. We passen thuis allerlei regels toe. Dit zijn enkele voorbeelden van algemene huisregels, aangedragen door lezers van mijn blog:

○ Wie de tafel dekt, hoeft niet mee te helpen met afruimen.
○ Kinderen staan hun stoel af aan volwassenen.
○ De zondag is voor het gezin – geen feestjes, speelafspraakjes of afspraken met vrienden.
○ Je mag pas op voetbal als je in groep 7 zit.
○ Aan een paar nieuwe sneakers moet je zelf meebetalen.
○ Je maakt je broodtrommel voor school de avond van tevoren klaar.
○ Er wordt pas buiten gespeeld als het huiswerk af is.
○ Je mag niet langer dan één nacht bij een vriend(in) blijven slapen.
○ Schone kleding hoort niet in de wasmand.

pen kinderen zich bewust te worden van hun gedrag, in tegenstelling tot algemeenheden als 'Doe die telefoon toch eens weg'.

Werkt dat niet, of volgen ze je aanwijzingen niet op, stel dan een huisregel in die geldt voor alle kinderen die bij je thuis komen. Ik ken een gezin waar iedereen die blijft slapen om negen uur 's avonds zijn of haar mobiele telefoon moet inleveren. De ouders leggen de logés uit dat alle kinderen in huis zich aan die regel moeten houden, dus ook degenen die er te gast zijn. Wij zeggen tegen vrienden van onze kinderen dat ze hun telefoon niet mogen meenemen aan tafel, en dat ze geen foto's of filmpjes van Gregs jongere broertjes en zusjes online mogen zetten, al zijn ze nog zo schattig. Onlangs vertelde een moeder van een paar tieners me dat ze er als hun vrienden over de vloer komen geen misverstand over laat bestaan aan welke beeldschermregels die

○   Tijdens etentjes en feestjes mag je één glas frisdrank.
○   Geen vrienden van het andere geslacht in je slaapkamer.

Dit soort afspraken binnen het gezin bieden een richtsnoer voor gedrag. Het zijn huisregels die niet elke dag weer ter discussie staan, doordat iedereen in het gezin ze als een gegeven beschouwt. iRules werken net zo: als een verzameling afspraken over mediagebruik die zijn afgestemd op de normen en behoeftes van het gezin. Het mooie aan iRules is dat ze berusten op zulke duidelijke afspraken dat kinderen ze als de normaalste zaak van de wereld gaan beschouwen. Doordat ze deel gaan uitmaken van de dagelijkse routine, kunnen ze op dezelfde manier worden toegepast als alle andere huisregels. 'Ik mag die website niet bezoeken' is net zoiets als 'Ik mag op zondag niet naar een vriend(in) omdat we die dag als gezin doorbrengen.'

zich moeten houden. Ze deelt ze het volgende mee: 'We maken hier in huis geen foto's die we met anderen delen, telefoons worden om tien uur 's avonds uitgezet en we praten online alleen met mensen met wie we in het echte leven ook zouden praten.' Soms voelt het ongemakkelijk om luid en duidelijk te zeggen wat je verwacht, niet alleen voor jou maar ook voor je kinderen en voor de kinderen die bij je te gast zijn. Toch is het belangrijk om onder alle omstandigheden vast te houden aan je eigen waarden en gedragsregels. Het voorkomt ook dat kinderen die bij je op bezoek komen zich in de nesten werken terwijl jij verantwoordelijk voor ze bent, en het leert ze om zich aan te passen aan nieuwe regels en situaties. Kinderen die het echt goed met jouw zoon of dochter kunnen vinden, zullen zich niet door jouw huisregels laten afschrikken. En kinderen die zich er niet aan wensen te houden zolang ze bij jou over de vloer zijn, die kunnen misschien maar beter helemaal niet komen.

Hieronder volgen enkele voorbeelden van ongewenst gedrag waar lezers van mijn blog zich aan bezondigen, en wat je er zelf aan kunt doen.

Ongewenst gedrag

Vergrijp: Telefoneren terwijl je iets bestelt, of terwijl iemand een dienst voor je verricht.

Wat te doen: Zeg tegen de persoon met wie je belt: 'Kan ik je straks terugbellen? Ik laat net mijn olie verversen.' (of: 'Ik ben net iets aan het bestellen / iemand de weg aan het vragen / iets aan het afrekenen.')

Vergrijp: De straat oversteken of door een openbare ruimte lopen met je blik op je telefoon gericht.

Wat te doen: Houd je telefoon in je zak terwijl je loopt. Of ga op een bankje zitten waar je naar hartenlust kunt typen, scrollen en surfen.

Vergrijp: In het openbaar op luide toon een telefoongesprek voeren. (Jasses! Te veel ongewenste informatie!)

Wat te doen: Zeg: 'Ik zit nu in de bus (of: ik ben nu in een winkel / in een restaurant / op een drukke plek), zullen we later even bijpraten?'

Vergrijp: Om de paar minuten je telefoon controleren terwijl je in het gezelschap bent van mensen van vlees en bloed.

Wat te doen: Richt je aandacht op de mensen die je kunt zien en aanraken. Zet je telefoon uit of in de 'niet storen'- stand. Geef het hier en nu altijd voorrang.

Vergrijp: Voortdurend 'even wachten' zeggen tegen je kinderen omdat je volkomen in beslag wordt genomen door je smartphone of tablet.

Wat te doen: Stel voor overdag een paar vaste tijden in om je berichten te checken, een online artikel te lezen of een YouTube-filmpje te bekijken. Zo creëer je momenten voor jezelf om zonder schuldgevoel op de hoogte te blijven en plezier te beleven aan de nieuwe media. Leg de rest van de dag je telefoon weg en wees aanwezig voor je kinderen. Stel grenzen voor jezelf.

Ik moest dit vergrijp wel noemen, omdat ik me er zelf ook schuldig aan maak. Ik moet die telefoon écht wat vaker wegleggen...

Vergrijp (of eigenlijk meer een lastige situatie): Je wordt onverwacht gebeld door een oude vriendin. Wat een verrassing! Je neemt op, ook al sta je op het punt de supermarkt binnen te gaan. Ze barst meteen los over haar liefdesverdriet of een ander persoonlijk probleem en is niet meer te stuiten. Je hebt maar weinig tijd en moet echt nog een paar dingen in huis halen, maar je wilt haar niet voor het hoofd stoten. Dus probeer je tegelijk boodschappen te doen en te luisteren.

Wat te doen: Als je ervoor kiest een telefoontje aan te nemen in het openbaar of wanneer je haast hebt, geef dan direct een grens aan. Bijvoorbeeld: 'Wat leuk dat je belt! Ik sta voor de supermarkt en heb tien minuten voordat ik naar binnen moet. Wil je nu praten of liever later, als ik meer tijd heb?'

Vind je het telefoontje belangrijk genoeg om die boodschappen maar te laten zitten of te laat te komen voor een afspraak, zet het dan ook op de eerste plaats. Blijf in de auto zitten of zoek een rustige plek, zodat je je vriendin al je aandacht kunt geven. Probeer geen twee dingen tegelijk te doen.

Observaties

Sinds ik met dit boek bezig ben, kan ik het niet laten om voortdurend mensen te observeren die in het openbaar mobiele apparaten gebruiken. Soms is het eerder beoordelen, maar ik noem het liever observeren omdat dat wat vriendelijker klinkt. Meestal brand ik van nieuwsgierigheid naar hun beweegredenen. Ik probeer ze te begrijpen. Ik wil weten waarom ze die ene foto maken, in het openbaar een privégesprek voeren of totaal geen oog hebben voor een prachtig landschap omdat ze verdiept zijn in hun Twitteraccount. Het fascineert me. Ik probeer het te snappen. Maar dat ik andermans mobiele gewoontes gadesla, heeft ook een gunstige uitwerking op die van mij en mijn gezin, doordat het ons bewuster maakt van ons gedrag. Het geeft ons iets om over te praten, concrete voorbeelden van goede en slechte mobiele manieren. Ik zal nu een paar van die taferelen beschrijven en aangeven wat mijn gedachten erbij waren. Hoe kijk jij ertegenaan? Wat keur jij goed en wat niet? Aandacht schenken aan wat er om je heen gebeurt en hoe je daar zelf tegenover staat, is een uitstekende manier om inzicht te krijgen in je eigen normen en waarden. Anderen observeren helpt je om je eigen opvattingen te toetsen en biedt een kader voor je eigen gezinsregels.

Situatie: Adam en ik vieren onze trouwdag in het restaurant van een chic resort op Cape Cod dat uitkijkt over de oceaan. We zijn er halverwege de ochtend thuis tussenuit geknepen om hier te lunchen en een cocktail te drinken, zodat we rond etenstijd weer bij de kinderen kunnen zijn.

Opmerking: *Zo doen vermoeide ouders met een beperkt budget dat als ze iets te vieren hebben, aangezien een lunch veel goedkoper is dan een diner en ze 's avonds gewoon op tijd naar bed kunnen. De luxueuze omgeving geeft ons bijna het gevoel dat we in een andere dimensie zijn beland, en na een paar uur in die illusie te hebben geleefd kunnen we er weer helemaal tegen. Als we thuiskomen bij onze kinderen voelen we ons herboren, alsof we op vakantie zijn geweest. En toch hebben we maar 75 dollar uitgegeven.*

Aan de tafel naast ons zit een groepje van zeven of acht mensen te lunchen. Zo te zien een opa en oma, een moeder, een oom en een paar neefjes en nichtjes in de leeftijd van rond de acht tot zestien jaar. Er staan flessen wijn en allerlei schalen eten op tafel. Het is een prachtige zomerdag en het krioelt van de zwemmers, zonaanbidders en onberispelijk geklede en gekapte bargasten. De meesten lijken ondanks de drukte van het hoogseizoen te genieten van hun vakantie in dit geweldige oord. Als de kinderen aan de tafel naast ons zijn uitgegeten, halen ze een voor een hun smartphone tevoorschijn. Dat trekt mijn aandacht. Ik ben benieuwd naar de reacties van de rest van de familie, het bedienend personeel en de andere gasten. Ik kijk nauwlettend toe. De jongste speelt een spelletje. Ik zie hem draaien en heen en weer bewegen, met op zijn gezicht dezelfde grimassen als Brendan trekt als hij aan het gamen is. De oudere kinderen laten elkaar lachend foto's en filmpjes zien. Het is onschuldig vermaak, maar aan tafel wordt het steeds stiller. Terwijl de kinderen met hun smartphones bezig zijn zitten de volwassenen er wat verloren bij. Misschien maak ik me er te druk om (dat schijn ik vaker te doen), maar de levendige sfeer aan tafel lijkt verdwenen. Dat ergert me. Daar zitten die kinderen dan, tijdens hun vakantie in een fantastische omgeving, met een bord vol heerlijk eten en een drankje voor hun neus, in hun coolste outfit, met tegenover zich aan tafel hun springlevende grootouders. Maar ze staren alleen maar omlaag en bevinden zich in een andere wereld. En misschien komt het doordat noch ik noch mijn kinderen ooit zulke luxe vakanties of familie-uitjes hebben meegemaakt, of doordat geen van mijn grootouders nog in leven is, maar ik zou willen dat ze hun telefoons in hun hotelkamer hadden laten liggen en gewoon wat zaten te praten over het weer of over welke desserts er op het menu staan. Maar dat doen ze niet. Nog voordat de rekening is betaald staan de kinderen op en rennen ze weg. Nu weet ik best dat die smartphones hielpen om het iedereen aan tafel naar de zin te maken. Ik weet dat kinderen soms wel zo lief zijn als ze iets omhanden hebben, hun mond houden en geen drukte maken. En ik weet dat die moeder, die oom en die grootouders ook van hun rust wilden genieten. En niemand behalve ik (en Adam, omdat hij wel moet) leek zich druk te maken om die telefoons en de voortijdige aftocht. Maar ik zag intussen hoe het ook kon!

Aan een ander tafeltje zat namelijk een stel met twee kinderen: een meisje van een jaar of drie in een zomerjurkje en een schattige baby. Het kleine meisje zat rustig te spelen met de blokken die haar ouders hadden meegebracht. De moeder hield zich met de baby bezig en de vader kletste met het meisje terwijl ze haar blokken opstapelde. Opeens begon de toren te hellen, en een tel later rolden de blokken over tafel. Een passerende serveerster lachte naar haar en gaf haar een paar weggerolde blokken aan. De ouders glimlachten en hielpen hun dochter een handje met het bouwen van een nieuwe, stabielere toren. Het was zo verfrissend om dat kleine meisje te zien spelen en experimenteren zonder andere mensen te storen. Wij vertrokken terwijl zij nog aan tafel zaten, dus we hebben niet kunnen zien hoe de rest van hun maaltijd verliep. Ongetwijfeld zal de baby onrustig zijn geworden en het meisje verveeld zijn geraakt; die blokken zullen haar geen uren zoet hebben gehouden. Maar als we onze kinderen manieren aanreiken om zichzelf bezig te houden gedurende lange wachttijden of saaie momenten, dan worden ze daar beter in. In mijn ogen grepen deze ouders de gelegenheid aan om hun dochter geduld te laten oefenen; ze hielden rekening met haar behoeftes en konden intussen genieten van hun lunch in het restaurant. Het zou zo gemakkelijk zijn geweest om haar mama's iPhone te geven, maar met deze goed voorbereide aanpak hebben ze hun onderlinge band als gezin sterker gemaakt en het meisje geleerd zich in openbare gelegenheden te gedragen.

Zoals gezegd leek niemand zich eraan te storen dat de kinderen aan de tafel naast ons met hun telefoons bezig waren. Maar ik ben van mening dat smartphones en tablets in restaurants opgeborgen horen te blijven, zeker wanneer er kinderen aan tafel zitten.

iRules in de praktijk (een succesverhaal van Gregory)

Greg: Mam! Ik zat pizza te eten met mijn basketbalteam toen je belde. Ik wist dat ik eigenlijk moest opnemen, maar ik zat in een restaurant! Ik wist even niet wat ik moest doen. Ik dacht aan het contract – altijd opnemen als er 'mama' in het scherm staat –, maar ik dacht ook: bellen in een restaurant is onbeschoft. Dus toen besloot ik om even naar buiten te gaan om op te nemen en met je te praten. Daarna ging ik weer naar binnen. Goed gedaan, toch?

Janell: Ja Greg! Zo gemakkelijk is het! Hè, wat is het toch fijn om concrete resultaten te zien!

Door ze aan tafel toe te staan creëren we in mijn ogen afhankelijkheid en onverschilligheid. Van mij mogen kinderen best op hun stoel zitten schuiven als ze van ons vrij lang aan tafel moeten blijven zitten. Ik weet zeker dat als wij met onze kinderen uit eten gaan, elk meegebracht apparaat alleen maar zou leiden tot ruzie en gegil. Mijn kinderen gedragen zich beter wanneer er duidelijke regels gelden, zonder ruimte voor onderhandeling. Een of twee apparaten aan tafel toestaan zou zo veel onrust en discussie tussen hen veroorzaken – en ook voor Adam en mij, omdat wij zouden moeten bemiddelen – dat de remedie erger zou zijn dan de kwaal (alleen als ik vijf apparaten zou meenemen zou dat misschien de moeite lonen). Hoe vaak ik ook 'Ik zie, ik zie...' moet spelen of mijn kinderen moet sommeren om te blijven zitten, wij zijn een leuker gezin als we niet in het openbaar bekvechten om een computerspelletje.

 Smartwise-tip: Ben je weleens getuige geweest van onbeschoft gedrag in het openbaar dat te maken had met het gebruik van een mobiel apparaat? Waar was dat? Waarom stoorde je je eraan? Vertel je kinderen erover en vraag of zij weleens zoiets hebben meegemaakt. Help je kinderen een kritische houding te ontwikkelen. Baseer regels die betrekking hebben op mobiel gedrag op je eigen ervaringen. Kinderen kunnen zich het best inleven in concrete, levensechte situaties.

Werken!

Smartwise: Zelf verdienen

Mijn iRule: Als hij in de wc belandt, op de grond in stukken valt of in het luchtledige verdwijnt, betaal je zelf de kosten van reparatie of vervanging. Zoek een bijbaantje of leg een deel van je verjaardagsgeld opzij. Het gaat een keer gebeuren, dus je kunt er maar beter op voorbereid zijn.

Mijn zoon was een jaar of tien toen hij zijn eerste iPod kreeg, om muziek op af te spelen. Nog dezelfde dag ging hij 's middags met de hond wandelen. De iPod zat in zijn broekzak, en toen hij begon te rennen kletterde het ding kapot op de grond. Hij had hem welgeteld vijf uur in zijn bezit. Het was een ongelukje door onoplettendheid, iets wat kinderen nu eenmaal overkomt. Als we onze kinderen dure apparaten geven, moeten we hen ook bewust maken van de waarde die zulke dingen vertegenwoordigen. De iPod leeft trouwens tot op de dag van vandaag voort met een gebarsten scherm. Eerlijk waar!

De reacties die ik kreeg na het online zetten van mijn iRules-contract spitsten zich grotendeels toe op de vraag of een dertienjarige wel of geen iPhone moet hebben. In sommige gezinnen is dat om financiële, persoonlijke of culturele redenen ondenkbaar, andere gezinnen geven er zonder aarzeling een aan een achtjarige. Van vrienden en collega's die in dure wijken van grote steden wonen hoor ik dat hun kinderen een smartphone als een statussymbool zien. Als ze niet het nieuwste model bezitten is dat even beschamend als niet de juiste merkkleding dragen, niet op een voorname school zitten of niet bij een elitaire club sporten. Een smartphone straalt een bepaalde mate van klasse uit. Het is een verlengstuk van henzelf.

Dat zette me aan het denken. Is de druk om bepaalde apparaten te bezitten alleen in welgestelde kringen zo groot? Ik besloot mijn licht op te steken bij een aantal tieners uit mijn eigen middenklassebuurt, onder wie mijn eigen zoon. En wat bleek? Ze zeiden allemaal dat een smartphone tegenwoordig een *noodzaak* is. Met een gewoon mobieltje rondlopen was volgens hen net zoiets als 'hardloopschoenen aantrekken naar de basketbaltraining – dat doe je gewoon niet.' Mijn eigen zoon zei zelfs tegen me dat als hij geen smartphone of iPod Touch mocht, hij liever helemaal niets had. Ik vond het fascinerend – maar niet verrassend – dat onze kinderen het idee ingeprent krijgen dat een smartphone onontbeerlijk is. Toen ik vroeg of het merk of model van het toestel ertoe deed, moesten ze hartelijk lachen. 'Natuurlijk!' Ze vertelden dat een jongen uit hun vriendenkring een iPhone 1 heeft en constant dingen moet aanhoren als 'Hoelang heb je dat ding al?' en 'Wordt het niet eens tijd voor een upgrade?' Dat was nieuw voor me. Ik ken genoeg mensen die rondlopen met een gebarsten scherm of een ouder model (onder wie ikzelf), en ik had geen idee dat ze daar vaak commentaar op krijgen. De pubers die ik spreek zeggen dat ze dat alleen maar doen om te dollen, dat het ze niet echt uitmaakt. Het zou voor hen geen reden zijn om niet met iemand om te gaan, laat staan een ander buiten te sluiten. Maar toch... Ze konden zo opnoemen wie van hun leeftijdgenoten een ouder model of helemaal geen smartphone hebben. Het houdt ze dus wel degelijk bezig!

Wat doen we met dat verwachtingspatroon? Hoe reageren we als kinderen vinden dat ze geen genoegen hoeven te nemen met zomaar een smartphone, maar alleen met een smartphone van het juiste type, merk en model? Als ik terugdenk aan het afgelopen najaar, toen wij overwogen om Gregory een iPhone te geven, vraag ik me af: *Voelde ik me onder druk gezet om hem die te geven? Wat was mijn motivatie? Heb ik andere opties overwogen?* Ik weet in ieder geval zeker dat de prijs een grote rol speelde bij onze beslissing om een ouder model te kopen. Ons abonnement werd zelfs goedkoper door de uitbreiding met een extra mobiel nummer, dus de gebruikskosten wogen niet zo zwaar. Als ik vlak voor de kerst als moeder van vijf kinderen 200 dollar voor die telefoon had moeten neertellen, en maandelijks nog eens 40 dollar voor het abonnement, dan had Greg zich de rest van zijn leven tevreden mogen stellen met zijn iPod Touch – of in ieder geval totdat hij zelf een iPhone kon betalen. Het was een kwestie van een gunstig aanbod op een gunstig moment. Maar ook al wist ik dat we door die telefoon niet failliet zouden gaan, ik wilde Greg toch het gevoel geven dat hij hem moest verdienen. Bovendien moet hij aan bepaalde voorwaarden voldoen om hem te mogen houden. Ik wil dat hij weet dat het een privilege is, niet iets waar hij recht op heeft. Behalve het iRules-contract maakte ik daarom ook een overzicht van zijn bijdragen aan ons huishouden en de onkosten die samenhangen met zijn activiteiten (zie hieronder).

Opmerking: *Greg was in de wolken met zijn kerstcadeau, maar toen het iRules-contract zich over het internet verspreidde moesten we wel toegeven dat we er bijna niets voor hadden betaald. We hebben er samen hartelijk om gelachen en Greg zei: 'Ik dacht ook al, ik kan bijna niet geloven dat ze deze voor me hebben gekocht!'*

Gregs bijdragen aan het huishouden, januari-juni 2013

Technologische privileges: iPhone (plus abonnement en bijbehorende apps), iTunes-downloads, Xbox Live.
Financiële bijdrage: $ 0,-

Activiteiten: Contributie voor basketbal en honkbal; skivakantie; schooluitje naar een pretpark; veldschoenen; honkbalhandschoenen; vier toegangskaartjes voor schoolfeesten; zakgeld.
Financiële bijdrage: $ 0,-

Bijdrage aan de dagelijkse routine: Past vaak op de jongere kinderen; laat dagelijks de hond uit; maakt dagelijks zijn eigen bed op; ruimt wekelijks zijn eigen kamer op; verantwoordelijk voor het onderhoud en de vervanging van zijn eigen apparatuur en sportbenodigdheden; doet zijn best op school en haalt uitstekende cijfers.

Beoordeling: Ik ben over het algemeen tevreden. Misschien dat Greg nu hij wat ouder wordt best wat meer zou kunnen meehelpen, aangezien we vrij royaal zijn met geld en technologische privileges. Maar hij doet het goed op school en wij doen regelmatig een beroep op hem om op zijn jonger broer en zusjes te passen.
Zijn we te royaal? Zijn we te veeleisend? Het is lastig om te bepalen wat 'normaal' is!
Zorg 1: Ik wil niet dat hij een verwend rotjoch wordt.
Zorg 2: Ik wil geen onredelijke of overdreven strenge eisen stellen aan mijn kind.

Opvoeden doe je vanuit liefde, maar ook je financiële situatie speelt een rol. Blijf zoeken naar de juiste balans!

Zet het op een rij!
Verzamel je kroost! Inventariseer hun technologische privileges. Inventariseer hun interesses, hun activiteiten en de bijbehorende onkosten. Inventariseer ook wat ze bijdragen aan het gezin. Er hoort sprake te zijn van geven en nemen; zowel de kinderen als de ouders moeten tevreden kunnen zijn met de verhouding tussen wat ze bijdragen aan het huishouden en wat ze eruit halen. Als onze kinderen zich bewust zijn van de kosten van hun activiteiten en de waarde van hun bezittingen, zullen ze naar mijn overtuiging eerder geneigd zijn om bij te dragen aan het huishouden en verantwoordelijk om te gaan met hun spullen. Het is niet onredelijk om een tegenprestatie te verwachten voor alles wat ze van ons krijgen.

Het is bij ons thuis deel van de dagelijkse routine dat de kinderen 's ochtends een paar karweitjes doen. Ze moeten zelf hun bed opmaken, hun was in de wasmand doen, hun schone wasgoed opbergen en zichzelf klaarmaken (tanden poetsen, zorgen dat ze er presentabel uitzien, ontbijten, tas inpakken, enz.). Natuurlijk houden we daarbij rekening met hun leeftijd. Gregory's bed zou netter opgemaakt moeten zijn dan dat van Cassidy (inderdaad – *zou*). Lily heeft soms hulp nodig bij het strikken van haar veters, al denkt ze daar zelf anders over. Ik controleer het huiswerk van de jongens niet, omdat zij oud genoeg zijn om daar zelf de verantwoordelijkheid voor te dragen. Ella maakt de broodtrommels klaar, maar sinds ze daar vorig jaar een keer voor iedereen marshmallows en snoeptomaatjes in heeft gestopt, houd ik daarbij een oogje in het zeil.

Op een gegeven moment merkte ik dat de jongens het opmaken van hun bed erbij lieten zitten. Goed, zij moeten eerder naar school dan hun zusjes, ze zetten de vuilnis buiten en ze scheiden het afval, maar ik vind toch echt dat ze op z'n minst enige zorg moeten besteden aan de enige plek in huis die van henzelf is. Ik heb in India vrijwilligerswerk gedaan in een opvanghuis voor meisjes die het slachtoffer waren geweest van moderne slavernij. Hun bedden stonden in lange rijen, met prachtige kleurige spreien eroverheen. Die meisjes maakten hun bedden zo netjes op, besteedden zo veel zorg aan elke centimeter dat er geen plooitje te zien was. Dat deden ze omdat hun bed iets was wat ze koesterden; het was alles wat ze op deze wereld hadden. En ondanks alle ellende die ze in hun jonge leven hadden meegemaakt, voelden ze zich de koning te rijk met hun eigen plekje. Hun gezichten straalden van trots als ze ons hun bed lieten zien. Het was heilig voor ze. Fantastisch. Oké Janell, even diep ademhalen... Mijn standpunt inzake het opmaken van bedden is natuurlijk zwaar beïnvloed door deze ervaring, maar dat maakt het niet minder belangrijk. Dus zit ik de jongens achter de vodden en deel ik straf uit als ze het achterwege laten, want ik moet consequent blijven.

Het kost energie om ervoor te zorgen dat je kinderen hun verantwoordelijkheden nakomen, maar het is tegelijkertijd zo waardevol om ze op jonge leeftijd te leren om hun steentje bij te dragen. Als iedereen iets inbrengt, profiteert het hele gezin daarvan. Ook als je op weerstand stuit moet je consequent blijven in je verwachtingen. Hoe je kinderen omgaan met hun alledaagse spullen – hoe onbeduidend ook – zal namelijk doorwerken in de manier waarop ze omgaan met hun dure apparaten.

Zinvol bezig zijn

Aan het begin van de eerste zomervakantie dat Greg zijn iPhone had, maakte ik me zorgen. Hij had natuurlijk extra veel vrije tijd, dus het was te verwachten dat hij er vaker mee in de weer zou zijn, tot later op de avond, communicerend met leeftijdgenoten die ook meer vrijheid hadden. Ik was bang dat hij mooie zomerdagen al chattend en scrollend zou doorbrengen en de wereld om hem heen zou negeren. Eerder hadden we in de zomermaanden ook wel grenzen gesteld aan gamen en beeldschermtijd, maar ik vroeg me af of Greg zich minder gemakkelijk dan voorheen zou schikken in onze afspraken nu hij over zijn eigen mobiele apparaat beschikte. Zouden onze iRules, die we tijdens het schooljaar hadden opgesteld, ook werken op lange zomerdagen en -avonden?

Ik moet eerlijk bekennen dat ik toen ik zo jong was vaak voor de televisie zat te wachten tot er 'iets' zou gebeuren. Ik had weliswaar een oppasbaantje, ik lette vaak op mijn zusjes en mocht ook graag een boek lezen, maar zo van mijn elfde tot mijn veertiende vulde ik 's zomers mijn dagen voornamelijk met *Real World*-marathons op MTV, talkshows en stompzinnige spelletjesprogramma's. Ik sportte wel en ondernam ook dingen met ons gezin, maar ik vond het heerlijk om me terug te trekken uit het dagelijks leven. Ik herinner me lome zomerdagen, hangend op de bank met vriendinnen, bellend met andere vriendinnen of jongens die we leuk vonden, het lawaai van de tv op de achtergrond. Als het te warm werd of we werden het zat om onze broertjes en zusjes om ons heen te hebben, dan gingen we naar het zwembad of naar de winkel om een ijsje te halen. Ik weet zeker dat als er toen smartphones hadden bestaan, ik elke zomer niets anders zou hebben gedaan dan sociale netwerken afstruinen. Ik kan me dus goed voorstellen dat kinderen volledig in beslag genomen worden door hun smartphones en tablets en dat ze dat weken kunnen volhouden als ze de kans krijgen. Dat ik weet hoe ik zelf was als tiener, geeft mij extra reden om me zorgen te maken over de manier waarop mijn kinderen hun vrije tijd doorbrengen. Sta er daarom eens bij stil hoe jij als tiener de vakanties doorbracht. Wat verwachtten je ouders van jou? Zijn er dingen die jij net zo of juist anders zou willen doen? Bedenk ook hoe je de vrije tijd van je kinderen kunt beschermen. Hoe kun je ze structuur én vrijheid bieden in periodes met veel vrije tijd, zoals de zomervakantie?

Voor alle duidelijkheid: als ik het heb over 'structuur' wil ik niet voorbijgaan aan het feit dat veel kinderen het tegenwoordig te druk hebben. Ik heb daarover gelezen en zie het ook dagelijks om me heen. Ik wil hetzelfde voor mijn kinderen als iedereen: dat ze opgroeien tot gezonde, verstandige, succesvolle, hardwerkende, respectabele volwassenen. Ik weet dat ze in hun leven op sommige vlakken goed zullen presteren en op andere minder, en dat ze misschien in een of twee dingen zullen uitblinken. Daar kan ik mee leven. Met 'de vrije tijd van je kinderen beschermen' bedoel ik dan ook niet dat je ze moet opgeven voor roeiles én een cursus Spaans én een workshop cakejes versieren om maar te voorkomen dat ze de hele dag computerspelletjes spelen. Ik bedoel dat je ervoor moet zorgen dat ze iets zinvols te doen hebben. Laat ze nieuwe dingen ontdekken, een zomerbaantje zoeken of vrijwilligerswerk doen.

En als ik zeg 'vrijheid', bedoel ik niet dat je ze hele dagen naar Angry Birds of Instagram moet laten staren als ze daar zin in hebben. 'Vrijheid' betekent tegenwoordig voor veel ouders iets anders dan vroeger. Voor mij gaat het er hier om dat ze hun vrije tijd verdelen, dat er ruimte is om met mobiele apparaten bezig te zijn maar ook om gewoon te spelen, te fietsen, te schommelen, vriendjes te maken of iets creatiefs te doen.

Voor ons was de perfecte oplossing om Gregory als leiding deel te laten nemen aan een zomerkamp bij ons in de buurt. Daar 'werkte' hij drie tot vijf dagen per week van acht uur 's morgens tot vier uur 's middags. Het ging om een zomerkamp voor kinderen uit onze woonplaats, op een mooi gelegen kampeerterrein in de natuur. Ik wist dat deze ervaring voor Greg in elk geval het volgende betekende:

- ◯ Hij zou een groot deel van de dag in de buitenlucht zijn.
- ◯ Hij zou goed moe worden van alle fysieke inspanning.
- ◯ Hij zou nieuwe mensen leren kennen – de andere jongeren van de leiding, staf, ouders en kinderen.
- ◯ Hij zou leren samenwerken en kwaliteiten ontwikkelen als geduld en leiderschap.
- ◯ Hij zou nog vrije tijd overhouden om leuke dingen te doen. Hij mocht af en toe een dag missen om bijvoorbeeld met zijn vrienden naar het strand te gaan.

○ Hij zou geen gebruikmaken van zijn telefoon of andere apparaten, omdat die in het kamp niet waren toegestaan.

Omdat wij deze besteding van de zomervakantie voor hem hadden uitgezocht (onze andere kinderen gingen ook naar het kamp), vonden we het geen probleem als hij na thuiskomst een tijdje met zijn smartphone bezig was. Hij had zijn bijdrage aan de gemeenschap geleverd en verdiende het daarom in mijn ogen om wat vrije tijd door te brengen zoals hij wilde. Toen ik een paar vriendinnen naar hun mening vroeg over kwesties als structuur, vrijetijdsbesteding en mediagebruik tijdens de zomervakantie, zei mijn vriendin Christine: 'In de zomer zijn de dagen van mijn kinderen voor een groot deel gestructureerd, dus ik laat ze de rest van de tijd min of meer hun gang gaan. Zolang ze meedoen aan gezinsactiviteiten, af en toe een boek lezen en regelmatig actief zijn in de buitenlucht, mogen ze van mij best een dagje lui rondhangen. Ze zijn tenslotte maar één keer jong.'

Dat Greg de hele dag buiten was en met kinderen werkte, had als bijkomend voordeel dat hij er behoorlijk moe van werd. 's Avonds ging hij meestal al lang voordat ik hem van zijn telefoon moest scheiden uit eigen beweging naar bed. Hij was gewoon te moe om er een punt van te maken!

Toen ik Greg vroeg wat hij ervan had geleerd en waar hij beter in was geworden, antwoordde hij:

○ Met kinderen omgaan
○ Verantwoordelijkheid
○ Op mijn taalgebruik letten
○ Sociale omgang met andere leiders en ouders
○ Iedereen gelijk en met respect behandelen
○ Anderen behandelen zoals je door hen behandeld wilt worden

Ik moet bekennen dat ik hem dat vroeg in een opwelling, gewoon om te zien hoe hij ertegenaan keek. Wat was ik blij met zijn antwoord! Dit is dus zinvol werk voor jongeren. Het houdt ze op een nuttige manier van de straat.

Is je kind nog te jong voor een baantje en zoek je een zinvolle tijdsbesteding, bedenk dan waar zijn of haar interesses liggen. Dieren? Sport? Kinderen?

Theater? Houd dat in je achterhoofd terwijl je de volgende voorbeelden door-leest. Ze doen je ideeën aan de hand om structuur aan te brengen in de vrije tijd van je kinderen, om ze iets leerzaams en nuttigs te laten doen terwijl ze genoeg ruimte overhouden om te spelen of een dagje te luieren.

Willen ze wat zakgeld verdienen?

○ Wij kennen een elfjarig jongetje dat tegen betaling kortingsbonnen verzamelt en boodschappen voor mensen doet. Hij vertelt ons wat er in de aanbieding is, wij geven hem een boodschappenlijstje en als hij terugkomt krijgt hij een percentage van het bespaarde bedrag. Niet gek, toch?

○ Ik ken een moeder die een tiener betaalt om tweemaal per week twee uur te fietsen en te basketballen met haar drukke zoontje.

○ Ella is een hondenuitlaatservice begonnen voor honden uit onze buurt die niet zwaarder zijn dan vijftien kilo. Ze vraagt twee dollar per wandeling.

○ Een paar vrienden van Greg halen 's zomers fooien binnen als caddie op een golfbaan.

Willen ze anderen helpen?

○ Ik heb gewerkt met een groep tieners die vrijwilligerswerk deden in het kader van een leiderschapsprogramma. We gingen elke week naar het plaatselijke bejaardentehuis om bordspelletjes te doen met de bewoners.

○ Onze openbare bibliotheek organiseert 's zomers een poppenspelcursus voor jonge tieners. Na afloop van de cursus geven ze een voorstelling voor kleine kinderen uit onze omgeving.

Grootouders

Adam en ik hadden deze zomer het geluk dat op de dagen dat wij allebei werkten en er geen kamp was, hun grootouders ervoor zorgden dat de kinderen zich uitstekend vermaakten. Bob en Karen, mijn schoonouders, verzonnen allerlei leuke dingen om te doen, ze bakten koekjes, bouwden dingen met ze en zetten speurtochten uit in de tuin, compleet met verborgen schatten. Mijn moeder is een ondernemend type; zij nam de kinderen mee op allerlei avontuurlijke uitstapjes. Ik ben te ongeduldig om net als mijn schoonouders allerlei spannende bezigheden te bedenken, en heb te weinig tijd en geld om ze net als mijn moeder hele dagen mee uit te nemen. Onze ouders helpen onze kinderen hun vrije tijd op een leuke manier in te vullen, wat hun onderlinge band versterkt en later een mooie herinnering voor ze zal zijn.

Kanttekening: Waarschijnlijk zitten ze ook weleens met een glas frisdrank op de bank naar herhalingen van *SpongeBob* te kijken, maar daar vraag ik niet naar omdat ik vind dat grootouders hun eigen regels mogen hanteren. Dat wil zeggen: zolang ze niet te veel afwijken van de mijne.

Ruilen

Je kinderen bij elkaar onderbrengen is een uitstekende manier om onderlinge banden binnen je familie of in de gemeenschap waarin je leeft te versterken. Mijn vriendin Susan en ik nemen tijdens korte schoolvakanties altijd één dag elkaars dochters onder onze hoede. Ik ben met haar dochters gaan wandelen en picknicken, zij is met de mijne naar een museum geweest. Zo hebben de meisjes een leuke dag en kan een van ons gaan werken of even bijtanken. Het is een goed voorbeeld van evenwicht tussen vrijheid en structuur.

Bezittingen

Als je een iRules-contract opstelt voor jouw gezin, denk dan na over hoe je zult handelen als een apparaat kapotgaat, zoekraakt of gestolen wordt. Het is goed om dat te bespreken voordat zo'n gebeurtenis zich daadwerkelijk voordoet. Ik ken tientallen pubers die hun telefoon weleens in een pretpark, op de motorkap van de auto, in de bus, bij een vriend of in de sportschool hebben laten liggen. Het is belangrijk om vooraf te bepalen wat er gebeurt wanneer bezittingen als kleding, sportaccessoires of speelgoed zoekraken of kapotgaan, en dat geldt ook voor apparaten. Hier volgen enkele vragen en richtlijnen die je kunt overwegen en bespreken met je kinderen – vooral met kinderen die oud genoeg zijn om bij te dragen in de kosten en zorgvuldig met hun spullen om te gaan.

○ Het apparaat valt op de grond en het scherm barst. Werkt het ding nog? Zo niet, wordt het dan vervangen of zal je kind het zonder moeten stellen?

○ Wie heeft het apparaat betaald? Wie gaat het vervangen? Ben je daarvoor verzekerd?

○ Raad je kind aan om een apparaat niet mee te nemen naar plaatsen waar hij/zij het niet in het oog kan houden of waar het gemakkelijk beschadigd kan raken. Een voor de hand liggend voorbeeld is het strand: zand, water, zonlicht, drukte... bedenk wat er allemaal kan gebeuren!

○ Wat kunnen je kinderen zelf doen om te voorkomen dat ze een apparaat kwijtraken? Laat ze bij het verlaten van school, iemands huis, de bus, een restaurant enz. altijd controleren of ze het nog bij zich hebben.

○ Wat gebeurt er als het apparaat wordt gestolen? Wie draait er voor de kosten op als het niet meer boven water komt?

Ik hoor vaak van ouders dat ze bang zijn dat hun kinderen de waarde van geld niet begrijpen. Veel ouders vinden dat kinderen tegenwoordig opgroeien in een maatschappij die hun voorhoudt dat ze altijd maar moeten krijgen wat ze willen, en waarin geen waarde meer wordt gehecht aan zaken als werken voor je geld en sparen totdat je genoeg hebt om iets te kunnen aanschaffen. Een lezer van mijn blog schreef me in een e-mail:

> Ik heb het als volwassene beter dan toen ik een kind was, wat wil zeggen dat ik gewoonlijk dingen kan kopen wanneer ik dat wil, reizen kan maken, enzovoort. Mijn ouders gaven me wat ze konden, maar we hadden het nu eenmaal niet erg breed. Mijn kinderen kennen zulke omstandigheden niet en hebben daardoor denk ik een andere instelling. We proberen ze duidelijk te maken hoe bevoorrecht ze zijn, maar zij kijken naar hun omgeving en zien dat de meeste kinderen krijgen wat ze willen. Mijn kinderen krijgen maandelijks zakgeld en alles wat ze daarvoor hoe-

ven doen is eenmaal per week hun kamer opruimen. Ik wil daar verandering in brengen en zorgen dat ze het begrijpen.

Ik kan me daar goed in verplaatsen. Adam en ik komen allebei uit een eenvoudig gezin. Mijn ouders moesten hard werken om schoolreisjes, sportcontributies en extraatjes te kunnen betalen. Ik was me daarvan bewust, maar ik heb
nooit het gevoel gehad dat ik iets tekort kwam. Nieuwe kleren, etentjes buiten
de deur en vakanties werden vaak door mijn grootouders betaald. Mijn bijdrage aan het huishouden bestond eruit dat ik mijn best deed op school, op mijn
jongere zusjes paste en meehielp waar dat nodig was. Ik heb altijd bewondering gehad voor de manier waarop mijn ouders het hoofd boven water wisten
te houden. Ik ben trots op wat ze mij en mijn zusjes hebben geleerd over werken, loyaliteit en toewijding. Ik ben me ervan bewust dat mijn kinderen meer
hebben dan ik vroeger had – alleen hun apparaten zijn al meer waard dan alles
wat ik als kind ooit in mijn bezit heb gehad samen, en dat is niet overdreven! Ik
denk dat dit opgaat voor de meeste ouders van nu. En dan heb ik het nog niet
eens over sportcontributies, de naschoolse activiteiten en de eindeloze lijst
met schoolbenodigdheden. Het is een dure tijd om kinderen op te voeden, en
het is niet verkeerd om kinderen duidelijk te maken dat hun ouders hard moeten werken om ze al die dingen te kunnen geven.

Ik wil dat mijn kinderen opgroeien tot verantwoordelijke, goed functionerende leden van onze maatschappij. Ik wil dat ze van aanpakken weten, in hun
eigen onderhoud kunnen voorzien en zich weten te redden met wat ze hebben. Ik wil dat ze in staat zijn om tegenslagen het hoofd te bieden, zowel op
persoonlijk als op financieel gebied. Ik wil dat ze weten hoe het is om jezelf iets
te moeten ontzeggen, en wat een voldoening het geeft om het je na lang
wachten toch te kunnen veroorloven. Ik wil dat ze begrijpen dat ze van de tien
dingen die ze op hun verlanglijst voor december zetten, er misschien maar
één zullen krijgen, net als wij vroeger. Ik wil dat ze blij zijn met wat ze krijgen en
trots zijn op wat ze verdienen.

Daar moet ik in het dagelijks leven werk van maken. Ik moet ervoor zorgen
dat mijn kinderen meehelpen en een bijdrage leveren die bij hun leeftijd past.
Ze moeten weten dat dingen geld kosten en zich bewust zijn van de prijs van
kleding, eten, sportlessen en activiteiten. Ze moeten weten dat we dingen op-

offeren (onze keukenkastjes hangen momenteel bijvoorbeeld aan elkaar van plakband met tijgerprint) om in hun behoeftes te kunnen voorzien. Ze moeten weten dat het een voorrecht is om verzekerd te zijn van voedsel, onderdak, een opleiding en goede gezondheidszorg. Ze moeten hun waardering voor wat ze hebben tonen door er voorzichtig mee te zijn, het te delen met hun broertjes of zusjes en het te onderhouden. Het is niet mijn bedoeling dat ze zich schuldig gaan voelen of zich gaan schamen voor hun wensen; ik wil dat ze dingen op de juiste waarde leren schatten en dat ze betekenis hechten aan wat ze hebben.

Tips om kinderen waardebesef bij te brengen

O   Geef ze een vast bedrag voor de aanschaf van sneakers. Laat ze zelf kiezen of ze het in één keer uitgeven of het bij hun spaargeld leggen om later een duurder paar te kunnen kopen.

O   Neem afdankertjes van anderen aan en geef zelf ook gebruikte spullen weg. In onze buurt worden kleren, sportbenodigdheden en andere dingen die niet al te intensief zijn gebruikt aan anderen doorgegeven.

O   Leer ze geduld te hebben of zich neer te leggen bij een teleurstelling. Door wensen niet meteen te vervullen kom je erachter hoe noodzakelijk of gewenst dingen zijn. De meeste 'behoeftes' zijn tijdelijk en zo niet, dan zijn ze het waard om voor te sparen!

O   Betaal de contributie voor een sportvereniging, maar laat je kind zelf betalen voor kleine accessoires zoals zweetbandjes of sportsokken.

O   Koop een nieuw shirt voor ze, maar laat ze zelf betalen voor dat potje nagellak of die haarband.

O   Laat je kinderen eens trakteren! De vier dochters van mijn vriendin – de jongste is vier en de oudste elf – hebben een keer hun geld bij elkaar gelegd om op Vaderdag met het gezin uit eten te gaan. Ze waren apetrots!

O   Willen ze iets nieuws, laat ze dan iets waar ze op uitgekeken zijn verkopen. Voordat wij een Xbox kochten, moesten de jongens van ons hun Nintendo Wii en de bijbehorende games verkopen. De opbrengst was hun bijdrage aan de Xbox.

O   Betaal boodschappen, praktische benodigdheden en cadeautjes contant.

Ik ging een keer met een paar van de kinderen op pad om ergens te ontbijten, nieuwe kleren voor ze te kopen, boodschappen te doen en te tanken. Ze zagen dat de dikke portemonnee waarmee ik om negen uur was begonnen tegen elf uur uur bijna leeg was. 'Mam, geef toch niet al je geld uit aan boodschappen en benzine!' liet Lily zich ontvallen.

O   Leer ze niets te verspillen en niet meer eten of drinken te pakken dan ze op kunnen. Zorg dat ze iets voor anderen overlaten.

Huisregels en gezinsafspraken

Ik durf te wedden dat je al bent begonnen met het sluiten van contracten. Er gelden bij jou thuis vast allerlei afspraken over zaken die wel of geen verband houden met het gebruik van apparaten of sociale media. Voor veel dingen in het leven geldt immers dat ze niets anders zijn dan een verzameling afspraken en overeenkomsten; denk bijvoorbeeld aan werk, relaties en de opvoeding van kinderen. Toen Ella heel graag een puppy wilde, kwam ze naar me toe met een door haarzelf opgesteld contract. 'Greg kreeg dankzij een contract wat hij wilde, dus moet het voor mij ook werken,' meende ze. En hoewel het nog een jaar duurde voor ze haar hondje kreeg, begreep ik dat ze het maken van af-spraken – bewust of onbewust – als een manier zag om haar bedoelingen dui-delijk te maken en dingen voor elkaar te krijgen.

Technologie achter het stuur

Een van de grootste verantwoordelijkheden die onze kinderen ooit zullen krij-gen is het besturen van een motorvoertuig. Het is terecht dat ouders zich zor-gen maken over van alles wat daarmee samenhangt: de kwaliteit van rijoplei-dingen, de geschikte leeftijd om met rijlessen te beginnen, drank en drugs in het verkeer, afleidingen tijdens het autorijden, autogordels, verzekeringen en ga zo maar door. Je rijbewijs halen is voor veel tieners een soort overgangsritu-eel. Voor de ouders is het vooral een bron van zorg.

Door het veelvuldig gebruik van mobiele technologie zijn die zorgen te-genwoordig groter dan ooit. De statistieken liegen er niet om en de risico's zijn groot. In mijn jeugd was er vooral aandacht voor alcoholgebruik in het ver-

Puppycontract, opgesteld door Ella Hofmann (acht jaar)

O   Ik zal mijn hond voor en na schooltijd uitlaten, ook als het regent.
O   Ik zal hem twee keer per week borstelen.
O   Ik zal hem in bad doen en zijn ogen schoonmaken.
O   Ik zal hem eten geven.
O   Ik zal uitzoeken wat het beste voer voor hem is.
O   Ik zal hem een rustig plekje geven om te slapen.
O   Ik zal meegaan als hij naar de dierenarts moet.
O   Ik zal hem opvoeden.
O   Ik zal met hem spelen.

We ondertekenden het contract allebei en het hangt nog steeds in de keuken. Inmiddels heeft Ella haar hondje (Mr. Blue Berry Hofmann genaamd) en we komen geregeld terug op wat ze geschreven heeft in het contract. Als ze 's ochtends slaperig is en geen zin heeft om de hond uit te laten, dan zeggen we tegen haar dat ze in elk geval zo verantwoordelijk moet zijn om iemand te vinden die het wel wil doen, bijvoorbeeld een van haar broers of zusjes. Ze weet dat haar bereidheid om zich aan het contract te houden zwaar heeft gewogen bij onze beslissing om Mr. Blue voor haar aan te schaffen.

keer. De volwassenen waren zich er maar al te zeer van bewust dat tieners vroeg of laat gaan experimenteren met alcohol. Dus in plaats van zichzelf wijs te maken dat er op feestjes alleen maar fris werd gedronken, drukten ze hun kinderen op het hart niet met alcohol op achter het stuur te gaan zitten en ook niet in de auto te stappen bij iemand die had gedronken. Ik kende destijds ouders die als ze gebeld werden onmiddellijk en zonder vragen te stellen hun aangeschoten zoon of dochter kwamen halen, om maar te voorkomen dat die zelf achter het stuur zou kruipen. In de jaren negentig richtten campagnes tegen alcoholgebruik in het verkeer zich steeds meer op jongeren. Door die voorlichtingscampagnes en de waarschuwingen van onze ouders veranderde onze houding, waardoor we vandaag de dag nog steeds fel gekant zijn tegen rijden onder invloed. Er gebeuren weliswaar nog steeds ongelukken als gevolg van alcoholgebruik in het verkeer, maar we accepteren de risico's ondanks het feit dat we zelf een andere keuze maken.

Onlangs heb ik Scott MacDonald geïnterviewd, hoofdcommissaris van de politie van Orleans in Massachusetts en vader van vier kinderen. Hij vertelde dat het voorkomen van afleiding achter het stuur tegenwoordig ook een prioriteit van de politie is. Hij benadrukte hoe belangrijk het is om tijdens het autorijden alle vormen van afleiding te vermijden. Dus wat moet je daar als ouder over zeggen tegen je beginnende automobilist? Maak duidelijk wat er allemaal onder 'afleiding' valt: bellen, chatten, sms'en en whatsappen, sociale netwerksites bekijken, internetten, muziek selecteren, een online wegenkaart of plattegrond raadplegen – ook als je voor een rood stoplicht staat. Vraagt een apparaat je aandacht, zet de auto dan aan de kant. Ik zou verder tegen mijn kinderen zeggen dat autorijden geen recht is maar een privilege. Ik zou zeggen dat ik ze vertrouw, maar dat hun gedrag consequenties heeft: als ze zich niet aan mijn instructies houden, krijgen ze de auto niet meer mee. Mijn kinderen zijn nog te jong om met rijlessen te beginnen, maar het onderwerp komt al wel ter sprake. Ik probeer zelf het goede voorbeeld te geven als ik achter het stuur zit, maar als ik toch mijn hand uitsteek naar mijn telefoon dan klinkt er protest. Vervolgens biedt een van de kinderen aan om in mijn plaats te bellen, een berichtje te versturen of iets op te zoeken. Ze zijn zich dus al bewust van de gevaren van afleiding tijdens het autorijden.

Volgens MacDonald moeten we desondanks realistisch zijn: 'Onze kinderen zullen sterk in de verleiding komen om achter het stuur mobiel te communiceren – dat overkomt ons allemaal. Het is een onderdeel geworden van onze cultuur. Ik raad je aan om je kinderen erop te wijzen dat ze keuzes hebben. Van mijn eigen kinderen verwacht ik dat ze in de auto hun telefoon alleen gebruiken als ze stilstaan op een veilige plek. Ik denk dat ze in staat zijn die keuze te maken als wij ze op hun mogelijkheden wijzen en ze leren de juiste beslissing te nemen.'

De Centers for Disease Control and Prevention, de Amerikaanse centra voor ziektebestrijding en -preventie, hebben in 2011 een onderzoek verricht naar afleidingen in het verkeer. Daaruit kwam onder andere het volgende naar voren:

○ Van de ondervraagde Amerikaanse automobilisten tussen 18 en 64 jaar zei 69 procent mobiel gebeld te hebben achter het stuur in de 30 dagen voorafgaand aan het onderzoek.

○ Van de ondervraagde automobilisten tussen 18 en 64 jaar zei 31 procent in dezelfde periode minstens één keer achter het stuur een e-mail of tekstbericht te hebben verstuurd.

○ Jonge, onervaren automobilisten vormen een risicogroep; in deze categorie deden zich de meeste dodelijke ongelukken voor als gevolg van afleiding achter het stuur.

○ Bijna de helft van de Amerikaanse scholieren van 16 jaar en ouder verstuurt tijdens het autorijden e-mails en tekstberichten.

Hoe kunnen we ervoor zorgen dat onze kinderen niets overkomt als ze achter het stuur zitten of met anderen meerijden? Net als waar het autogordels, alcohol of snelheidslimieten betreft, is dat een kwestie van voorlichting en communicatie. Praat over de risico's. Stel regels op en grijp in als die niet nageleefd worden. Laat je kinderen hun mond opendoen als ze bij een leeftijdgenoot in de auto zitten: 'Let jij maar op de weg, dan neem ik je telefoon wel op.'

Bedenk welke regels en afspraken het beste zullen werken voor jouw gezin. Verbied je het je kinderen simpelweg om hun telefoon aan te laten in de auto? Maak in ieder geval een lijst van dingen die je kinderen moeten doen voordat ze de auto starten: muziek selecteren, het navigatiesysteem instellen en hun telefoon op 'stil' zetten. Maatregelen om afleiding te voorkomen moeten net zo vanzelfsprekend worden als het dragen van de autogordel, zowel voor onze kinderen als voor onszelf. Wij zijn de generatie ouders die de aanzet kunnen geven tot veilig en verantwoord gebruik van technologie in de auto. Dat begint bij de gedragsregels die we thuis voor onze eigen kinderen hanteren.

Smartwise-tip: Wat zijn jouw gedachten en idealen over het op waarde schatten van materiële bezittingen? Op welke manieren dragen je kinderen bij aan de dagelijks routine in jouw huishouden? Geef aan welke bijdrage je op basis van jouw overtuigingen van je kinderen verwacht met betrekking tot de apparaten die ze bezitten.

Smartwise: School

> **Mijn iRule:** Hij gaat niet mee naar school. Praat met degenen met wie je weleens sms't of whatsappt. Een gesprek kunnen voeren is een vaardigheid die je in het leven nodig hebt. Voor schoolreisjes en naschoolse activiteiten maken we aparte afspraken.

Kinderen moeten op school met technologie leren omgaan, want dat is de toekomst. Als ouders krijgen we steeds weer te horen hoe belangrijk het is voor de ontwikkeling van onze kinderen dat ze opgroeien en vertrouwd raken met de nieuwste technologieën. Prima, dat begrijp ik. Ik kan accepteren dat het niet lang meer zal duren voor er in klaslokalen geen lesboek meer te vinden is, als het nog niet zover is. En dat kinderen zullen lezen, schrijven, rekenen en dingen uitwisselen op dat ene handige, veelzijdige apparaat. Ik zie er de voordelen van dat klaslokalen met de hele wereld in verbinding staan. Ik vind het fantastisch dat informatie sneller dan ooit kan worden opgezocht, en dat alle antwoorden met één druk op de knop te vinden zijn. Maar ik vind dat we ook aandacht moeten blijven besteden aan bewust gebruik – zeker op school.

Schoolvoorbeelden

Er zijn niet altijd vreselijke verhalen nodig om ons wakker te schudden. Soms zijn het juist alledaagse gebeurtenissen die de grootste invloed op ons hebben. Er volgen nu enkele praktijkvoorbeelden van onverwachte en ongewenste manieren waarop de moderne technologie is doorgedrongen in het klaslokaal. Ze gaan niet over iPads of andere apparaten die worden gebruikt ter ondersteuning van de lessen of voor kinderen met specifieke leerproblemen. Ze gaan over de rol die wij als ouders spelen door altijd met onze kinderen in contact te willen staan, en op de negatieve gevolgen van onbeperkte bereikbaarheid.

Het is ouderavond op de middelbare school van onze zoon. De aula zit vol ouders die niet kunnen wachten om de leraren eens te ontmoeten of een kijkje te nemen in het dagelijks leven van hun kinderen, die met de dag zelfstandiger worden. Het hoofd van de school houdt een praatje. Ze heeft het over het schoolbeleid en uitbreidingen van het lesaanbod, en ze stelt een paar nieuwe leraren voor. Dan begint ze over het beleid van de school inzake mobiele telefoons. Ze vertelt dat mobiele telefoons op school zijn toegestaan, maar dat de leraren ze in beslag nemen als hun lessen erdoor worden verstoord. Ze pauzeert even en voegt er dan aan toe dat de aanleiding in zo'n geval meestal een tekstbericht van een van de ouders is. Op ernstige toon verzoekt ze ons dringend om de schooldag van onze kinderen niet te verstoren door ze onder schooltijd berichtjes te sturen. Als we een boodschap voor ons kind willen doorgeven, gaat ze verder, dan kunnen we de administratie bellen. Dat systeem heeft volgens haar jarenlang goed gewerkt. Ze vraagt ons het te blijven gebruiken om de leraren een dienst te bewijzen en de lessen niet te verstoren.

Een lerares van een middelbare school in New-Mexico stuurt me naar aanleiding van mijn iRules-contract een e-mail waarin ze vertelt hoe jammer ze het vindt dat haar leerlingen tijdens de lessen zo vaak worden afgeleid door hun telefoons. Ze staat al 22 jaar voor de klas, maar ziet leerlingen nu vaker dan ooit in de problemen komen doordat ze onder schooltijd worden gestoord. Het schijnt ook regelmatig te gebeuren dat leerlingen naar het toilet gaan om filmpjes te bekijken of profielen bij te werken. Ze schrijft: 'Kinderen die zich onder andere omstandigheden goed zouden gedragen in de klas – aardige kinderen uit nette gezinnen – moeten steeds weer terechtgewezen worden omdat ze niet opletten en met hun telefoon bezig zijn.'

Een lerares Engels schrijft tijdens een van haar lessen iets op het bord. Ze laat haar viltstift vallen en bukt zich om hem op te rapen. Niets bijzonders, maar het geval wil dat een paar leerlingen haar stiekem filmen met hun telefoons. Ze zoomen in op haar achterwerk terwijl ze bukt. Het filmpje wordt nog diezelfde middag online gezet, vervolgens gedeeld op verschillende sociale netwerken en voorzien van vulgaire commentaren en seksuele toespelingen. Als de lerares erachter komt is ze boos en gegeneerd. Ze voelt zich aangerand en onveilig in haar eigen klaslokaal; door de nieuwe media kan ze zich niet meer volledig op haar gemak voelen in haar werk.

Een meisje uit groep 6 raakt op een dag helemaal de kluts kwijt in de klas. Ze snapt niets van de rekensommen die de onderwijsassistent haar voordoet. Ze zit er stilletjes bij. In de pauze stuurt ze haar moeder een bericht: 'Ik haat het hier op school. Het is vandaag helemaal niet leuk. Ik moet bijna huilen. Iedereen is zo gemeen.' De moeder komt naar school en informeert bij de leerkrachten naar de 'slechte dag' van haar dochter. Als ze naar het schoolplein lopen om de dochter erbij te halen, is die alweer vrolijk aan het spelen met haar vriendinnen. Het is weer goed hoor, verklaart ze. Dit is een kind dat nog moet leren om met de mensen om haar heen te praten als haar iets dwarszit. Ouders moeten hun kinderen op school met rust laten en ze hun alledaagse probleempjes zelf of met de hulp van anderen op te lossen.

Op een particuliere school geldt een telefoonverbod om ouders en leraren te behoeden voor de narigheid die smartphones op school kunnen veroorzaken. Dat beleid blijkt echter moeilijk te handhaven. Als een meisje uit de brugklas zich aan het omkleden is voor de gymles, maakt een ander meisje stiekem een foto van haar met haar telefoon, die ze vervolgens op Instagram zet. Pas uren later bekijkt het gefotografeerde meisje haar account en ontdekt ze de foto. Ze vertelt haar ouders wat er is gebeurd, en zij helpen haar met deze lastige situatie om te gaan. De school treft stevige maatregelen tegen het meisje dat de foto heeft gepost, maar de gebeurtenis heeft blijvende gevolgen voor de privacy van de betrokken kinderen.

Een scholier uit onze woonplaats maakt een foto van een proefwerk dat hij aan het maken is en post die op Twitter met als bijschrift 'Proefwerk is een eitje'. Een andere scholier is aan het spijbelen en twittert: 'Aan het chillen bij de Burger King'. Die tweet wordt gelezen door het schoolhoofd, dat gepaste maatregelen neemt. Deze voorbeelden maken duidelijk dat tieners vaak geen verband leggen tussen wat ze op het internet zetten en de manier waarop datzelfde internet hen met de buitenwereld verbindt. Anders zouden ze zulke dingen immers wel uit hun hoofd laten!

Een tablet van school

Ik zit te lunchen in een broodjeszaak als er een bekende naar me toe komt, een vrouw die ik niet lang geleden heb leren kennen toen een paar van onze kinderen bij elkaar in de peuterklas zaten. Het feit dat we allebei een groot gezin hebben schept een band, waardoor we altijd wel iets hebben om over te praten. Ik weet dat ze bekendstaat als doortastende, betrokken moeder van een leuk stel kinderen.

Ze ziet er bezorgd uit, kwetsbaar, en dat verbaast me. Ik geloof niet dat ik haar ooit eerder zo heb gezien. Ze pakt mijn hand en bedankt me voor het schrijven en online zetten van mijn iRules-contract voor Gregory. Ik maak een standaardopmerking in de trant van: 'Ik heb er veel plezier aan beleefd,' of: 'Wat een maand was dat!' Dan trekt ze me mee een hoek in en begint me geagiteerd fluisterend te vertellen dat ze heel wat te stellen heeft met haar oudste zoon, die veertien is en niet weg te slaan van de moderne technologie. Ook hij heeft met de kerst een iPhone gekregen en ze heeft verschillende keren met hem besproken onder welke voorwaarden hij die mag gebruiken, maar desondanks heeft hij vrijwel meteen achter haar rug om een Twitteraccount geopend. Ze voelt zich bedrogen, omdat ze dacht dat ze een openhartige verstandhouding hadden. 'Misschien overdrijf ik,' zegt ze verontschuldigend. Ik verzeker haar dat dat niet zo is. Dit gaat over meer dan alleen een Twitteraccount. Het gaat over controle, loslaten, vertrouwen en eerlijkheid. Ik zie het in haar ogen. Ze twijfelt aan alles.

Ze vertelt verder. De school van haar zoon heeft alle leerlingen uit zijn leerjaar een iPad gegeven. Zij wilde helemaal niet zo'n ding in huis, ze heeft het gevoel dat het haar en haar gezin is opgedrongen. Haar zoon gebruikt hem bovendien niet om huiswerk te maken, maar om films te kijken, op internet te surfen en zijn sociale netwerkprofielen bij te werken. Zelf voelt ze geen enkele behoefte om zo'n apparaat te leren gebruiken, maar nu moet ze wel. Ze vindt het een scheve situatie, omdat de leerlingen en ouders geen enkele instructie voor het gebruik ervan hebben gekregen. Er is niet nagedacht over ouderlijk toezicht; er is zelfs niet om hun mening gevraagd. Ze voelt zich overrompeld door deze inbreuk op haar gezinsleven door de technologie. We praten een tijdje over de ruimere betekenis hiervan, over de vraag wat tot onze invloedssfeer behoort en wat simpelweg deel uitmaakt van de natuurlijke groei en

ontwikkeling van onze kinderen. Ze dringt erop aan dat ik de discussie op
gang zal houden, omdat ze niet de enige moeder is die zich voor het blok gezet voelt. Ze vraagt me om het niet bij Gregs iRules-contract te laten en voegt
eraan toe dat we het als ouders aan elkaar verplicht zijn kwesties als deze ter
discussie te stellen. Ik ben het volledig met haar eens.

Ik zeg dat ik blij ben dat we hebben gepraat en bedank haar voor haar eerlijkheid. Hoe eerlijker we tegen elkaar zijn, hoe dichter we bij onszelf kunnen
blijven. We hoeven niet overal een antwoord op te hebben of alles in ons eentje op te lossen. Technologische ontwikkelingen kunnen zo onbeduidend lijken dat we er gemakkelijk aan voorbij gaan, maar ze stellen ons voor lastige
vraagstukken die we alleen samen kunnen aanpakken. We hoeven alleen
maar de moed te verzamelen om ons erover te laten horen, al is het maar tijdens een gesprek in een hoek van een broodjeszaak. Misschien is er zelfs geen
betere plek om daarmee te beginnen.

Ik besluit te onderzoeken hoe anderen hierover denken. Greg zit maar één
klas lager dan de zoon van de vrouw uit de broodjeszaak, dus ik ben benieuwd
hoe andere ouders reageren als hun kind van school een iPad of ander apparaat mee naar huis krijgt. Wordt er in het gezin over gepraat? Of met andere
ouders? Ervan overtuigd dat ik gemengde reacties zal krijgen – variërend van
'Technologie is de toekomst' tot 'Belachelijk dat ze niet naar onze mening hebben gevraagd' – stort ik me op mijn onderzoek.

Zoals ik al dacht is niet iedereen even enthousiast. Dit zijn een paar van de
antwoorden die ik krijg:

○ 'Ik vind het geweldig dat de school het gebruik van nieuwe media
  stimuleert.'
○ 'Ik zou graag zien dat sociale netwerken op door de school verstrekte
  apparaten worden geblokkeerd.'
○ 'Kinderen moeten zelfcontrole leren uitoefenen. Hoe eerder, hoe beter.'
○ 'Jammer dat ze hun iPad niet op school mogen achterlaten.'
○ 'Mijn zoon gebruikte hem alleen maar om op sociale netwerken en
  YouTube rond te struinen.'
○ 'Tieners kunnen de verleiding niet weerstaan om onder schooltijd
  sociale netwerksites te bezoeken, en de leraren hebben er geen zicht

op. Vine-filmpjes zijn in de klas een populair tijdverdrijf.'

○ 'Mijn dochter is veel beter geworden in organiseren. Ze houdt haar afspraken, huiswerk, notities en activiteiten tegenwoordig keurig bij in de elektronische agenda.'

○ 'Als lesboeken daadwerkelijk gaan verdwijnen, wil ik dat mijn kinderen vertrouwd raken met dit medium.'

○ 'Ze worden er enorm door afgeleid.'

○ 'Tijdens een bijeenkomst voor de ouders werd duidelijk uitgelegd wat de school van deze technologie verwachtte. We kregen ook adviezen om er op een goede manier mee om te gaan.'

○ 'Ik zat er niet te om springen om zo'n ding in huis te hebben. Hij is bovendien al drie keer stuk geweest, dus ik ben blij dat ik verzekerd ben.'

Ik heb er als moeder ook gemengde gevoelens over. Mijn kinderen lieten me onlangs de programma's zien die ze op school gebruiken (en die ook thuis offline beschikbaar zijn), en ik was opgetogen over alle opties en hulpmiddelen die ze tot hun beschikking hebben. De mogelijkheden voor zowel klassikale als individuele leeractiviteiten zijn eindeloos. Ik geloof ook dat kinderen door zulke programma's meer spelenderwijs leren, doordat ze gebruiksvriendelijk en praktijkgericht zijn. Mijn kinderen zijn er dol op. Ze laten geen gelegenheid voorbij gaan om te scrollen, te klikken of te swipen. Technologie intrigeert ze, en dat vind ik geweldig. Ik ben wild enthousiast over deze snelle, leuke en boeiende manier om dingen te leren. Maar ik wil niet dat technologie de plaats gaat innemen van echte ervaringen en menselijke interactie. Dus stel ik mezelf vragen als: *Wat wil ik dat mijn kinderen op school leren? Welke vaardigheden moeten ze in elk geval meekrijgen?* Vervolgens maak ik een lijst van vaardigheden die in mijn ogen onmisbaar zijn, ondanks de technologische vooruitgang.

Ik spreek verschillende leerkrachten die werken met kinderen met leerproblemen en ben verbaasd over wat ik steeds weer te horen krijg. Ze vertellen me dat de technologie eindeloze mogelijkheden geeft om de leerprestaties van zorgleerlingen te verbeteren. Er bestaan apps die ondersteuning bieden op het gebied van spraak, taal, letterherkenning, dagindeling, emoties, objectherkenning, activiteiten, begrip en nog veel meer. Maar wat me van deze gesprekken het meest bijblijft zijn uitspraken als deze, van een pedagoge die werkt met kinderen jonger dan zes: 'Op deze leeftijd, waarop de fantasie en de sociale vaardigheden zich ontwikkelen en de basis wordt gelegd voor de lees-vaardigheid, is niets beter dan spelen. Dat wil niet zeggen dat technologie, mits op de juiste manier gebruikt, geen positieve invloed kan hebben. Het is tegenwoordig op grote schaal beschikbaar, eenvoudig in gebruik en sociaal geaccepteerd. Maar het wordt vaak gebruikt als vervanging voor het spelen, als een soort kinderoppas, en staat dan de ontwikkeling van sociale vaardig-heden in de weg.' Een collega-pedagoog zegt iets vergelijkbaars: 'Het is van belang dat ouders en leerkrachten gevarieerde leermethodes hanteren. Daar moeten ze op gewezen worden. Apparaten mogen nooit een vervanging zijn voor boeken, praktische activiteiten (zoals knutselen of spelletjes), omge-vingsinvloeden of ervaringen.' Ik vind het interessant dat zo veel ouders, leer-krachten en pedagogen het erover eens zijn dat technologie bewust en met mate moet worden gebruikt.

Ik peil de meningen van leerkrachten uit alle onderwijsrichtingen, die met kinderen van alle leeftijden werken. Ze pleiten zonder uitzondering voor een verantwoord evenwicht. Velen denken dat technologie een goed hulpmiddel kan zijn bij hun werk, mits ze een goede training krijgen en het lesmateriaal erop is afgestemd. Zo houden ze meer tijd over voor het begeleiden van hun leerlingen, die bovendien in hun eigen tempo kunnen werken. Maar veel leer-krachten vinden dat de technologische ontwikkelingen voorlopen op het les-programma en zijn terughoudend bij het gebruik van moderne apparatuur in de klas, ofwel omdat ze niet weten hoe ze die moeten gebruiken, ofwel omdat ze een compleet andere manier van lesgeven vergen. Net als ouders zijn leer-krachten bovendien beducht voor afleiding door sociale netwerksites en on-der schooltijd verstuurde tekstberichten.

Een andere nieuwe ontwikkeling is dat leraren geacht worden voor hun klas een sociale netwerkprofiel bij te houden. Op scholen die de nieuwe me-dia omarmen, wordt van ze verwacht dat ze dagelijks foto's en andere inhoud op de klassenwebsite plaatsen. Zo blijven ouders op de hoogte en leraren ge-motiveerd om elke schooldag zo interessant mogelijk te maken. Ik heb veel leraren gesproken die zich verplicht voelen om tijdens hun lessen foto's te ma-ken of tweets te versturen. De onderwerpen van zulke foto's variëren van

Tips voor slow tech-ouderschap

○ Zorg dat kleurpotloden, papier, plakband, lijm, enveloppen, stempels, linialen en scharen altijd binnen handbereik zijn. Neem de rommel van creatieve bezigheden voor lief.

○ Maak zelf verjaardagskaarten of kerstkaarten. Het maakt niet uit of ze er rommelig uitzien of slordig geschreven zijn, ze hoeven niet op Pinterest! Wie schrijft, die blijft!

○ Maak het hele gezin lid van de bibliotheek en ga daar regelmatig naartoe om te ontdekken wat er allemaal te vinden is.

○ Zorg dat het kopen of krijgen van een boek door je kinderen wordt gezien als iets speciaals of als een beloning.

○ Zorg dat er in jouw gezin levendige, boeiende gesprekken worden gevoerd waaraan iedereen kan meedoen. Stel vragen, wissel meningen uit, geef voorbeelden, leer je kinderen andere standpunten te respecteren, ook als de discussie hoog oploopt.

○ Laat ze het zelf uitzoeken! Maak een lijst met karweitjes die binnen een bepaalde tijd af moeten zijn, en laat ze zelf de taken verdelen. Kijk wie het voortouw neemt, wie delegeert, wie goed kan samenwerken en wie dingen juist liever alleen doet. Laat ze hun eigen aanpak kiezen.

○ Zorg voor een flinke voorraad blokken, constructiespeelgoed en puzzels.

schoolbijeenkomsten en klassikale activiteiten tot individuele bezigheden in de klas. Sommige leraren zien deze open vorm van communicatie tussen ouders en school als een stimulans om elke minuut van hun lessen spannender en boeiender te maken, en als een manier om de betrokkenheid tussen leerlingen, leraren en ouders te versterken.. Maar als alle aspecten van het schoolleven moeten worden vastgelegd en gedeeld, mag er geen moment meer worden gemist. Leraren worden zo telkens van hun werk gehouden doordat ze een foto moeten maken en die meteen moeten posten.

Dingen die mijn kinderen moeten leren

O   Zelf over dingen nadenken. Ik wil dat ze even met een vraag blijven rondlopen – al is het maar een paar minuten – voordat ze het antwoord op internet opzoeken.

O   Andere mensen om hulp vragen.

O   Met pen, potlood of stift schrijven op papier.

O   Waardering opbrengen voor boeken, of ze nu oud en beduimeld of splinternieuw zijn, uit de bibliotheek of uit de kringloopwinkel komen.

O   Van persoon tot persoon een gesprek of discussie met een leeftijdgenoot voeren.

O   Problemen oplossen en in teamverband werken.

O   Iets schetsen of bouwen om een idee of gedachte te verduidelijken. (Dit is Adams inbreng; zelf heb ik niet zoveel met blokken, Lego of geodriehoeken, maar ik zie de waarde ervan.)

O   Lang genoeg kunnen luisteren om zich iets te laten vertellen of uitleggen.

Wat als deze traditionele vaardigheden niet meer in de klas aan bod komen? Of als andere ouders er niet net zo veel waarde aan hechten als ik? Hoe kunnen mijn gezin en ik de huidige ontwikkelingen in het onderwijs omarmen en er tegelijk voor zorgen dat die onderdelen behouden blijven die ik altijd waardevol en boeiend heb gevonden? Ik zal er bewust naar moeten streven om de zaken in evenwicht te houden.

Sta open voor aanpassingen!

Het verbod om de iPhone mee naar school te nemen was de enige iRule waar Greg kanttekeningen bij plaatste toen hij het contract voor het eerst onder ogen kreeg. Oorspronkelijk stond er alleen dat de telefoon niet mee naar school mocht. Greg vroeg of hij hem wel mocht meenemen als hij na schooltijd een sportwedstrijd had, of op schoolexcursies om foto's te maken en in de bus naar muziek te luisteren. Daar had ik niet bij stilgestaan. Ik vond dat hij een goed punt had en besloot de regel aan te passen. Het is goed om iRules met je kinderen te bespreken en ze hun mening te laten geven. Als ze zelf inbreng hebben, zullen ze de regels eerder accepteren. Ouders van over de hele wereld hebben me laten weten welke aanpassingen en aanvullingen op het contract zij hebben bedacht voor en met hun kinderen, en me voorgesteld die over te nemen! Dit zijn enkele van hun suggesties:

○   Niet sms'en of whatsappen op de fiets.
○   Blijf niet in de auto zitten bij iemand die zich laat afleiden door zijn smartphone of tablet.
○   Geef niemand je wachtwoorden.
○   Houd de telefoon niet te lang tegen je hoofd. Gebruik een headset.

Dit is een belangrijk punt om bij stil te staan. Het contract is minder streng dan het misschien lijkt. Een van de andere gasten in de ontbijtshow *Good Morning America* waarvoor ik was uitgenodigd, was Josh Shipp, deskundige op het gebied van tienergedrag en maker van de reality tv-serie *Teen Trouble*. Hij zei dat onderhandeling en dialoog essentieel zijn voor een goede relatie. Hij was het met me eens dat we kinderen geen apparaten moeten geven zonder regels te stellen, net zomin als we ze onze autosleutels geven voordat ze hun rijbewijs hebben. Het is belangrijk dat ouders en kinderen regelmatig met elkaar om de tafel te gaan om hun iRules-contract te evalueren, met name de regels die gaan over school, huiswerk en wat de kinderen moeten bijdragen aan het huishouden. Veel dingen die het gezinsleven bepalen zijn onderhevig aan verandering: tijden van sport en naschoolse activiteiten, lesroosters, werkdruk, ouderlijke verplichtingen, gezinsomstandigheden en -behoeftes. We moeten flexibel genoeg zijn om onze iRules aan zulke veranderingen aan te passen.

Smartwise-tip: Hoe doet mijn kind het op school? Zal het mee naar school nemen van een mobiel apparaat daar invloed op hebben? Raakt mijn kind er snel door afgeleid? Wat is het schoolbeleid op dit gebied? Dit zijn belangrijke vragen om jezelf te stellen wanneer je beslist of een apparaat wel of niet mee mag naar school.

5

Seks en de nieuwe media

Smartwise: Praat over seks op het web

> **Mijn iRule:** Geen porno. Zoek op internet geen dingen op die ik niet zou mogen zien. Zit je met vragen, stel ze dan aan een persoon, bij voorkeur aan mij of je vader.

Nieuwsgierigheid naar seksualiteit hoort bij de ontwikkeling van pubers, zoveel is zeker. Ik was van plan om dit hoofdstuk te beginnen met allerlei statistieken over pornografie, maar de meeste onderzoeken op dat gebied zijn achterhaald en betrouwbare bronnen zijn lastig te vinden. Als ik zou vertellen over de omzet van de wereldwijde porno-industrie (die in de miljarden loopt), het aantal pageviews van pornosites en de tijd die op deze sites wordt doorgebracht, dan zou je pas goed begrijpen hoeveel mensen porno downloaden en bekijken. Maar dat weet je waarschijnlijk al, dus ik zal er verder niet over uitweiden. Hopelijk hoor je niet voor het eerst dat er veel belangstelling bestaat voor porno en dat het dankzij internet gemakkelijk te vinden is. Als dat nieuw voor je is, wil ik je graag het volgende meedelen: porno en internet gaan hand in hand.

Ik wil ook dat je weet dat het niet alle online beschikbare porno is waaraan al die miljarden worden uitgegeven. Het aanbod van gratis porno is enorm gegroeid en er zijn geen cijfers die daar een betrouwbaar beeld van geven. Onderzoek heeft wel uitgewezen dat kinderen enkele jaren geleden nog gemiddeld op hun elfde voor het eerst in aanraking kwamen met porno, en dat die leeftijd nu rond de acht jaar ligt. Ze komen het per ongeluk tegen als ze hun huiswerk maken of naar spelletjes zoeken, en delen het vervolgens met hun leeftijdgenoten. Ook tieners die er niet naar op zoek zijn krijgen het vaker te zien dan wij op hun leeftijd, doordat internet er vol mee staat en zij daar nu eenmaal veel tijd doorbrengen. En tieners die er wel naar op zoek zijn, tja, die hoeven geen enkele moeite te doen om het te vinden.

Ik had die statistieken willen laten volgen door een zedenpreek. Ik wilde erop wijzen dat porno niet realistisch is maar in scène gezet. Dat porno vaak een beeld geeft van de vrouw als object of slachtoffer. Dat de verhaaltjes worden verteld vanuit het perspectief van mannen, en dat de vrouwen slechts dienen ter decoratie. Vrouwen hoeven het niet fijn te vinden, maar ze moeten wel doen alsof wat er met hen wordt gedaan het geweldigste is wat hun ooit is overkomen, zelfs als het bizar of pijnlijk is. Ik heb alle mogelijke colleges over genderonderzoek gevolgd, boeken over dit onderwerp gelezen en naar documentaires over de seksindustrie gekeken. Veel pornoactrices erkennen dat een trauma uit hun jeugd hen op het pad naar de porno-industrie heeft gebracht. Ik ben van mening dat vrouwen zelf mogen weten hoe ze hun geld willen verdienen, maar dat het een keuze moet zijn uit vrije wil en niet onder invloed van verslaving, dwang of gebrek aan perspectief. Ik wil dat mensen beseffen dat de vrouwen in pornofilms dochters, zussen en moeders zijn die net als wij allemaal het beste van hun leven proberen te maken. En ik ben er pertinent zeker van dat niemand die naar zo'n film zit te kijken daar ooit bij stilstaat, deels omdat ze het allemaal wel weten en deels doordat seksuele opwinding ervoor zorgt dat ze hun kritische houding al gauw laten varen. Maar als ik een stripper of pornoactrice zie vraag ik me soms af wat haar verhaal is. Want ik weet dat het een heftig verhaal is. En als we deze mensen als individuen van vlees en bloed beschouwen, wordt het opeens heel duidelijk wat we onze kinderen moeten voorhouden: seks is meer dan porno.

In plaats van met statistieken of morele overwegingen te strooien, zal ik vertellen wat volgens mij echt belangrijk is. We moeten nadenken over waar onze kinderen hun informatie vandaan halen. In deze tijd van pornografische apps en een alomtegenwoordige pornocultuur, moeten we ervoor waken dat internet onze plaats inneemt als voorlichters van onze kinderen. Als we niet de tijd nemen om ze op basis van onze eigen normen een gezonde houding ten opzichte van seksualiteit aan te leren, zullen ze hun opvattingen over wat echt en normaal is baseren op wat ze online zien. Porno is een onderwerp dat beslist aan de orde moet komen in de discussie over nieuwe media. Onze beeldschermregels moeten in overeenstemming zijn met de opvattingen en waarden van ons gezin met betrekking tot seksualiteit. Porno is overal om ons heen, dus bedenk hoe je er in jouw gezin mee wilt omgaan en stel het onderwerp aan de orde in je gesprekken over mediagebruik.

Feit: Je moet met je kinderen over porno praten, of je nu wilt of niet.

Gregory en Brendan hebben allebei weleens pornografische filmpjes en foto's gezien. Dat weet ik zeker, want ik heb ze een paar keer per ongeluk betrapt. Ze hebben me ook verteld over bepaalde seksueel getinte foto's en berichten die ze online hebben gezien. Ik weet natuurlijk niet alles, en dat wil ik ook niet! Brrr! Ik wil alleen dat ze één ding weten: nieuwsgierigheid naar seks en seksuele opwinding zijn heel normaal, maar het meeste van wat ze online zien is dat niet. Dat is een goed uitgangspunt voor verdere gesprekken over dit onderwerp.

In de kritiek die ik kreeg op het iRules-contract werd gesuggereerd dat de regel over porno Greg wellicht in verlegenheid heeft gebracht. Ik sta echter op het standpunt dat ik hem zijn iPhone niet heb gegeven om naar porno te kunnen kijken. Daar wilde ik heel duidelijk over zijn en dat begreep hij. Zal hij het toch doen? Misschien. Begrijp ik de verleiding? Absoluut. Maar hij weet dat dit apparaat, dat hij van ons heeft gekregen, daar niet voor bedoeld is. Zijn telefoon moet 'schoon' blijven, dat is de afspraak.

Even over porno...

Niet lang geleden ging ik een dag wandelen met een groep vrouwen. Sommigen van hen kende ik al jaren, anderen waren kennissen en een paar ontmoette ik voor het eerst. Ze informeerden naar mijn boek, en het gesprek dat daarop volgde ging ongeveer zo:

Vriendinnen: Janell, waar gaat het hoofdstuk waar je aan werkt over?

Ik: Tieners en porno.

Vriendinnen: *Gelach, gevolgd door stilte.*

Ik: Nou zeg! Deze reactie krijg ik nu altijd! Niemand wil over porno praten. Als ik had gezegd dat het over gameverslaving onder tienjarigen ging, waren jullie meteen van wal gestoken. Maar laat ik het woord 'porno' vallen, dan zwijgt iedereen ineens als het graf.

Vriendinnen: Tja, we weten niet wat we moeten zeggen. Onze kinderen zijn nog klein, we hebben er geen ervaring mee. Je moet er niet aan denken wat je kinderen per ongeluk allemaal te zien krijgen, laat staan wat ze vinden als ze ernaar op zoek gaan. We hebben alleen dingen te vertellen over onze mannen en porno *(waarna er verhalen volgen over hun mannen en porno die je niet wilt horen).* Eén ding kunnen we je wel vertellen: er is op internet een vracht aan gratis porno te vinden!

We praten verder, en ik besluit het over een andere boeg te gooien. Ik vraag ze naar de eerste keer dat ze zelf porno onder ogen kregen. Niemand aan wie ik die vraag ooit heb gesteld, man of vrouw, had daar geen antwoord op. Het is iets wat we ons allemaal goed herinneren. Onze herinneringen lijken ook allemaal op elkaar: een blaadje dat we hadden gepikt van een familielid of ergens hadden gevonden, op straat, bij een vriendje of vriendinnetje thuis, in een afvalcontainer, bij de speeltuin; een oude videoband waar we naar keken op een feestje, met oudere kinderen of toen we ergens logeerden. Allemaal in het geniep. De gevoelens die het in onze herinnering bij ons opriep, zijn ook grotendeels hetzelfde: nieuwsgierigheid, opwinding, opgelatenheid, schaamte. Tel al die gevoelens bij elkaar op en je eerste confrontatie met seksualiteit blijkt een verwarrende ervaring te zijn geweest.

Het gesprek gaat verder. We vergelijken onze eerste confrontatie met porno – meestal onverwacht en vluchtig – met hoe die zal zijn voor de kinderen van nu. Het is zo eenvoudig beschikbaar. Kinderen lopen rond met smartphones of tablets waarop ze op elk moment met drie klikken toegang hebben tot porno. Dat kan stiekem en in afzondering, buiten het zicht van volwassenen, zoals alles waarvoor mobiele apparaten worden gebruikt. We hebben het over de moderne HD-beelden, de camerastandpunten, de beschikbare opties – een van de vrouwen vertelt lachend hoe ze vroeger probeerde een glimp op te vangen van seksscènes en naakte mensen tussen de golvende lijnen van gecodeerde betaalzenders door. En dat is nog niet eens zo lang geleden! Niemand in ons gezelschap is de veertig gepasseerd! Er toch is er in die korte tijd zo veel veranderd; de menselijke nieuwsgierigheid is nog hetzelfde, maar verder is alles anders. We praten over reclames, de seksualisering van onze cultuur en de normen die we voor ons eigen gezin hanteren.

Wij hebben een goed gesprek, maar het onderwerp wordt maar al te vaak gemeden. We praten niet graag over het feit dat onze kinderen naar porno kijken of geïnteresseerd zijn in seks. Dat voelt als een inbreuk op de privacy van ons gezin (en respect voor onze kinderen hoort altijd op de eerste plaats te staan). Ook nu vragen we ons af wat 'normaal' is. Wat zegt het over onze manier van opvoeden, over onze morele overtuigingen? Hoe brengen we het ter sprake? Met andere ouders over onze twijfels en zorgen praten kan helpen om dingen in het juiste perspectief te plaatsen. De meeste kinderen zoeken op dezelfde manier, met vallen en opstaan, hun weg. Ouders kunnen vaak wel wat steun gebruiken bij hun pogingen om veranderingen en problemen, al dan niet op het gebied van de nieuwe media, het hoofd te bieden. Wees niet bang om het met andere ouders over opvoeding en seksualiteit te hebben. Laten we dat onderwerp niet langer voor elkaar en onze kinderen verzwijgen. Zo kunnen we ervoor zorgen dat de nieuwe media op een verantwoorde manier worden gebruikt.

We hebben allemaal onze eigen tolerantie met betrekking tot porno. Sommige ouders maken zich er niet druk om en vinden dat het bij het leven hoort; anderen vinden het verwerpelijk en willen absoluut niet dat hun kinderen ermee in aanraking komen. De meeste mensen die ik spreek beseffen dat hun kinderen ermee zullen experimenteren. Maar de manier waarop wij – de ouders – praten over porno, seksualiteit, relaties en gezondheid, is van grote invloed. De dingen die we zeggen, hoe we ons gedragen, de gesprekken die we initiëren en de onderwerpen die we ter sprake brengen zullen doorwerken in de keuzes die onze kinderen maken in hun omgang met de nieuwe media, inclusief porno.

Opvoedsituaties waarin een emotioneel beladen onderwerp als porno een rol speelt, gaan vaak over kwesties die daar op zichzelf los van staan; onze kinderen doen bijvoorbeeld dingen achter onze rug om, liegen of overtreden een verbod om bepaalde websites te bezoeken.

 # Mijn tolerantie voor porno

Ik wil niet dat mijn kinderen naar porno kijken. Punt uit. Ik vind het niet gezond en ik wil niet dat ze er hun opvattingen over seks op baseren. Ik wil dat ze zichzelf ontdekken en een band opbouwen met echte mensen (ja, ook in seksuele zin). Maar desondanks zullen ze er waarschijnlijk toch mee te maken krijgen. Er zal een moment komen waarop hun nieuwsgierigheid de overhand krijgt, of waarop ze er onbedoeld mee geconfronteerd worden, en ze zullen er misschien plezier aan beleven (o, gruwel!). Mijn hoop is dat ze er niet afhankelijk van zullen worden, dat hun nieuwsgierigheid snel bevredigd zal zijn en dat ze zullen begrijpen dat ze iets zien wat in scène is gezet en niets met liefde te maken heeft. Ik hoop dat hun leven zodanig gevuld zal zijn met mooie dingen dat ze geen behoefte zullen hebben aan een uitlaatklep als pornografie.

Een directe aanpak werkt in zo'n geval het best. Maak het niet moeilijker dan het is! We moeten niet bang zijn om even stil te staan en ons af te vragen wat het eigenlijke probleem is en hoe we daarop willen reageren. We willen niet dat onze kinderen seksuele gevoelens gaan associëren met schaamte, maar ze hebben begeleiding nodig en we moeten consequent optreden als ze zich niet aan onze regels houden. Ik vrees dat het nu onvermijdelijk is om je een voorbeeld te geven uit mijn eigen ervaring.

Opvoeden en porno: het begin

Gregory was elf of twaalf toen hij op een middag in het weekend vroeg of hij 'iets mocht opzoeken' op de laptop in mijn werkkamer boven.* 'Ja hoor,' zei ik, zonder er verder bij stil te staan. Ik was met mijn dochters op de iPad allerlei zelfgemaakte creaties op Pinterest aan het bekijken (niet om na te maken, maar alleen om afgunstig te bewonderen). We kwamen een paar geweldige verjaardagstaarten tegen, in het bijzonder een taart met de ballonnen, het huis en de figuren uit de Disneyfilm *Up* erop. Hij was prachtig! Ik rende met de iPad in mijn hand de trap op om Greg dit meesterwerk te laten zien. Toen ik de kamer binnenliep keek hij geschrokken op en klapte hij snel de laptop dicht. Ik verstarde. Hij ook. Ik zei iets belachelijks als: 'Was je naar blote mensen aan het kijken?' Hij zei iets belachelijks als: 'Ja.' *Neeeeee! Mijn kindje! Mijn engeltje! Mijn schatje!* Dat dacht ik alleen maar, ik zei het niet. In plaats daarvan zei ik: 'Het is in orde. Ik ga weer naar beneden. Als je nu eens de computer afsluit en ook naar beneden komt?' Ik was ontdaan, maar Greg bestierf het zowat. Toen hij een paar minuten later beneden kwam, ging ik even samen met hem zitten. Ik moest het even verwerken. Hij vertelde dat vrienden het over een website hadden gehad en dat hij nieuwsgierig was geworden. Er stonden alleen foto's op, geen filmpjes. Hij dacht dat de vrouwen die erop stonden 'alleen maar' naakt zouden zijn, maar het bleken nogal expliciete foto's die ook dingen toonden die hij 'liever niet had gezien'. Ik zocht de website later die avond op in de browsergeschiedenis en zag wat hij bedoelde. Het ging ver! Dit waren eerder anatomische lessen dan seksscènes. Hoe dan ook, we hadden (weer) een gesprek over porno en ik wees hem erop dat hij *mijn* computer had gebruikt – het apparaat waarmee ik mijn brood verdien – en dat porno allerlei virussen kan bevatten. Ik zei tegen hem dat ik onvoorwaardelijk van hem houd. Voor alle zekerheid vroeg ik Adam om de volgende dag een autoritje met hem te maken om het over deze gebeurtenis en seks te hebben. Ik heb er geen moeite mee om met mijn kinderen over seks te praten, maar volgens mij is het van essentieel belang dat ook Adam een grote rol heeft in de seksuele opvoeding van onze kinderen.

---

* Ik vertel dit verhaal met Gregory's toestemming.

Hoe praat je met je puber over porno?

O Leg uit dat het bij porno gaat om het verkopen van seks en dat er miljarden in omgaan. Vertel dat het normaal is om er nieuwsgierig naar te zijn en om opgewonden te raken van pornografische foto's en filmpjes. Dat is wat de makers ermee willen bereiken! Vertel ook dat porno niet alleen over seks gaat. Begin vervolgens het gesprek.

O Vraag of je kind weleens porno heeft gezien. Vertel over de eerste keer dat jij een seksblaadje of pornofilm zag. Hoe gênanter het voor jou is, hoe beter! Samen lachen kan het ijs breken voor je kind, en ervoor zorgen dat het gesprek geen preek wordt, maar een uitwisseling van ervaringen.

O Vertel dat porno nu anders is dan vroeger, vooral wat betreft beschikbaarheid. Vertel over de ervaringen die je er zelf mee hebt. Bespreek hoe de porno-industrie is veranderd sinds porno overal op internet te vinden is. Maak duidelijk dat wij vroeger niet zoals zij met smartphones op zak liepen waarmee we toegang hadden tot porno!

O Leg uit dat de volwassenen in pornofilms acteurs en actrices zijn die hun best doen om de kijker op te winden. Is je kind dan nog niet afgehaakt, vertel dan dat de acteurs meestal geen plezier beleven aan de seksuele handelingen die getoond worden, en dat de beelden vaak zo worden bewerkt dat het lijkt alsof dat wel zo is.

O Vertel wat mannen en vrouwen wél fijn vinden aan seks – de intimiteit, het vertrouwen, de spanning, de opwinding, het orgasme – en dat het volkomen natuurlijk is. Benadruk dat porno, hoewel het deel uitmaakt van onze cultuur, geen weergave is van een liefdevolle, gezonde seksuele relatie. Ik gooi er zelf ook altijd een opmerking tussendoor over de kracht van verbeelding, en over het vermijden van afhankelijkheid van porno of andermans ideeën over wat sexy of opwindend is.

Dit is exact het punt waarop mijn kinderen zeggen: 'Oké mam, ik snap het! Hou op!' Vervolgens mompelen ze nog iets over 'doordraven' en 'onsmakelijke details', maar dat betekent in elk geval dat ze me gehoord en begrepen hebben. Er wordt ook altijd wel een paar keer gelachen, vooral ten koste van mij.

Laat zien wat je waard bent!

Ik werk veel en graag met tieners en jonge volwassenen. Met veel van hen heb ik een vertrouwensrelatie opgebouwd waarin ruimte is voor gesprekken over allerlei onderwerpen, en ik ben altijd weer opgetogen over hun bereidheid om mij over hun leven te vertellen. Ik heb echter nooit momenten meegemaakt waarop ik het gepast vond om te vragen naar hun gewoontes, interesses en gedrag op het gebied van porno, zoals ik ze bijvoorbeeld wel vraag naar hun voorliefde voor whatsappen of het maken van Vine-filmpjes. In bepaalde omstandigheden – bijvoorbeeld wanneer ik met meisjes of jonge vrouwen werk – kan ik uitleggen wat porno is, hoe het wordt gemaakt en hoe het zich verhoudt tot de massamedia. Maar het is aan jou als ouder om met je kinderen te praten over porno en er normen aan te verbinden. Niemand anders zal (en mag) dat gesprek voor je voeren. Het is uiterst persoonlijk en voelt misschien wat ongemakkelijk, maar je kunt laten zien wat je als ouder waard bent door je onzekerheden, je complexen en je gêne opzij te zetten in het belang van je kinderen. Ze zullen tegensputteren en niet willen luisteren, maar zorg dat de boodschap overkomt! Ze moeten van jou horen hoe de wereld in elkaar zit. Al stoppen ze hun oren dicht, laat je niet ontmoedigen.

Niet alleen porno

Jonge kinderen moeten worden beschermd tegen porno. Ze zijn te klein om het te kunnen begrijpen, en we willen vooral niet dat iets wat ze online zien hun eerste kennismaking is met seksualiteit. We willen alles doen om hun onschuld te beschermen, en porno kan verwarrend en beangstigend zijn voor jonge kinderen. Zijn ze toch op seksueel getinte beelden gestuit en vragen ze ernaar, wees dan duidelijk en direct. Vraag bijvoorbeeld: 'Wat heb je gezien? Zijn er dingen die je daarover wilt vragen?' Geef vervolgens uitleg in de trant van: 'Soms zetten mensen foto's of filmpjes online van dingen die ze met hun lichaam doen, ook van seksuele dingen. Wat naar voor je dat je dat hebt gezien. Ik zal zorgen dat het niet nog een keer kan gebeuren. Je hebt niets verkeerd gedaan, maar ik kan me voorstellen dat je in de war/boos/bang/nieuwsgierig bent.'

Naast porno zijn er allerlei andere beangstigende dingen die jonge kinderen per ongeluk op internet kunnen tegenkomen. Sommige beelden zijn echt, andere niet, maar een kind kan niet altijd het verschil zien en zo'n ongewenste confrontatie kan niet ongedaan worden gemaakt. Miljoenen mensen gebruiken internet als een middel om zichzelf te uiten. Het is onze taak om te voorkomen dat onze kinderen onbedoeld op ongepaste dingen stuiten. Dat kunnen we doen door instellingen voor ouderlijk toezicht* te gebruiken en in de buurt te blijven als ze online zijn.

---

*Bij de meeste apparaten en programma's zitten eenvoudige instructies voor het instellen van ouderlijk toezicht. Er bestaan ook allerlei apps waarmee dat kan. Informatie daarover is gemakkelijk te vinden op internet. Gebruik instellingen voor ouderlijk toezicht altijd als aanvulling op het toezicht dat je zelf uitoefent.

Cassidy zocht als peuter een keer op YouTube naar filmpjes van *Sesamstraat*. Ze was er trots op dat ze dat zelf kon. Ik stond er niet bij stil dat er ook persiflages bestaan waarin de figuren uit *Sesamstraat* grove taal uitslaan en vervormde gezichten hebben. Gelukkig was ik in de buurt en hoorde ik aan de stemmen dat er iets niet klopte. Het ongepaste stukje duurde maar kort en Cassidy had het niet echt in de gaten, maar ik moest toch denken aan wat ze gezien zou hebben als het langer had geduurd of als ze op iets ergers was gestuit. Ik heb als volwassene al moeite met bepaalde dingen die ik online zie! Stel je voor hoe verwarrend zoiets kan zijn voor een kind.

Naarmate onze kinderen groter worden (laten we zeggen zeven en ouder), gaan ze vaker zoekmachines en programma's gebruiken wanneer wij niet in de buurt zijn. Hun veiligheid is een belangrijk aandachtspunt bij het opstellen van iRules. Ella en Lily mogen bijvoorbeeld niet online naar televisieprogramma's of films kijken zonder onze toestemming. Ze moeten ook toestemming vragen als ze iets willen opzoeken, of als ze een app of liedje willen downloaden (ook als het gratis is), en ze krijgen geen wachtwoorden die nodig zijn om aankopen te kunnen doen. Deze regels zijn bedoeld om ze te beschermen en ze te leren om verantwoord met de nieuwe media om te gaan. Erover in gesprek blijven is essentieel. 'Wat voor online spelletjes heb je vandaag gespeeld?' 'Naar welke muziek heb je geluisterd?' Stel zo nu en dan ook vragen als 'Heb je weleens iets online gezien wat je niet leuk vond of niet begreep?' Daar-

Aangrijpende gebeurtenissen

Het is me opgevallen dat tieners sociale netwerken intensiever gaan gebruiken als er zich in hun omgeving een aangrijpende gebeurtenis voordoet of als er ergens een ramp gebeurt die volop in het nieuws is. Ik zag het bijvoorbeeld gebeuren na de bomaanslag tijdens de marathon van Boston. Het nieuws werd door iedereen op de voet gevolgd en er circuleerden schokkende beelden op internet. Voor jonge mensen (en ook voor anderen) waren de gebeurtenissen moeilijk te verwerken doordat ze er via hun telefoons continu mee geconfronteerd werden. In situaties als deze is het verstandig om het mediagebruik van je kinderen te beperken of extra in de gaten te houden. Praat met je kinderen over wat ze zien. Vraag naar hun gedachten en gevoelens. Zeg dat ze niet alle berichten moeten geloven en vertel ze welke nieuwsbronnen betrouwbaar zijn.

Bij lokale gebeurtenissen verspreidt nieuws zich meestal razendsnel via sociale netwerksites. Kinderen horen op die manier van een auto-ongeluk, de sportblessure van een vriend of de privéproblemen van een leraar. Leer je kinderen tactvol om te gaan met dit soort situaties. Leer ze dat ze zich ervan moeten vergewissen dat de informatie die ze hebben klopt. Ik heb meegemaakt dat kinderen zich onmiddellijk rond een getroffen individu of gezin schaarden en een steunbeweging begonnen door een hashtag te gebruiken als '#bidvoorJohn'. En dat is prima, want het geeft een goed gevoel om deel uit te maken van een gemeenschap. Maar zorg er wel voor dat je kinderen geen persoonlijke informatie over anderen online zetten, dat hun steunbetuigingen gepast zijn en dat ze rekening houden met de wensen van de betrokkenen.

mee stimuleer je gesprekken over onderwerpen die lastig kunnen zijn. Het is een goede oefening voor als ze ouder zijn, en het leert ze dat ze met een gerust hart naar jou of een andere volwassene die ze vertrouwen toe kunnen komen als ze ooit in de war of onzeker zijn door iets wat ze online hebben gezien.

Toen Brendan een jaar of negen was kwam hij een keer chagrijnig thuis nadat hij bij een vriendje had gespeeld. Hij stampte door het huis, gedroeg zich opstandig – kortom, hij was niet zichzelf. Toen ik hem vroeg wat ze hadden gedaan, bromde hij dat zijn vriendje alleen maar naar zijn computer had zitten staren. Er begon me iets te dagen. 'Wat deed hij dan op de computer?' vroeg ik. Door Brendans gedrag wist ik het antwoord eigenlijk al. Hij zei dat hij er niet over wilde praten en mompelde nog iets onverstaanbaars waaruit ik alleen de woorden 'stom' en 'achterlijk' kon opmaken. Ik zweeg een paar minuten om hem de kans te geven er uit zichzelf mee te komen, en vroeg toen: 'Keek hij naar iets onbehoorlijks? Seksplaatjes, bijvoorbeeld?' En daar kwamen de tranen. Ik troostte hem en zei dat hij niets verkeerds had gedaan. Dat ik begreep dat hij in de war was van die plaatjes op de computer, en boos omdat zijn vriendje ernaar had zitten kijken terwijl ze samen zouden spelen. Hij kalmeerde en ik zag aan zijn blik dat hij opgelucht was. Ik stemde me droevig, omdat ik besefte dat hij een stukje van zijn onschuld had verloren en ik daar niets aan kon veranderen.

Je kunt niet alles voorkomen. Het is zelfs vrijwel onmogelijk om overal op voorbereid te zijn. Maar als je kinderen van jongs af aan gewend zijn aan een open dialoog in het gezin, dan zullen zulke gesprekken voor hen minder geforceerd of gekunsteld aanvoelen tegen de tijd dat ze tieners zijn. Openheid blijft bestaan als kinderen ermee zijn opgegroeid. En ja, soms zullen we ze een zetje moeten geven om het gesprek op gang te helpen, vooral als het over een lastig onderwerp gaat of ze bang zijn dat ze straf zullen krijgen. We zullen de ene keer omzichtig en de andere keer ferm moeten zijn. Maar het belangrijkste is dat we* er voor ze zijn.

Met 'we' bedoel ik niet alleen ouders. Ik heb het ook over grootouders, verzorgers, leerkrachten. Ik heb het over alle betrokken, zorgzame volwassenen die in het leven van een kind aanwezig zijn. We mogen het niet aan één persoon of aan een van beide seksen overlaten om kinderen door dit mijnenveld te loodsen.

Toen ik het oorspronkelijke iRules-contract opstelde voor Greg, was het niet voor het eerst dat we de punten uit het contract bespraken. Dat deden we altijd al. De voornaamste reden dat hij zich niet gek liet maken door de mediastorm die volgde, was dat hij de voorwaarden van het contract begreep en wist waarom ze belangrijk waren voor ons gezin. Hij was opgegroeid met de normen die eraan ten grondslag lagen, ook al hadden ze in dit geval specifiek betrekking op de nieuwe media. We praten al Gregs hele leven over televisieprogramma's, reclames en computerspelletjes – over de boodschappen die ze bevatten en hoe die zich verhouden tot onze manier van leven. Een peuter kan al onderscheid maken tussen reclames voor 'jongensspeelgoed' en 'meisjesspeelgoed'. Wij kunnen dat onderscheid relativeren met opmerkingen als 'Wat gek eigenlijk dat ze alleen jongens laten zien die met auto's spelen,' of 'Denk je niet dat jongens handwerken ook leuk vinden?' Als we onze kinderen stimuleren om kritisch naar de media (en andere dingen) te kijken, op een manier die bij hun leeftijd past, zal dat van blijvende invloed zijn op de manier waarop ze met dingen omgaan.

 Smartwise-tip: Bedenk waar jij vroeger informatie over seks vandaan haalde. Hoe goed was je op de hoogte? Welke normen en waarden werden jou aangeleerd met betrekking tot seksualiteit? Wat voor invloed had dat op je? Welke dingen die jou nooit (of te laat) zijn verteld, over je lichaam, over je eigen seksualiteit en hoe die door de buitenwereld wordt beïnvloed, wil je jouw kinderen wel vertellen? Het hoeft niet perfect te zijn, als het maar oprecht en weloverwogen is. Als jij je kinderen niet voorlicht over seks, volgens de normen en waarden van jouw gezin, dan zullen ze hun kennis ergens anders opdoen. Het gemakkelijkste is om te beginnen met die dingen die je zelf graag zou hebben geweten!

Smartwise: Houd het netjes

Mijn iRule: Verstuur en deel geen naaktfoto's van jezelf of iemand anders. Niet lachen! Ik weet hoe ongelooflijk intelligent je bent, maar je zult op een dag in de verleiding komen. Het is riskant en het kan je tienerjaren, je studententijd en je verdere leven bederven. Het is altijd een slecht idee. De virtuele wereld is oneindig groot en veel invloedrijker dan jij. Het is moeilijk om zulke dingen ongedaan te maken, en dat geldt ook voor een slechte reputatie.

Selfies

Kinderen en tieners – maar ook volwassenen! – maken vaak selfies (foto's van zichzelf) die ze vervolgens met anderen delen. De meeste selfies die ik zie zijn onschuldig: iemand heeft zichzelf gefotografeerd voor de spiegel in een favoriete outfit, met een nieuw kapsel, tijdens een etentje in een restaurant of op het strand. Er zijn serieuze, grappige, artistieke en alledaagse selfies. Mensen vinden het leuk om te laten zien dat ze ergens bij zijn geweest, en dat snap ik. Mijn grootste bezwaar tegen selfies is dat er overdreven veel gemaakt worden. Er zijn mensen die zo'n zelfportret met tientallen of zelfs honderden online contacten delen, en dat vaak meerdere keren per dag of per week. En er zitten heel merkwaardige foto's tussen. Persoonlijk ben ik niet dol op selfies. Doordat je hem zelf maakt, is de foto meestal op niet meer dan een armlengte afstand genomen, of via de spiegel. Alle selfies die ik ooit heb gemaakt waren buitengewoon onflatteus. Zelfportretten brengen een ervaring of boodschap nauwelijks over, en het geeft me een ongemakkelijk gevoel om ze de wereld in te sturen met een air van: 'Kijk mij eens!'. Maar ik ben een volwassene. Ik wil graag dat de dingen die ik doen zinvol zijn en betekenis hebben, en daarom probeer ik bewust niet te veel foto's op mijn sociale netwerkaccounts te posten (afgezien van foto's van mijn kinderen, want die zijn zeldzaam schattig). Het past gewoon niet zo bij me, maar ik ben een doorzetter dus wie weet blijf ik het proberen. En het lijkt me soms ook leuk! Het is niet voor niets een populaire manier om online te communiceren en anderen op de hoogte houden van wat je zoal meemaakt in je leven.

Selfies worden echter ook op andere manieren gebruikt (en misbruikt). Foto's van doodgewone tieners in seksueel getinte houdingen zijn populair en worden op internet volop gepost en gedeeld. Er bestaan zelfs al klassiekers: het meisje dat met een handdoek om uit de douche komt, de meiden in pyjama zonder beha eronder tijdens een slaapfeestje, de jongedame die liggend op een strandlaken haar decolleté toont. En dan zijn er nog de pruilmondjes, de vooruit geduwde borsten en de naar achteren gestoken billen. Het vereist behoorlijk wat oefening om jezelf in zulke houdingen te fotograferen! Deze seksueel getinte of voor de spiegel gemaakte selfies blijven niet binnen de slaapkamermuren van onze kinderen, maar vinden op een of andere manier hun weg naar buiten, om vervolgens op te duiken op de smartphones en computers van alle leeftijdgenoten met wie ze contact hebben. En het zijn niet alleen meisjes die zulke foto's maken.

Het is zomer 2012 als me voor het eerst opvalt dat Instagram steeds populairder wordt onder Gregs leeftijdgenoten. Ik heb zelf pas sinds een paar maanden een Instagram-account. De foto's van de mensen die ik volg zijn over het algemeen niet veel bijzonders – een screenshot van een tweet van Will Ferrell die mijn zoon leuk vindt, de baby van de buren in een zwempakje met watermeloenprint, het slapende hondje van een oud-klasgenoot – en bieden vooral een leuk tijdverdrijf voor verloren momenten. Iedereen kan zich van zijn artistieke kant laten zien dankzij de filters en kleureffecten. Ik vind het leuk dat ik kan zien wat mijn zoon en zijn vrienden doen, doordat we elkaar allemaal volgen. Het voelt voor mij als een manier om op de hoogte te blijven van wat ze bezighoudt, zonder ze voor de voeten te lopen. Maar ik ben er niet echt aan verslingerd.

In dezelfde periode valt me op dat er op sociale netwerken steeds vaker selfies van jonge tienermeisjes in bikini opduiken. Posten ze die echt alleen maar om hun nieuwe zwemkleding te showen? Of zitten er andere redenen achter? Ze hebben er natuurlijk de leeftijd voor om dingen uit te proberen die 'spannend' zijn. Die meiden krijgen vaak tientallen likes en reacties; andere meisjes reageren met 'prachtig', 'super' of 'cool', en sommige jongens zijn zo moedig om er een smiley of opgestoken duim bij te plaatsen. Misschien overdrijf ik, maar ik vraag me af of hun ouders ervan weten. Ik vraag me af hoe ik hier tegenover zal staan als Ella op die leeftijd komt. Als Greg zichzelf in dit soort houdingen fotografeerde in zijn zwembroek, zou ik dan ook zo reageren? Ik zou er niet blij mee zijn als zo'n selfie van hem op internet rondzwierf, maar ik zou er vermoedelijk minder bezorgd om zijn. Meet ik met twee maten aangezien ik wel bezorgd ben om onze dochters? En welke verantwoordelijkheid hebben onze zoons als het gaat om het becommentariëren, liken en delen van zulke foto's? Kunnen we iedereen die hierbij betrokken is daar ook op aanspreken? Ik kan geen manier bedenken om mezelf gerust te stellen.

 ## Mam, pap, ogen dicht

Toen ik op de middelbare school zat experimenteerde ik met alcohol en seks. Ik had een grote mond, vond oudere jongens interessant en wilde vooral lol maken. Af en toe trok ik op een feestje zomaar mijn shirt uit om de boel wat op te stoken. Ik begrijp dat het spannend is om risico's te nemen. Ik begrijp dat het opwindend is om bekeken te worden en aandacht te krijgen, al is het maar voor even. Maar in mijn tijd was het anders. Het was niet voor iedereen zichtbaar. Er werden geen foto's gemaakt, laat staan gedeeld. Ik liep niet het risico dat het me zou blijven achtervolgen. Wat ik deed in het gezelschap van vrienden of op een feestje zou niet voor altijd aan me blijven kleven. De volgende dag werd ik weer mijn gewone, brave zelf: een ijverige leerling, een goede vriendin en dochter, een normale, onopvallende tiener.

Hoe kan ik weten waar zo'n foto allemaal terechtkomt? Hoe kom ik erachter wat de werkelijke reden is geweest om hem te posten? Kunnen we erop vertrouwen dat onze kinderen weten wat ze doen, ervoor zorgen dat hun veiligheid of hun zelfrespect niet in het geding komt en begrijpen wat de gevolgen kunnen zijn?

Ik weet dat ik niet preuts ben. Het zijn geen naaktfoto's. Ze zijn niet pornografisch en hebben zelfs niet allemaal een uitgesproken seksueel karakter. Zelf heb ik als tiener veel risico's genomen. Ik kan er nu niet onderuit om daarop terug te kijken en mijn eigen ervaringen te gebruiken om mezelf gerust te stellen. Wat is normaal? Wat is aanvaardbaar experimenteergedrag en wat gaat te ver? We hebben als ouders denk ik allemaal onze intuïtie als het gaat om de vraag wat acceptabel is voor ons en onze kinderen. Het is belangrijk dat we daarnaar luisteren en ernaar handelen.

Onze kinderen zijn vaak al op jonge leeftijd actief op sociale netwerken, en als ze foto's posten voelt het alsof die voor altijd in de openbaarheid zullen blijven. Om hun reacties te peilen, laat ik wat selfies van meisjes in bikini zien aan een aantal volwassenen in mijn omgeving. Ze vinden het allemaal een zorgelijke trend. Zelf neig ik er zelfs toe om het afschuwelijk te vinden, omdat ik weet dat zulke foto's de norm zullen worden. Zoals bij alle vormen van gedrag is er ook bij online gedrag soms sprake van een hellend vlak. Het een leidt tot het ander. Als ik bij mijn vader zeurde of ik iets mocht waar hij me te jong voor vond, dan zei hij tegen me: 'Je bent veertien! Als ik je hier nu toestemming voor geef, wat wil je dan allemaal als je zestien of achttien bent? We moeten rustig aan doen, anders word je te snel volwassen.' Dat was nou juist precies wat ik van plan was, zo snel mogelijk volwassen worden, dus ik begrijp heel goed waarom hij dat zei. Nu ik zelf moeder ben, denk ik vaak terug aan de wijze woorden van mijn vader. Als het voor kinderen van twaalf of dertien de normaalste zaak van de wereld is om bepaalde foto's te posten, wat zullen ze dan normaal vinden op hun zeventiende of achttiende? Worden de risico's groter? Worden hun keuzes steeds minder doordacht? Het houdt me bezig, hoewel ik op dit moment niet meer kan doen dan de hand houden aan wat er in mijn eigen huis gebeurt en met mijn kinderen praten over wat ik van ze verwacht.

Wekenlang kom ik niet los van de gedachte dat zulke gewaagde zelfportretten blijkbaar algemeen geaccepteerd zijn. Ik vraag me af welke invloed het heeft op het gevoel van eigenwaarde van zo'n meisje als ze veel minder likes of positieve reacties krijgt dan ze had gehoopt. Is het posten van een pikante selfie iets waar ze een kick van krijgt, of stelt het in haar ogen niet veel voor? Het beangstigt me dat dat kennelijk de richting is die onze kinderen op gaan. Ik durf me niet af te vragen wat de volgende stap zal zijn. De technologische ontwikkelingen zijn onstuitbaar en het gedrag dat ermee samenhangt verandert onvermijdelijk mee. Toegegeven, soms gaat mijn verbeelding met me op de loop en zie ik de dingen te zwaar en te somber in. Ik wil dat kinderen zo lang mogelijk hun onschuld bewaren. Ik wil niet dat meisjes van twaalf vreselijk hun best doen om een bevallige foto van zichzelf in bikini te maken (al had ik dat zelf waarschijnlijk ook gedaan). Maar wat belangrijker is, is dat ik alert blijf in het hier en nu, probeer alles in het juiste perspectief te zien en kritisch blijf nadenken over wat goed is voor mijn gezin. Mijn hart gaat uit naar alle kinderen, en ik hoop dat het krijgen van honderdduizend likes nog niet kan tippen aan hun gevoel van eigenwaarde.

Terugdenkend aan die eerste kennismaking met deze trend onder jonge tieners, in de zomer van 2012, moet ik automatisch denken aan wat ik sindsdien allemaal heb gezien en gehoord. Ik vraag me af of die foto's nu nog hetzelfde bij me zouden losmaken. (Het antwoord is een volmondig 'ja'.) Ik heb de afgelopen twee jaar grenzen zien opschuiven en risico's groter zien worden. Ik heb veel tieners keuzes zien maken die op het randje waren (of eroverheen gingen). Het bewijst voor mij dat we gewend raken aan zulk gedrag en het op den duur normaal gaan vinden. Dingen die ons aanvankelijk boos maken of verontrusten, beschouwen we na verloop van tijd als acceptabel. Houd vast aan je oorspronkelijke reacties, want die weerspiegelen je normen. Houd ze in je achterhoofd bij alles wat je als ouder meemaakt.

Ella had een keer stiekem Brendans iPod gepakt en er een heel stel selfies mee gemaakt. Brendan ontdekte ze later, opgeslagen in het geheugen, en liet ze aan mij zien (om haar te verklikken en voor gek te zetten). Ze had alle klassieke foto's gemaakt – getuite lippen, verraste blik, serieuze blik, vingers opgestoken in het vredesteken... WAAR HEEFT ZE DAT GELEERD? ZE IS NEGEN!! Ze heeft geen online accounts en geen toegang tot apparaten waarop ze profielen kan bekijken. Hoe weet mijn dochter hoe ze voor selfies moet poseren? Ik betwijfel of Greg haar ooit een blik op zijn accounts heeft gegund, laat staan dat hij haar de poses van zijn vrouwelijke leeftijdgenoten heeft laten bestuderen.

 ## Zeg dit over selfies!

- O   Ik wil je ogen zien.
- O   Ik wil je gezicht zien.
- O   Ik wil je zien lachen.
- O   Ik wil geen foto's van verwondingen zien.
- O   Ik wil geen ongepaste poses of intieme lichaamsdelen zien.
- O   Op elke selfie die je post moet je gezicht te zien zijn – dat is wie je bent! Tenzij het een foto is van pasgelakte nagels of een blauwe plek die je hebt opgelopen tijdens een spannende sportwedstrijd, dat zijn natuurlijk uitzonderingen.

Tantes? Een oppas? Televisie? Oudere zussen van vriendinnetjes? Blijkbaar kijkt ze goed om zich heen en neemt ze alles in zich op. En hoewel we erom moesten lachen, maakte het me bewust van de signalen die ze ontvangt over de normen en verwachtingen in onze cultuur. Kinderen weten wat er speelt. Zorg dat jij het ook weet!

Sexting

Ik ben blij, dolblij eigenlijk, dat mobieltjes met camera's en smartphones pas werden uitgevonden toen ik al lang en breed volwassen was. Ik zou liegen als ik zei dat ik als tiener of jonge volwassene nooit iets zou hebben gedaan waar ik spijt van had gekregen of me achteraf voor had geschaamd. Als ik terugdenk aan de gesprekken, de feestjes en mijn houding van 'wie doet me wat', dan weet ik zeker dat ik keuzes zou hebben gemaakt die op de lange termijn (en trouwens ook op de korte) niet al te best voor me hadden uitgepakt. Je denkt misschien dat je in je jonge jaren nooit zulke dingen gedaan zou hebben – seks-sms'jes sturen, partyfoto's posten of in vertrouwen een naaktfoto delen –, maar dan hou je jezelf volgens mij voor de gek. Dat meen ik.

Ik kan me best voorstellen dat tieners en jongvolwassenen seksueel getinte berichtjes en foto's uitwisselen. Ik beschouw het als iets wat nu eenmaal zijn intrede heeft gedaan in onze cultuur, en ik wil ervoor zorgen dat zo veel mogelijk ouders met hun kinderen praten over de gevolgen die het kan hebben. Ik kan het belang van zulke gesprekken niet genoeg benadrukken. Een ondoordachte keuze is immers zo gemaakt – typen, klikken, delen en het bericht of de foto is weg.

Betrouwbare cijfers met betrekking tot sexting – zoals het versturen van seksueel getinte berichten en foto's wordt genoemd – zijn niet voorhanden, aangezien de recentste onderzoeken gebaseerd zijn op gegevens van drie tot vijf jaar geleden. En we weten als ouders allemaal dat het gebruik van smartphones sindsdien een enorme vlucht heeft genomen. Er zijn intussen veel initiatieven ontplooid om de communicatie en voorlichting over sexting te verbeteren.

De FBI, de Amerikaanse centrale recherche, definieert sexting als volgt: 'Het versturen of ontvangen van foto's of filmpjes met een – al dan niet expliciet – seksueel karakter, doorgaans met behulp van een mobiele telefoon.' Net als cyberpesten is sexting een relatief nieuw sociaal verschijnsel. Er wordt door overheidsinstanties, schoolbesturen en ouders nog volop nagedacht over richtlijnen voor gedrag, de mogelijke gevolgen (met name voor minderjarigen) en het opzetten van voorlichtingscampagnes. Voorlopig kunnen we als ouders het beste thuis onze eigen voorlichtingscampagne voeren om onze kinderen van sexting te weerhouden. Praat erover en neem een duidelijk standpunt in.

Zeg dit over sexting!

O Heb je een seksueel getinte foto verstuurd of ontvangen, vertel me dat dan. Ik kan je helpen ermee om te gaan. Het is misschien ongemakkelijk, maar ik hou onvoorwaardelijk van je. We komen er samen wel uit.

O Stuur seksueel getinte foto's van anderen nooit door.

O Blokkeer of verwijder contactpersonen bij wie je geen goed gevoel hebt. Je hoeft online niet met iedereen bevriend te zijn.

○ Het delen van seksueel getinte afbeeldingen van minderjarigen is strafbaar. Dat geldt dus ook voor het delen van een foto van een vriend(in) van school of van iemand die je niet kent.

○ Heb je moeite om de verleiding van sexting te weerstaan, denk dan aan iemand voor wie je veel bewondering of respect hebt. Stel jezelf voor je iets verstuurt de vraag: 'Wat zou diegene ervan denken als hij of zij deze foto zag?' Laat je daardoor leiden als je niet weet wat je moet doen of op het punt staat een foto te delen. Lukt het je maar niet om het te laten, vraag dan advies aan een volwassene die je vertrouwt.

○ Iemand die echt om je geeft, zal je nooit vragen een foto van jezelf te sturen waar jij je niet prettig bij voelt. Onthoud dat goed!

○ Je hoeft niet mee te doen aan sexting (delen, verspreiden of erom vragen) om 'erbij te horen'. Het maakt je niet extra cool of populair. Anderen zullen je juist meer waarderen als je verstandige beslissingen neemt.

○ De kick die je van sexting krijgt duurt maar even. Het is niet privé. Je kunt jezelf een hoop narigheid besparen door het niet te doen.

Ik heb verhalen gehoord die het schaamrood naar je kaken jagen. Bijvoorbeeld over Jamie, een meisje dat in haar studententijd een topless foto van zichzelf naar haar toenmalige vriendje Joey stuurde. Zonder dat zij het wist deelde hij die met zijn voltallige voetbalteam. Zijn teamgenoten bewaarden de foto en deelden hem weer met anderen. Het is drie jaar na haar afstuderen als Jamie op een borrel van haar werk een oud-studiegenoot tegen het lijf loopt. Hij laat zich lachend ontvallen: 'Die foto van jou die Joey ons stuurde, die staat nog steeds in mijn telefoon.' Jamie is sprakeloos van schaamte en woede. Haar relatie met Joey is allang voorbij, maar haar privacy en vertrouwen worden ook nu nog geschaad. Ze heeft geen idee bij hoeveel mensen de foto terecht is gekomen. Ze voelt zich machteloos – kwaad op zichzelf en op Joey – maar ze zal ermee moeten leven dat ze als studente een verkeerde keuze heeft gemaakt, al dacht ze destijds dat het geen kwaad kon.

Help! Een naaktfoto!

Is je kind de afzender of de ontvanger van de foto? Bereid je er afhankelijk daarvan op voor een aantal van de volgende vragen te stellen:

○ Hoe kom je aan deze foto?

○ Waarom heb je deze foto verstuurd?

○ Vind de persoon op de foto het goed dat jij die in je bezit hebt?

○ Heeft de persoon op de foto die zelf aan jou gestuurd, of heb je hem van iemand anders ontvangen?

○ Heb je deze foto verder nog met iemand gedeeld?

○ Ben je onder druk gezet om deze foto te versturen?

Ga vervolgens met je kind om de tafel.

○ Zorg voor een veilige, vertrouwelijke sfeer.

○ Stel de bovenstaande vragen. Zorg dat je erachter komt hoe de vork in de steel zit.

○ Wijst wat je kind je vertelt erop dat er sprake is van misbruik, kom dan onmiddellijk in actie. Neem de smartphone of tablet in beslag en schakel zo nodig de politie in (dat wil zeggen: als er spake is van contact tussen een minderjarige en een volwassene of een leeftijdgenoot die hij of zij niet kent, en als er sprake is van dwang, afpersing of cyberpesten). Zoek professionele hulp als je niet weet wat je moet doen.

○ Wijst wat je kind je vertelt erop dat er sprake is van wederzijdse instemming door leeftijdgenoten, bepaal dan aan de hand van de omstandigheden wat er moet gebeuren. Dat kan bijvoorbeeld betekenen dat je de foto('s) wist, om excuses vraagt, met de ouders van het andere kind gaat praten en/of de risico's en gevolgen bespreekt met je kind.

Kari maakte in haar studententijd op een feestje een aantal erotische foto's van zichzelf en een paar vriendinnen, die ze bewaarde op haar telefoon. Het was gewaagd, maar ze deden het puur voor de lol. En er kon toch niets mee gebeuren? Maar niet veel later liet Kari haar telefoon liggen in de paskamer van een kledingzaak. De volgende dag ging ze terug om het verlies van haar telefoon te melden bij het personeel, in de hoop dat hij weer boven water zou komen. Intussen had een vaste klant van de winkel de telefoon gevonden en ontdekt dat er seksueel getinte foto's op stonden. De vrouw gebruikte de apps die op de telefoon stonden om de foto's op Kari's sociale netwerkaccounts te posten. Vrienden en familieleden (jawel: tantes, grootouders en een neef) schrokken en probeerden haar te bellen, maar ze was uiteraard niet telefonisch bereikbaar. Uiteindelijk kregen vrienden haar te pakken. Van hen hoorde ze wat er gebeurd was, en ze logde meteen vanaf haar laptop in om de foto's te verwijderen. Maar het leed was al geschied. Haar telefoon werd nooit gevonden en ruim een jaar later is Kari nog steeds bang dat de foto's onverwacht weer ergens zullen opduiken.

De dertienjarige Sadie stuurde via Snapchat een foto van zichzelf in een string naar een jongen uit haar klas die ze leuk vond. Een verstuurde Snapchatfoto verdwijnt na tien seconden, dus ze dacht er verder niet meer over na. Maar de jongen maakte een screenshot en bewaarde de foto op zijn telefoon. Het was niet Sadies bedoeling geweest, maar hij kon nu onbeperkt over de foto beschikken en ermee doen wat hij wilde. En aangezien hij ook een puber van dertien was, leek het hem wel een goed idee om hem met al zijn vrienden te delen.

Sam, een jongen van elf, besloot op een dag een filmpje van zichzelf te maken. Hij filmde zichzelf terwijl hij in korte broek en met ontbloot bovenlijf voor de spiegel stond, zijn spierballen toonde, verschillende houdingen aannam en grommende geluiden maakte. Hij uploadde het filmpje naar YouTube en stuurde een paar meisjes een berichtje met de link. Al snel wist iedereen wat Sam, die toch al moeite had om aansluiting te vinden bij zijn leeftijdgenoten, had gedaan. Zonder dat hij het wist hadden ze allemaal de grootste lol om zijn poging om indruk te maken. Doordat Sam er niet echt bij hoorde, had hij geen idee dat hij totaal belachelijk gemaakt werd vanwege het filmpje. Alle likes en reacties als 'supertof!' waren sarcastisch bedoeld, maar dat had Sam niet door.

Twee jaar later drijven Sams klasgenoten nog steeds de spot met hem.

Ken zit in de klas bij Jenna, een meisje dat hij erg leuk vindt. Ze kennen elkaar al heel lang. Hun moeders hebben samen in de horeca gewerkt toen Ken en Jenna nog klein waren. Ken voelt zich de laatste tijd steeds meer tot Jenna aangetrokken en ze praten veel met elkaar. Op een avond vraagt Jenna aan Ken wat hij aan het doen is. Hij stuurt haar een 'dick pic', een foto van zijn stijve penis. Jenna begint meteen te gillen als ze de foto ziet en rent ermee naar haar moeder, geschrokken en gegeneerd. Jenna's moeder belt de moeder van Ken en vertelt wat er is gebeurd. Dit alles speelt zich af binnen een paar minuten – het versturen van de foto, Jenna's reactie en de bemoeienis van de moeders. De moeder van Ken rent naar boven en roept dat hij iets uit te leggen heeft. Hij sluit zichzelf op in zijn kamer met het idee dat hij zich nooit meer ergens zal kunnen vertonen. Zijn impulsieve beslissing om de foto te maken en te versturen – ongetwijfeld ingegeven door puberhormonen – zal hem nog lang achtervolgen. Hij heeft niet alleen zijn reputatie vergooid maar ook zijn kans op een serieuze relatie met Jenna.

Opmerking: Ik had niet gedacht dat ik ooit een boek zou schrijven met de woorden 'dick pic' erin. Maar het is er dus toch van gekomen. Jij, beste lezer, hebt er nu eenmaal recht op om zelfs het belachelijkste internetjargon te kennen.

Smartwise-tip: Maak je kinderen duidelijk dat ze nooit het gevoel mogen hebben dat ze niet naar je toe kunnen komen, al is de situatie waarin ze zich bevinden nog zo beschamend of ingewikkeld. Elk probleem kan worden opgelost, als er maar over gepraat wordt. Zorg er alsjeblieft voor dat ze weten dat jij begrijpt wat de risico's zijn van de sociale media, en dat je er altijd voor ze bent. Het is belangrijk dat ze jou zien als iemand bij wie ze terechtkunnen als ze het zelf niet meer weten of in moeilijkheden komen door hun mediagebruik.

DEEL 3

Leef!

*Maak plezier, ga naar buiten, doe eens gek,
durf fouten te maken, creëer, fantaseer,
wees nieuwsgierig, kijk om je heen, maak je nuttig,
geef iets terug.*

Leef in het hier en nu

Smartwise: Foto's

> **Mijn iRule:** Maak niet overal foto's en filmpjes van. Je hoeft niet alles vast te leggen. Beleef je ervaringen, zodat ze voor altijd worden opgeslagen in je geheugen.

Stop. Ga in gedachten terug naar het moment waarop je voor het laatst je telefoon pakte om een foto te maken. Bedenk wat je hebt vastgelegd, welke betekenis die foto voor je heeft en wat je ermee hebt gedaan. Fotograferen met de smartphone behelst meer dan alleen richten en afdrukken. Hoe vaak zitten we niet minutenlang over onze telefoon gebogen om foto's te bewerken, te uploaden, van bijschriften te voorzien en te delen? Was de laatste foto die je hebt gemaakt dat waard? Ik hoop het maar. In de voorgaande hoofdstukken heb ik het gehad over het maken en delen van foto's, over het voorkomen van foute acties van vrienden, over toestemming vragen om foto's online te zetten. Ik heb het gehad over selfies, naaktfoto's en sexting. Maar er valt nog meer te zeggen over foto's. Ik weet dat dit boek zou moeten gaan over het opvoeden van kinderen in het tijdperk van de nieuwe media, maar soms moeten we het als volwassenen over onszelf hebben. En ik moet ergens beginnen.

Ik geloof dat het meeste van wat we doen met de nieuwe technologie te maken heeft met foto's; ze maken en delen, en worstelen met de vraag hoe we onze kinderen er in deze snelle, moderne wereld mee moeten leren omgaan. Laten we het daarom eerst hebben over onze eigen gewoontes, voordat we die van onze kinderen nader onder de loep nemen. Ik doe het. Te vaak. En ik weet zeker dat jij het ook doet. We maken overal en altijd foto's. We moeten zo vaak aanhoren dat we 'momenten moeten koesteren' en dat kinderen 'groot zijn voor je het weet', dat we aan niets anders meer denken. Ik spreek uit erva-ring. Een van de redenen waarom ik over opvoeden schrijf is denk ik dat ik grip probeer te krijgen op iets wat ongrijpbaar is – de tijd, het opgroeien, het leven. Maar wat betekent bewust leven voor onszelf en de mensen van wie we hou-den? Volgens mij betekent het: grenzen stellen op het persoonlijke en profes-sionele vlak. Niet op meer dan één plek tegelijk wilen zijn, bijvoorbeeld door tijdens een voetbalwedstrijd van je zoon te e-mailen over de vergadering van morgen. Dat we tijdens het eten niet zitten te facebooken. Het betekent ook af en toe nee zeggen – tegen werk, onze kinderen, onze partner, de buren, fami-lie of tegen perfectionisme – en bewust tijd maken voor wat we belangrijk vinden. Al die dingen vereisen oefening.

Naarmate ik me verder ontwikkel als vrouw en moeder, begin ik steeds meer in te zien dat als ik echt in het hier en nu leef, er geen tijd en geen reden is om steeds mijn telefoon of camera te pakken. Ik dacht altijd dat dat me hielp om waardevolle momenten te bewaren. Ik dacht dat het een zegen was om altijd met iedereen in contact te staan. Maar het zorgt er vaak juist voor dat ik momenten niet echt beleef. Soms is de aanvechting om dingen vast te leggen en te delen zo groot dat ik kunstgrepen moet toepassen om mezelf tegen te houden. Dan zeg ik tegen mezelf 'Blijf in het hier en nu' of 'Niet bewegen' om te voorkomen dat ik me laat afleiden. Het helpt me me bewust te blijven van mijn intenties als ouder.

Er zijn ook momenten waarop ik meer plezier wil hebben dan ik eigenlijk heb. Dan wil ik dat wat ik meemaak groots en meeslepend is, terwijl het dat gewoon niet is. En dat is ook prima; ik wil het niet geforceerd leuk hebben. Ik ben het aan mezelf verplicht om er dan het beste van te maken, of het voor gezien te houden. Met welke interessante belichting, uitsnede of achtergrond je iets ook fotografeert, hoe mooi de mensen met wie je bent of de martini's die je drinkt er ook op staan, als iets niet leuk is dan wordt het dat niet, al maak

Zo maak je minder foto's, en andere tips voor bewust gebruik van je telefoon

○ Ga je op stap met de kinderen? Laat je telefoon dan thuis of in de auto, zet hem uit of in de 'niet storen'-stand.

○ Stel jezelf de vraag: 'Is het echt nodig om deze foto te maken? Hebben mijn collega's, mijn oud-klasgenoten, mijn ooms en tantes en de vriendinnen van mijn moeder er iets aan om deze foto te zien? Of kan ik de mensen die het aangaat er ook gewoon over vertellen?'

○ Neem bewust een pauze. Haal diep adem. Kijk dan of je nog steeds de aanvechting hebt een foto te maken, te versturen of te posten.

○ Vraag je af waarom je een foto wilt maken. Als aandenken? Om met vrienden te delen? Omdat iets grappig of bijzonder is? Of omdat je je verveelt?

○ Bedenk welke boodschap je overbrengt door een foto te delen, en hoe je daardoor zelf overkomt. Grappig? Serieus? Artistiek? Sexy? Verantwoordelijk? Betrokken?

○ Welke reacties hoop je te krijgen? Zo veel mogelijk likes? Grappige, boze, goedkeurende reacties? Soms is het beter om een foto voor jezelf te houden. Niet elk moment hoeft te worden gedeeld.

○ Vraag je af of het een gewoonte van je is geworden om foto's te delen. Moet je echt alles vastleggen en delen? Heb je niet genoeg aan de ervaring zelf?

○ Ontspan. Echt, het lijkt misschien overdreven, maar dat is het niet. Ga picknicken, hardlopen, met je kinderen naar de speeltuin of een avond uit met vrienden en laat het daarbij. Geen bewijs, geen foto's. Geniet er gewoon van.

je er nog zo'n geweldige foto van. Nou ja, die martini's helpen misschien, maar dat duurt maar even.

Kortom, deze iRule is voortgekomen uit mijn eigen gewoonte om voortdurend momenten op foto vast te leggen, zeker nu ik dankzij de moderne technologie altijd een camera bij de hand heb. Ik maak foto's van een mooie salade of een perfecte cappuccino; van mijn kinderen op de schommel, tijdens het sporten, op school; van mijn nieuwe sneakers of de zonsopgang tijdens mijn hardlooprondje – van alles eigenlijk! En ik zie andere ouders hetzelfde doen. We gebruiken onze kinderen zo vaak als foto-object dat we veel momenten niet bewust meemaken.

Ik moet tot mijn schaamte bekennen dat ik mijn kinderen zelfs weleens in hun bezigheden heb gestoord om een foto van ze te maken. Zo, dat is eruit. Ik heb ze gesmeekt, gechanteerd, gecommandeerd en een enkele keer zelfs tegen ze geschreeuwd om ze zover te krijgen dat ze stopten met wat ze aan het doen waren zodat ik mijn plaatje kon schieten. 'In de lens kijken en lachen!' 'Sla een arm om je zus heen!' 'Ophouden! Werk nou even mee!' Dat soort dingen. Ik kan me voorstellen dat ze soms dachten: 'Werk zelf mee, we waren net zo lekker in het zand aan het spelen!' Ik hou van mijn kinderen, net als iedereen. Het zijn de leukste kinderen ter wereld. Elke dag weer doen ze zulke fantastische en vertederende dingen. Bovendien zijn ze met z'n vijven en hebben ze opgeteld zo veel bezigheden en interesses dat het aantal fotomomenten letterlijk eindeloos is. Ella op een paard! Cassidy met een vriendinnetje! Greg aan slag bij het honkballen! Brendan met zijn nieuwe schoenen! Lily in spagaat! Ik denk dat dat ene woordje, 'eindeloos', me tot bezinning heeft gebracht. Want wanneer is het genoeg? Is niet álles het waard om vastgelegd te worden? Hoe kan ik er gerust op zijn dat ik genoeg heb aan de ervaring zelf?

Van 1999 tot 2009 was ik een moeder zonder smartphone, en ik redde me uitstekend. Ik heb heel wat foto's uit die tijd. Ik heb zelfs fotoalbums met heuse afdrukken om het te bewijzen! Want laten we eerlijk zijn, sommige dingen wil je als ouder echt wilt vastleggen. Het zit nu eenmaal in onze genen, het hoort bij het verhaal van ons leven: je pasgeboren kinderen in hun dekentjes, hun eerste schooldagen, vakanties, verjaardagen, uitvoeringen, feestdagen... Die foto's heb ik allemaal! Verder zijn er kiekjes van alledaagse taferelen: Greg en Brendan spelend in het opblaasbadje in de achtertuin, Greg en Brendan net uit bad in hun nieuwe lichtblauwe pyjamaatjes. Ik ben dol op die foto's. Ik herinner me die gebeurtenissen. Er zijn ook een paar gekke foto's bij van Ella als baby met mijn zonnebril op, en met haar eerste fruithapje. Wat ik bij mijn oudste drie kinderen niet heb gedaan, is hun hele kindertijd documenteren. Dat wordt duidelijk als ik het vergelijk met Cassidy (die geboren is in 2007); haar heb ik in haar eerste levensjaren waarschijnlijk elke dag wel een keer gefotografeerd – op de schommel, met vriendinnetjes, in een verkleedkostuum, tijdens een wandeling, met pas gekregen speelgoed, likkend aan een ijsje, onder een dekentje op de bank, een boek lezend in de bibliotheek... Haar eerste jaren waren mijn 'iPhone-jaren', want in die periode sms'te, e-mailde, postte en deelde ik vrijwel dagelijks.

Ik heb erg mijn best gedaan om me te herinneren hoe ik met mijn kinderen, mijn verdere familie en mijn vrienden omging toen het maken en delen van foto's nog niet zo'n grote rol speelde in ons leven. Ik had denk ik minder vaak de neiging om dingen vast te leggen. In plaats van een foto te maken van Gregory die tijdens een uitstapje met zijn peuterklas appels aan het plukken was, en die meteen naar zijn grootouders te sturen, plukte ik zelf ook een appel en ging ik naast hem zitten om die op te eten. Waarschijnlijk keek ik zelfs toe hoe hij die van hem hapje voor hapje oppeuzelde (want dat doe je nou eenmaal bij je eerste kind) en kletste ik intussen wat met de mensen om me heen, in plaats van met gebogen hoofd foto's te gaan zitten bewerken en uploaden. Ik weet dat ik nu erg kritisch overkom – jegens mezelf en de moderne cultuur – maar ik oordeel niet. Ik koester alle foto's die ik van mijn kinderen heb. Ze vertellen stuk voor stuk een verhaal, en ik ben echt heel blij met het gemak waarmee ik ze dankzij mijn smartphone met anderen kan delen. Echt waar. Maar er waren momenten waarop het maken van een foto voor mij een doel op zich werd. En toen ik me dat realiseerde, wist ik dat er iets moest veranderen. Dus raapte ik mijn moed bij elkaar en probeerde iets nieuws: ik liet mijn telefoon – dat wil zeggen mijn camera – thuis.

Je kunt je misschien wel voorstellen dat ik me scherper bewust werd van mijn eigen gedrag toen ik besloot Greg een iPhone te geven. Toen ik nadacht over zijn iRules moest ik wel stilstaan bij de vraag waarom er zo'n groot verschil zat tussen wat ik van hem verlangde en de eisen die ik aan mezelf stelde. Waarom vond ik het zo belangrijk dat hij niet alles zou vastleggen, terwijl ik het zelf wel deed? Het was hoog tijd om eens goed naar mezelf en mijn gewoontes als iPhone-gebruiker te kijken. Dus ik begon te oefenen. Ik weet nog dat ik bewust mijn telefoon in de auto achterliet toen we op een keer met het gezin een herfstwandeling gingen maken om te zien wat voor verschil dat maakte. Ten eerste ontstond er geen gekibbel met de kinderen omdat ik wilde dat ze zouden wachten, poseren of stilstaan zodat ik een foto kon maken. Ten tweede deed ik niets anders dan wandelen, praten en naar mijn kinderen kijken. Bovendien hoefde ik me geen zorgen te maken dat mijn telefoon zou vallen, barsten of overgaan, of dat de batterij leeg zou raken. Natuurlijk waren er momenten – bijvoorbeeld toen ze met z'n alle tegelijk in een kromme boom klommen – dat ik wenste dat ik mijn camera bij me had. Maar ik ging op een boomstronk zitten en wachtte.

Weet je hoe vaak ik ernaar heb verlangd om gewoon te kunnen gaan zitten en wachten? Er waren dagen dat het ondenkbaar was dat ik een moment zou hebben om te *gaan zitten* terwijl de kinderen hun eigen gang gingen. Mensenkinderen! Toen Brendan en Ella peuters waren ben ik ze eens snel achternageklauterd naar een boomhut, met mijn ene hand in de lucht om te voorkomen dat ze zouden vallen terwijl ik met de andere de pasgeboren Lily tegen me aan drukte, die ik op dat moment net de borst gaf. Echt waar, ik beklom hijgend en zwetend de ladder naar een boomhut terwijl ik mijn baby aan het zogen was. Nu zijn al mijn kinderen eindelijk min of meer zelfstandig, en ik ren achter ze aan met een camera om geen moment te missen. Wat mankeert me? Ben ik wel goed bij mijn hoofd? Blijf zitten, Janell. Blijf op die boomstronk zitten en wees blij dat je zover gekomen bent...

Hoe dan ook, het voelde tijdens die wandeltocht als een opluchting om geen camera bij me te hebben. Dat had ik niet verwacht. Ik had me nooit gerealiseerd hoezeer ik in beslag genomen werd door mijn telefoon. Ik had niet door dat ik me erdoor liet afleiden en uit het hier en nu liet halen, in plaats van de dingen bewust te beleven. Dus ik begon mijn telefoon vaker thuis te laten, uit te zetten of in mijn tas te laten tijdens dagjes naar het strand, schooluitvoeringen (slik!), wandelingen en familiegelegenheden. En ik heb er geen moment spijt van gehad! Ik vind het zelfs prettiger om mijn tijd met de kinderen zonder camera door te brengen. Dat bevalt me zo goed dat het ook doorwerkt in andere situaties. Als ik iets leuks doe met vriendinnen of uit eten ben met mijn moeder en zussen, voel ik ook geen behoefte meer om hem te gebruiken. Hoe minder foto's ik maak, hoe meer mijn drang om ze te maken afneemt.

Nu ik zelf mijn camera niet zo overdreven vaak meer gebruik, valt me pas op hoeveel tijd en aandacht andere mensen besteden aan het maken van foto's. Ik zie ze om de haverklap hun smartphone opdiepen uit hun tas om dat ene leuke plaatje (of hele reeksen leuke plaatjes) te schieten van iets grappigs of iets wat ze per se willen vastleggen. Begrijp me niet verkeerd, ik ben dol op sociale netwerken en het delen van foto's. Ik ben sociaal, extravert en ik hou van mensen. Ik kijk graag naar foto's van baby's van oud-studiegenoten. Ik vind het leuk om te zien dat het dochtertje van de buren weer flink is gegroeid. Ik vind het heerlijk om te zien hoe bevriende gezinnen het naar hun zin hebben als ze samen een ijsje eten, bij een kampvuur zitten of naar een honkbalwedstrijd gaan. Ik word blij van de lachende gezichten van vrienden en vriendinnen die bij een race aan de finish staan, een avondje uit zijn of iets te vieren hebben. Ik ben zelfs dol op idiote trends als *planking*.

Ik geloof echt dat we in een bijzondere tijd leven. We leren de mensen in onze omgeving beter kennen via hun profielen op sociale netwerken, van hun privéleven tot hun politieke voorkeur en van hun serieuze tot hun grappige kanten. Zo ontdekken we dat een buurman tien jaar geleden zijn vader verloren heeft, of dat hij zich al jaren inzet voor een goed doel. Dat soort dingen kom je niet te weten als je iemand in een winkel tegenkomt of eens per jaar spreekt tijdens een ouderavond. De informatie die we over mensen hebben strekt zich uit voorbij standaarddingen als het aantal kinderen dat ze hebben, het werk dat ze doen en de straat waar ze wonen. We weten meer van elkaar, zijn meer met elkaar verbonden en bouwen van daaruit aan onze relaties. Dat is bijzonder.

De sociale media stellen ons in staat om contact te houden met vroegere buren, verre familieleden, voormalige leraren en oude sportvrienden. Ik zie foto's van een neef van Adam die een wereldreis maakt en lees dat een oud-studiegenoot haar baan opgeeft om voor haar kinderen te zorgen. Ik kan hun ervaringen op de voet volgen en me erbij betrokken voelen. De afstand met familieleden of vrienden die aan de andere kant van de wereld wonen, kan gemakkelijk worden overbrugd. Als we ze dan gaan opzoeken, kunnen we over actuele gebeurtenissen praten die we online hebben gevolgd. We zijn altijd op de hoogte en dat stelt ons in staat om relaties uit te diepen.

Ik denk dat onze kinderen het ook zo ervaren. Ze komen meer te weten over hun leeftijdgenoten dan wat ze op school in de klas of in de kantine zien. Een meisje ziet dat iemand met wie ze bij wiskunde in de klas zit, een stukje van een songtekst op Twitter heeft gezet. Ze retweet het, en zo ontstaat er een band tussen die twee. Een jongen ziet een foto van een leeftijdgenoot die hij vaag kent samen met zijn gezin. Zo komen ze erachter dat hun kleine broertjes dikke vrienden zijn. Iemand heeft een grootvader die ziek is, een ander heeft een bijzondere vakantie en weer iemand anders verliest een spannende wedstrijd. We kunnen delen in hun verdriet, opwinding en teleurstelling. Dat is een van de mooie kanten van sociale netwerken: het laat zien dat onze kinderen net zo geïnteresseerd zijn in wat hun leeftijdgenoten meemaken – niet alleen in de leuke, maar ook in de verdrietige dingen – als wij. De vraag is wanneer belangstelling en interesse omslaan in angst om iets te missen, een verschijnsel dat FOMO (*Fear Of Missing Out*) wordt genoemd. Daar zal in elk gezin anders over gedacht worden. Bedenk hoe je zelf je online sociale activiteiten binnen de perken houdt en probeer dat over te brengen op je kinderen.

Opmerking: *Dit is precies waarom Adam een hekel heeft aan sociale netwerken – al die mensen! (Excuses aan al onze kennissen die zich hierdoor beledigd voelen.) Hij heeft ze alleen een tijdje gebruikt om zijn muziek te promoten en te delen. De saaie piet. Toen hij minder muziek ging maken, zag hij geen reden om Facebook, Twitter of een ander sociaal netwerk te blijven gebruiken. Adam is introvert en meer op zichzelf dan ik. Dus deel ik al onze geheimen ook maar namens hem. Hij laat wel van zich horen als hij je hoopt te zien bij een van zijn optredens.*

Er is nog een aspect aan het maken en delen van foto's dat ik hier aan de orde wil stellen. Soms leggen we ons leven alleen maar vast om het online te kunnen delen. Daar is niks mis mee, zolang je je er bewust van bent. Maar dit is hoe ik erover denk: foto's delen is iets wat je om de juiste redenen moet doen. Ben je samen mensen om wie je geeft, of heb je het ergens geweldig naar je zin, deel je foto's dan gerust. Dat is echt en authentiek. Zulke foto's vertellen iets.

Maar als je merkt dat je te hard je best doet en het geforceerd leuk probeert te hebben, laat die foto's dan zitten en leef gewoon je middelmatige leven, zoals wij allemaal.

Dit is ook een goede les om je kinderen te leren. Laat me je een geheimpje vertellen: we hoeven niet elke keer dat we het samen leuk hebben foto's te maken. We hoeven die foto's ook niet altijd maar te delen. We kunnen het ook gewoon leuk hebben zonder dat iemand er iets van weet. En, om nog een stap verder te gaan, we hoeven het ook niet altijd leuk te hebben als we samen zijn met vrienden. Dat is niet realistisch. Sommige dagen, activiteiten of uit-stapjes zijn nu eenmaal geslaagder dan andere. Vertel je kinderen dat dat niet erg is. Dat plezier niet afhangt van het aantal likes of reacties of de hoeveelheid aandacht die een foto krijgt. Plezier hoeft niet altijd te worden gedeeld. Het kan privé zijn en toch evenveel betekenis hebben als wanneer het bewijs on-line staat.

De smartphone-generatie

Wij wonen in een kinderrijke buurt. Het is er veilig en er is veel ruimte. Kinderen komen bij elkaar over de vloer. Er wordt samen gespeeld door kinderen van verschillende leeftijden. Het is een fantastische plek om op te groeien, en voor mij is deze buurt een van de dingen die het zo heerlijk maakt om kinderen groot te brengen. Toen Greg in groep 8 zat, kregen veel van zijn vrienden een eigen mobieltje. Dat was nieuw en onverwacht. Ik had het gevoel alsof er plot-seling indringers verschenen in dit groepje kinderen, bij alles wat ze graag de-den. Tot dan toe was ik gewend om niet echt op ze te letten, ik keek zelfs bijna nooit uit het raam om te zien of alles goed ging. Het hele jaar door, weer of geen weer, zwierven ze in groepjes door de buurt. Ze wilden buiten zijn om wedstrijdjes te doen en ze wilden met rust gelaten worden. Problemen losten ze zelf op en ze konden over het algemeen goed met elkaar overweg, en dat gaf ze een zekere mate van vrijheid en zelfstandigheid. Maar op een dag viel me op dat ze hun potje basketbal telkens onderbraken. Ze liepen het huis in en uit, en het was stiller dan anders. Ik ging naar buiten en zag een stuk of vijf jongens over hun telefoons gebogen in het gras zitten. Ik bleef even kijken. Ze gaven hun telefoons aan elkaar door om berichtjes, filmpjes of foto's te laten zien. Er werd hier en daar gelachen. Maar het voornaamste effect was dat het uitgestrekte speelterrein dat jarenlang hun wereld was geweest, ineens was gekrompen tot het formaat van een apparaatje dat in hun hand paste. Ik had het gevoel dat ze van hun kind-zijn werden beroofd. Echt, zo zwaar nam ik het op. Het verontrustte me. Ze waren elf, twaalf jaar, de leeftijd bij uitstek om actief te zijn en zelf hun spel te bepalen. Maar dat offerden ze op. Het was een hoofdstuk, realiseerde ik me, dat met de opmars van de mobiele telefoon langzaam maar zeker zou worden afgesloten.

En daar bleef het niet bij. De mobiele telefoons werden het middelpunt van de tijd die ze samen doorbrachten. Ze begonnen foto's en filmpjes te maken van hun wedstrijdjes, als ze die al deden. De jongens die op hun beurt zaten te wachten, staarden naar hun telefoons in plaats van met elkaar te kletsen. Daar schuilt geen kwaad in, dat weet ik wel. Er waren wel ergere dingen om me zorgen over te maken. Ze zouden ook kunnen gaan drinken, stelen, drugs gebruiken, of wat voor slechte dingen sommige kinderen dan ook doen. Maar de verandering in hun leven voltrok zich onder mijn ogen. Ik zag de mobieltjes hun intrede doen en het ongedwongen spel verdwijnen. Hun spel vastleggen werd het doel op zich. Wie maakte de mooiste dunk? Wie scoorde de mooiste driepunter? Wie maakte de mooiste schijnbewegingen? Wie ging de foto's of filmpjes posten? Ik vroeg me af of het niet gewoon bij het opgroeien hoorde. Was er in mijn jeugd ook een moment geweest waarop met buurmeisjes in de achtertuin danspasjes verzinnen plaatsmaakte voor urenlang aan de telefoon hangen? Vast wel. Maar mijn enorme draadloze telefoon paste niet in mijn zak en ik kon er niet mee bellen vanuit de boomhut van de buurkinderen. Dus ook al vond ik mezelf meestal te cool om me nog met kinderspel bezig te houden, ik deed het toch. En ik deed het vol overgave.

Een verhaal over leven in het nu

De afgelopen zomer was voor Adam en mij een erg hectische periode. Al mijn tijd werd opgeslokt door mijn drukke bezigheden als leidster van een zomerkamp en het schrijven van dit boek, terwijl Adam fulltime werkte en trainde voor een groot hardloopevenement. We hielden het huishouden zo goed mogelijk draaiende en deden ons best om de chaos binnen de perken te houden. We leefden langs elkaar heen. Ik ging tegelijk met de kinderen naar bed en stond voor zonsopgang op; hij trainde, hielp de kinderen de deur uit naar het zomerkamp en maakte lange dagen op kantoor. Onze weekenden stonden in het teken van allerlei verplichtingen: familiebijeenkomsten, verjaardagsfeestjes, honkbaltoernooien en wasgoed – heel veel wasgoed.

Op een bloedhete zaterdag tegen het eind van de zomer waren we aan het eind van ons Latijn en hadden we behoefte aan wat tijd met het gezin. Ik kan mijn mentale gesteldheid meestal aflezen aan de omvang van de berg wasgoed in de bijkeuken. Is het een kleine berg, dan heb ik overzicht en is alles onder controle. Groeit hij me boven het hoofd, dan ben ik mezelf voorbij aan het lopen en geldt voor alle anderen in huis waarschijnlijk hetzelfde. Hij moet op die zaterdag torenhoog zijn geweest. Adam en ik zijn het soort stel dat elkaar geregeld moet zien om goed te kunnen blijven functioneren. We houden ervan om de dingen te bespreken, te overleggen, af te stemmen en te plannen. Als daar de klad in komt, gaat het bergafwaarts. Ik was me er ook van bewust dat de kinderen veel junkfood aten, een grote mond hadden en te laat naar bed gingen. Het was hoog nodig om even onder elkaar te zijn en op adem te komen. Tegen de tijd dat we dat bedachten was het halverwege de middag, dus we besloten om avondeten mee te nemen en naar Mayflower Beach te gaan. Dat strand ligt op een flink eind rijden van ons huis, dus we gaan er in de zomer hooguit een of twee keer naartoe.

We zitten in de auto. De kinderen klagen en maken ruzie. Adam en ik zeggen niet veel tegen elkaar; we moeten alle zeilen bijzetten om er met ons laatste restje energie en geduld iets leuks van te maken. Ik zou graag even mijn ogen dichtdoen, maar ik blijf rechtop zitten omdat ik vind dat ik de autorit moet benutten om bij te praten met Adam. Hij is stil, geïrriteerd omdat ik dit heb doorgedrukt terwijl de kinderen er niet eens zin in hebben. Als we er zijn besluiten we onze telefoons in de auto te laten liggen, omdat we hier zijn gekomen om zelf onze batterij op te laden.

Mijn dertienjarige zoon blijkt er ook dit keer minder moeite mee te hebben om zijn telefoon achter te laten dan ik. Greg kijkt me aan en zegt op vanzelfsprekende toon: 'Ik heb die van mij niet eens bij me. Ik wist toch dat ik hem hier niet nodig heb?' Dank je wel, Greg, voor deze wijze les. Soms denk ik dat ik het iRules-contract voor mezelf heb gemaakt.

We gaan op weg naar het strand. Het is een prachtige namiddag. Het is eb, fijn zand strekt zich kilometers voor ons uit, het water rolt in kalme golven op de kust af. We installeren ons snel en rennen met z'n allen de oceaan in. Het water spoelt letterlijk alle spanning van me af. Tot mijn schaamte bedenk ik dat ik de hele zomer nog geen duik heb genomen. Ik voel dat er een last van mijn schouders wordt getild. Ik voel me vrij. We zwemmen wat. We eten wat. De meisjes graven in het zand, Brendan doet met ze mee. Meestal laat hij zijn zusjes links liggen, maar niet vandaag. Ze hebben alle ruimte en alle tijd en ze weten zelfs de vrede te bewaren. Het is bijna hemels om te zien hoe een jongen van elf zijn stoere houding laat varen, een knalgroen schepje pakt en bijna een uur lang in het zand speelt. We gooien over met een voetbal en spelen met een frisbee. We gaan zitten, eten nog wat en genieten van de zilte bries. We zijn hier nu al uren, en de zon begint te zakken. We nemen nog een laatste duik. Dobberend in de oceaan zien we hoe de lucht boven ons verkleurt van geel naar dieporanje naar felroze en paars terwijl de zon ondergaat. Het is prachtig. Terwijl ik daar lig en zie hoe de dag ten einde loopt, hoe de meisjes zich op de golven naar het strand laten drijven en de jongens smeken om nog wat langer te mogen blijven, wens ik dat ik dit alles bij me kan houden. Het is absurd, maar ik denk aan mijn iPhone, aan mijn camera, aan hoe ik zou proberen om dit moment vast te leggen als ik die bij me had. En ik realiseer me dat dat onmogelijk is. Een dag als vandaag moet je beléven.

We pakken onze spullen in en stappen in de auto. Brendan merkt op dat hij me nog nooit zo veel heeft zien zwemmen. Hij is rozig. Ella zegt dat dit de leukste dag van de hele zomer was. Zij is voldaan. Ze vragen allemaal of we hier morgen of volgend weekend weer naartoe kunnen gaan. Ze willen dit nog een keer meemaken. Er is rust over ons gekomen. En ja, dat komt door het strand, het weer, de timing. Maar alles wat er gebeurde in die vijf uurtjes op het strand, gebeurde bovenal doordat we alle zeven volledig in het hier en nu waren.

Achteraf heb ik dit verhaal verteld aan een aantal andere ouders. Zij kwamen met soortgelijke ervaringen. Een vriendin vertelde over een uitstapje met haar gezin naar een waterpretpark. Ze had zich afgevraagd hoe het kwam dat het zo leuk was geweest, en ze kon alleen maar tot de conclusie komen dat dat was omdat zij en haar man geen van beiden hun mobieltje bij zich hadden. Ze waren er die dag gewoon als gezin tussenuit geknepen om alle

Zo blijven wij in het nu

○ We hebben vaste technologieloze tijden ingesteld. Dagelijks: tijdens de maaltijden, op school en vlak voor bedtijd. Wekelijks: tijdens wandeltochten, familiebezoeken en strandwandelingen (ook in de winter).

○ We praten veel met elkaar. Mijn favoriete moment van de dag is wanneer we aan de keukentafel de dag met de kinderen doornemen en om elkaars verhalen lachen. Geen sociale netwerksite kan tippen aan ons eigen gezin!

○ We spreken elkaar erop aan. Als een van ons zich te veel in beslag laat nemen door een apparaat, dan zeggen we er wat van. De kinderen zeggen weleens 'Mam, hoofd omhoog! Ik vroeg je wat!' als ik over mijn telefoon gebogen zit.

○ Er is ook onbekommerde beeldschermtijd. In het weekend mogen de kinderen zich 's ochtends helemaal uitleven op de iPad, Xbox of smartphone. Wij bemoeien ons er niet mee, zodat zij ongestoord kunnen genieten van de technologie. Het helpt te voorkomen dat de apparaten de overhand krijgen wanneer ze op andere dagen zelf mogen bepalen wat ze gaan doen.

○ Als we denken dat de verleiding te groot zal zijn, zetten we onze telefoons uit of in de 'niet storen'-stand.

○ We hebben veel interesses: sport, natuur, kunst, muziek, boeken, dansen, andere mensen... Zo blijven we alert en betrokken.

aandacht voor elkaar te hebben. Een andere moeder vertelde dat ze het zo beu was om haar dochter telkens te horen vragen of ze haar telefoon niet even kon wegleggen, dat ze had besloten haar sociale netwerkaccounts alleen nog te bekijken als haar dochter in bed lag. Ze zei dat hun dagen samen er sindsdien een stuk leuker en gemakkelijker op waren geworden.

Die gedachte wordt steeds weer bevestigd in mijn gesprekken met andere ouders. Als we ons laten afleiden van het moment, raken we onze houvast kwijt. Voor mijn gezin geldt in elk geval: als er strubbelingen ontstaan, komt dat vaak doordat sommigen van ons (of wij allemaal) niet in het hier en nu leven.

We zijn er niet met onze aandacht bij. We hebben haast, we zijn afgeleid, houden ons bezig met het verleden of maken ons zorgen over de toekomst. Als we in zo'n toestand verzeild raken, weet ik dat we er allemaal baat bij hebben als we ons mediagebruik op een laag pitje zetten. Bij het bedenken van de iRules voor je gezin kan het ook voor jou een goed idee zijn om je voor te bereiden op de toekomst door na te denken over wat het betekent om aanwezig te zijn in het heden.

De kritiek

Dit onderdeel van mijn iRules-contract lokte een aantal negatieve reacties uit. Er werd me gevraagd waarom ik de creativiteit van mijn zoon zou willen inperken door hem niet vrij te laten in wat hij wel of niet wil vastleggen. Het gaat mij om de manier waarop hij met het apparaat omgaat. Een beroepsmatig fotograaf die met zijn gezin aan een van mijn opvoedworkshops heeft deelgenomen, werkt regelmatig in ontwikkelingslanden. Hij vertelde me dat zijn camera een barrière vormt tussen hemzelf en de onderwerpen die hij fotografeert. Dat stelt hem in staat om aangrijpende taferelen vast te leggen, bijvoorbeeld in Haïti na de aardbeving van 2010. Maar in het dagelijks leven hebben camera's datzelfde effect. Als we voortdurend alles filmen of fotograferen, creëren we een barrière tussen onszelf en onze ervaringen. We plaatsen onszelf buiten de gebeurtenissen. Maar niet elk moment is het waard om vastgelegd te worden. Aanwezig zijn in het heden is veel belangrijker en waardevoller.

Sta daarom stil bij de manier waarop je kind omgaat met de mogelijkheid om foto's en filmpjes te maken en te delen. Gaat je dochter naar buiten om de herfstkleuren vast te leggen, om daarna de foto's te bewerken en online te zetten? Of fotografeert ze zichzelf terwijl ze haar decolleté insmeert met zonnebrandolie? Ik maak geen grapje! Ik heb beide soorten foto's gezien van tieners die exact even oud waren. Het lijkt me wel duidelijk op welk soort foto's je enthouisast kunt reageren omdat ze een gezonde uiting zijn van creativiteit, en naar aanleiding van welke foto's je beter de telefoon van je dochter in beslag kunt nemen tot ze heeft laten zien dat ze zulk ongepast gedrag achterwege kan laten. Fotografeert je zoon zichzelf in de spiegel terwijl hij – slechts gehuld in een handdoek – zijn spierballen laat zien? Greg heeft dat één keer gedaan en de foto meteen weer van Instagram gehaald omdat hij er 'een raar gevoel bij had'. Eh... ja, het is ook raar. Je bent twaalf! Ga in bomen klimmen of je zusjes plagen of zo. Maar misschien neemt je zoon met zijn vrienden komische speelfilmpjes op om YouTube te zetten. Dat heeft Greg ook gedaan. Wij vonden het geweldig. We kochten filmbewerkingssoftware voor hem en lieten die jongens uren door het huis rennen en vechten in hun superheldenkostuums. Wat ze deden was vooral absurd, maar ik zag de waarde van hun acteerpogingen en hun creativiteit. Ik zag het als spel voor grotere kinderen. Dat ze het opnamen op video hielp daar alleen maar bij.

 Smartwise-tip: Leer je kind om het leven niet door een lens te bekijken. Niet elk moment is het waard om geregistreerd te worden. Maak je kind duidelijk wat het verschil is tussen bijzondere momenten vastleggen, plezier hebben met een camera, en obsessief of in het wilde weg foto's maken.

Smartwise: Durf afstand te nemen

Mijn iRule: Neem af en toe bewust het besluit om je telefoon thuis te laten. Het is geen levend wezen, of een verlengstuk van jou. Zorg dat je er niet afhankelijk van wordt. Laat je niet leiden door de angst om iets te missen.

Als we altijd bang zijn om iets te missen of denken dat anderen het leuker hebben dan wij, ontnemen we onszelf de mogelijkheid om te genieten van de dingen die we op dat moment meemaken. We staan 'tot onze knieën in een rivier, stervend van de dorst'. Ik weet niet waar ik die woorden voor het eerst hoorde, maar het blijkt de titel te zijn van een nummer van country-zangeres Kathy Mattea uit de vroege jaren negentig: *Standing Knee Deep in a River Dying of Thirst*. Ik gebruik ze als mijn persoonlijke mantra en als een les voor mijn kinderen. Als ik het gevoel heb dat iemand anders iets heeft of doet wat ik ook zou willen hebben of doen, herinner ik mezelf aan deze wijze woorden. Ik sta even stil en vraag me af welke mooie en bijzondere dingen ik op dat moment over het hoofd zie, of welke ervaring ik aan me voorbij laat gaan. Vaak vinden we ons eigen leven niet erg bijzonder; we zijn geneigd om te denken dat anderen het beter hebben.

De technologie heeft die neiging bij al mijn kinderen versterkt. Brendan kan zien wie er langer mogen opblijven om op Xbox Live te spelen dan hij, doordat de namen van de andere spelers in beeld staan. Ella weet dat haar vriendinnetjes uit de buurt hun nichtjes kunnen sms'en met hun iPod Touch, en zij niet. We worden bedolven onder foto's van andere mensen. Het lijkt wel alsof iedereen om ons heen telkens nieuwere en betere smartphones en gameconsoles aanschaft, en we denken automatisch: dat wil ik ook! Ik gebruik vaak een techniek die ik 'de pauze' noem. Onder de pauze versta ik: zwijgen, wachten of uitstellen. Het kan zoiets simpels zijn als een paar keer diep ademhalen voor je iets zegt, er een nachtje over slapen voor je een e-mail beant-woordt, of het in gebruik nemen van een nieuwe technologie nog even uit-stellen. De pauze schept ruimte om na te denken en een bewustere keuze te maken.

Toen Greg een jaar of tien was kregen veel van zijn leeftijdgenoten een klaptelefoon. Dat gebeurde ineens. Hoe meer vrienden er een hadden, hoe meer Greg het gevoel kreeg dat hij er ook een moest hebben. Hij begon erom te zeuren, maar ik zag de noodzaak er niet van in. Ik was meestal thuis met de meisjes, Adam werkte verderop in de straat en overal waar Greg kwam kende hij mensen. Hij had geen telefoon nodig en ik had bovendien geen zin om toezicht te houden op het gebruik ervan. Ik had mijn handen vol aan de klein-tjes en zat niet te wachten op voortijdige puberperikelen. Het leek een goed moment om de pauze in praktijk te brengen. Adam ik besloten het uit te stel-len. Greg bleef er nog een tijdlang om zeuren, en we praatten met hem over wat er achter zijn behoefte aan een mobieltje zat. Voelde hij zich buitengeslo-ten? Verveelde hij zich? Waar zou hij het voor gebruiken? Wie zou hij bellen of sms'en? In dit geval zorgde uitstel ervoor dat Greg, toen hij op zijn dertiende eindelijk een mobiele telefoon kreeg, die ook werkelijk wist te waarderen. Hij begreep dat het een privilege is om er een te hebben, doordat hij geleerd had zich te redden zonder. Hij wist dat we het ook zo weer konden afpakken en dat het niet in zijn voordeel zou werken als hij er misbruik van maakte.

Het vereist moed om de pauze toe te passen op alle aspecten van het le-ven. We hebben meestal zo snel ons antwoord klaar dat we niet kritisch ge-noeg zijn. We nemen zelden de tijd om keuzes goed te overdenken, of zelfs maar te bedenken dat we een keuze hebben! Je denkt misschien dat je je kind een spelcomputer, smartphone, e-reader of mediaspeler moet geven omdat iedereen er een heeft en het de norm is. Maar dan laat je je leiden door angst – de angst dat je kind buitengesloten zal worden, zal achterblijven of iets zal missen. Dat alle andere kinderen hun eigen smartphone of tablet lijken te hebben, betekent nog niet dat het voor jouw gezin het juiste moment is om je kind er een te geven. Pas de pauze toe. Denk na over het effect dat het zal heb-ben op je hele gezin. Denk na over de grenzen en regels die je zult moeten stellen en handhaven. Denk aan de leeftijd van je kind en vraag je af of hij of zij eraan toe is.

De pauze in de praktijk

○ Leer je kinderen rustig te ademen. Vertel ze dat een paar keer diep in- en uitademen hun zenuwen kalmeert en ze tot zichzelf laten komen voor ze iets doen, ook al is het maar voor even.

○ Leer ze zich bewust te worden van hun lichaam. *Ontspan je kaken. Ontspan je handen. Laat je schouders hangen.* Dat zijn plaatsen waar we spanning vasthouden, die we voor een deel ook weer los kunnen laten.

○ Adviseer ze om te wachten tot de volgende dag voordat ze reageren op online opmerkingen waar ze zich aan storen of zich niet prettig bij voelen (tenzij hun veiligheid in het geding is of er sprake is van iets strafbaars). Leg ze uit dat het soms voelt alsof we onmiddellijk op iets moeten reageren, maar dat we daar dan achteraf misschien spijt van krijgen. Soms blijkt het helemaal niet nodig om te reageren. Soms is een antwoord wel op zijn plaats, maar als we daar rustig over nadenken als de emoties wat zijn gezakt, kiezen we uiteindelijk zorgvuldiger onze woorden en zijn we duidelijker in onze bedoelingen.

○ Wacht! Wacht met een Instagram-account, wacht met een smartphone en wacht met de nieuwste spelcomputer. Dat maakt je kinderen duidelijk wat je van ze verwacht en zorgt ervoor dat ze iets ook echt waarderen als ze het uiteindelijk krijgen.

○ Leer je kinderen om zichzelf vragen te stellen. *Moet ik deze foto wel delen? Waarom wil ik dat? Kan ik deze grap wel maken? Zullen mijn vrienden begrijpen dat het een grap is? Wie kunnen er allemaal zien wat ik online zet?*

○ Verwelkom de stilte. Laat het af en toe stil zijn in hun hoofd, in hun kamer, aan tafel of in de auto. Er is al zo veel rumoer; leer ze af en toe hun geest leeg te maken.

Aangezien Greg zijn smartphone kreeg toen hij dertien was, tellen Brendan en Ella nu de dagen af tot hun dertiende verjaardag. Maar zo werkt het niet. We hebben afgesproken dat we rond hun dertiende met ze zullen gaan praten over een eigen telefoon, maar dat wil niet zeggen dat ze er dan ook ieder een zullen krijgen. Dat moeten we voor ieder kind individueel beoordelen, want ze verschillen uiteraard in hun behoeftes en gedrag. Ook de omstandigheden binnen ons gezin kunnen veranderen. Misschien zijn Adam en ik over een paar jaar vaker van huis vanwege ons werk en komt ons gezinsleven daardoor onder druk te staan. Dat zou dan een slecht moment zijn om een van onze kinderen een iPhone te geven, alleen maar omdat hij of zij dertien wordt. Ik wil aanwezig zijn om ze te leren er op een verantwoorde manier mee om te gaan. Er is veel om over na te denken; snel en ondoordacht overgaan tot aanschaf kan leiden tot spijt achteraf, of maken dat er strijd ontstaat doordat we onze verwachtingen en grenzen wat betreft het gebruik vooraf niet goed duidelijk hebben gemaakt. Laat het even bezinken, pas de pauze toe, neem de tijd om erover na te denken. Bespreek het met je kinderen en met je partner. Neem samen het besluit om over te gaan tot aanschaf, of wacht daarmee tot je eraan toe bent.

Wij hanteren deze aanpak ook op andere gebieden. Als onze kinderen op een sport willen waarvoor ze uitwedstrijden moeten spelen, moeten ze van ons wachten tot ze in groep 7 zitten. In onze ogen zijn ze dan oud genoeg om te bepalen wat ze echt leuk vinden, zodat wij zeker weten dat het de moeite waard is om er tijd en geld in te steken. Ook zijn ze dan al redelijk zelfstandig, zodat ze zich prima kunnen redden wanneer ze door andere ouders worden gehaald en gebracht. Maar toen Brendan in groep 5 aanleg bleek te hebben voor voetbal, en dat zo graag deed dat hij honkbal en andere activiteiten ervoor wilde opgeven, hebben we een uitzondering op deze regel gemaakt. Net als met onze iRules gaan we flexibel om met de andere regels die we hebben gesteld en houden we rekening met omstandigheden.

Een paar jaar geleden wilden mijn zoons een Xbox 360. We hadden al een Nintendo Wii en een grote verzameling spellen en accessoires die in de loop van jaren was opgebouwd. Ik zag er niets in om twee systemen te hebben en weer allerlei nieuwe games te moeten kopen. Maar de jongens wilden per se die Xbox. Adam en ik besloten dat ze dan hun Wii en de bijbehorende spellen moesten verkopen en het resterende bedrag uit eigen zak moesten betalen. We wisten dat mijn zwager en schoonzus een Wii wilden en hem dus waarschijnlijk wel wilden overnemen, maar dat vertelden we niet aan de jongens. Ik vond dat ze er zelf moeite voor moesten doen. Ten eerste wilde ik dat ze zich bewust werden van de waarde van hun spullen, en van wat dingen kosten. Van de opbrengst van hun Wii-spellen zouden ze hooguit een of twee nieuwe Xbox-spellen kunnen kopen, dus ze moesten er rekening mee houden dat hun verzameling spellen aanzienlijk zou slinken. Ten tweede wilde ik voorkomen dat ze voortaan iedere keer dat er iest nieuws op de markt kwam, dat ook meteen wilden hebben. Ik wilde dat ze leerden te waarderen wat ze hadden.

De jongens waren een dag bezig met kijken wat ze allemaal hadden en uitzoeken wat de marktwaarde was van een gebruikte Wii. Ze maakten een lijst van hun koopwaar en prezen die aan bij verschillende mensen. Ze hadden het geluk dat mijn schoonfamilie inderdaad interesse had. De koop was snel gesloten en binnen een paar weken hadden ze een gloednieuwe Xbox 360 met twee spellen. Dit is een mooi voorbeeld van hoe de pauze kan worden toegepast. Mijn zwager en schoonzus hadden natuurlijk ook wel voor de Wii willen betalen zonder precies te weten wat er allemaal bij zat, maar we wilden dat de jongens er een tijdje mee bezig zouden zijn. Ik wilde dat ze bewuste beslissingen namen. Ik wilde dat ze begrepen dat we dingen niet zomaar weggooien of vervangen zodra er iets nieuws op de markt komt. Het lijkt misschien iets kleins, maar ik zie het als een van mijn grootste wapenfeiten als opvoeder, omdat we er de tijd voor namen en vasthielden aan onze verwachtingen en opvattingen omtrent materiële zaken. Ik geloof echt dat ze er veel van hebben geleerd. Tot op de dag van vandaag hebben ze het nog weleens over 'de Wii-uitverkoop'.

Als ik nadenk over alle situaties waarin onze kinderen het idee kunnen hebben dat ze iets missen doordat technologie en online communicatie zo'n grote rol in hun leven spelen, weet ik dat ik verder moet kijken dan de technologie zelf, en me moet afvragen wat die vertegenwoordigt. Als een vriend of vriendin dure schoenen krijgt en daar een foto van post, hoe voelt jouw kind zich dan? Als het leven van Facebookvrienden leuker of interessanter lijkt dan zijn of haar eigen leven, welke gevoelens roept dat dan op bij jouw kind? Het is onze taak om ervoor te zorgen dat ze weten wie ze zijn, dat ze tevreden zijn met zichzelf. Kunnen onze kinderen blij zijn voor een ander als die iets krijgt, ergens succes mee heeft of iets meemaakt, en toch gelukkig blijven met wie ze zelf zijn? Of klappen ze dicht en krijgen ze last van zelfmedelijden? Vraag je kinderen hoe ze zich voelen bij wat ze online zien. Wees bedacht op hun toon, hun houding en wat ze misschien niet zeggen als ze praten over dingen die anderen hebben gepost. We kunnen er bewust naar streven dat onze kinderen een gevoel van dankbaarheid voor hun eigen leven ervaren, en zich niet tot in hun diepste wezen laten raken door wat er gebeurt in het leven van hun leeftijdgenoten. We moeten thuis een omgeving creëren die ze houvast biedt en ervoor zorgen dat ze tevreden blijven met wie ze zijn.

Wees blij met wat je hebt – dan zijn je kinderen het ook!

O Dankbaarheid is besmettelijk. Wees dankbaar voor alle goede dingen.

O Houd dagelijks of wekelijks een dagboek bij van dingen waar je dankbaar voor bent. Dat kunnen gewone en bijzondere dingen zijn: twee dezelfde sokken, een reparatie aan je auto, een gezonde baby, een loonsverhoging...

O Zeg dagelijks positieve dingen over de mensen in je omgeving. 'Wat aardig van mevrouw Jordan dat ze de tijd nam om koekjes met jullie te bakken!'

O Houd je kinderen voor in wat een geweldig huis ze wonen (ook als je zelf een hekel hebt aan de kleur van de muren of de klemmende ramen). Som letterlijk de voordelen op die het huis jouw gezin biedt: 'Ik ben zo blij dat we een slaapkamer hebben die groot genoeg is voor drie kinderen!'

O Zeg positieve dingen over de gemeenschap waarin je leeft, de scholen, de regio. 'We mogen ons gelukkig prijzen dat we op een plek wonen waar toeristen uit de hele wereld naartoe komen.' Dat klinkt toch veel beter dan: 'Wat heb ik toch een hekel aan al die toeristen!'?

O Ga naar buiten. Vestig de aandacht op verkleurende bladeren in de herfst, op het verschil tussen eb en vloed, de cyclus van de maan, een bloem die bloeit, een tomaat in de tuin... Verwonder je over de natuur. Zo verruim je de blik van je kinderen.

O Stel doelen. Als je je een beeld kunt vormen van de toekomst, kun je je verlangens gemakkelijker zien alsof ze ook voor jou zijn weggelegd, in plaats van alleen voor alle anderen. Vraag je kinderen waar ze naartoe willen, wat ze willen studeren, waar ze later willen gaan wonen. Ineens zal dat allemaal haalbaar lijken.

Toen ik jong was...

Vooruit! Trommel je kinderen op en vertel ze die verhalen over vroeger! Vertel ze over de buurt waar je woonde, het strand waar je naartoe ging, de plekken waar je speelde... Praat over de vrijheid die je had om op ontdekking te gaan en jezelf te ontplooien. Hoe meer we ons herinneren van de onschuld en onbezorgdheid uit onze jeugd, hoe gemotiveerder we zijn om onze kinderen hetzelfde te geven. Het is iets wat alle ouders kunnen doen. De kans is groot dat je je kinderen al dingen over je jeugd hebt verteld. Het zijn verhalen die moeiteloos kunnen worden verwerkt in gesprekken aan de keukentafel, tijdens autoritten of verloren momenten.

Maar wat heeft verhalen vertellen te maken met de manier waarop onze kinderen de nieuwe media gebruiken? In de eerste plaats: het kost tijd. Je hebt tijd, ruimte en aandacht nodig om een verhaal te vertellen of om ernaar te luisteren. Jij moet wat je kinderen meemaken kunnen relateren aan je eigen ervaringen, en kunnen aanvoelen of ze het leuk vinden of nodig hebben om daarover te horen. Je moet openhartig zijn, de bereidheid hebben jouw verhalen te delen en naar die van hen te luisteren. Je moet alles waardoor je kan worden afgeleid even opzij zetten. Ik geloof dat verhalen vertellen ervoor zorgt dat kinderen en tieners hun ouders gaan zien als echte mensen. Mensen met hun ups en downs, hun successen en mislukkingen.

Verhalen vertellen geeft inzicht in waar onze prioriteiten liggen, wat we belangrijk vinden en wat we hebben geleerd. Ze dwingen ons tot reflecteren. Ook als ik een verhaal hoor dat niet direct raakvlakken heeft met mijn eigen ervaringen, dan kan ik me daarin verplaatsen. Een eigenaardig trekje van mij als moeder, is dat ik me vaak probeer voor te stellen wat mijn kinderen over bepaalde dagen of momenten van hun leven zullen zeggen als ze volwassen zijn. Ik vind het leuk om na te denken over hun toekomstige herinneringen, misschien doordat ik schrijfster ben en ervan houd om verhalen te bedenken. Dat is soms een valkuil, want ik ben absoluut niet zonder gebreken en ik kan soms een onuitstaanbaar mens zijn. *O god*, denk ik dan, *ze zullen later aan ieder-een vertellen wat voor dingen ik heb gedaan en gezegd waar ze ongelukkig van werden, en dat we elkaar voortdurend naar het leven stonden*. Maar aangezien ik erg mijn best doe om een goede moeder te zijn, is het meestal juist fijn. Dan stel ik me voor dat ze als volwassene terugdenken aan hoe ze zijn opgegroeid vlak bij de oceaan, met de getijden. Dat ze hun kinderen, hun lezers, hun leer-lingen of ondergeschikten vertellen dat je je bij hoogtij in je kajak van de stei-ger kon laten glijden, de kreek kon afzakken en door stroomversnellingen kon peddelen. Dat je bij laagtij over het strand kon rennen, naar de zandbanken toe kon lopen om krabbetjes te zoeken en kilometerslange tochten kon ma-ken langs de modderige, met gras begroeide oever van de kreek.

Ik heb in mijn hoofd een beeld gevormd van de talloze dagen die in hun herinnering tot één dag zullen samensmelten. Dat ziet er zo uit: een grote groep jongens, zo tussen de tien en vijftien jaar oud, staat aan de rand van het moeras, verdeeld in twee teams. Ze zijn te groot voor emmertjes en schepjes, te groot voor spelletjes en pakjes drinken op een kleed, te groot voor hun ei-gen lichaam. Het zijn broers, buurjongens en klasgenoten, sommigen hebben een neef of een vriend of zomaar een jongen van het strand meegenomen. Het is vroeg in de middag; de zon staat hoog aan de hemel. Het geluid van hun lager wordende stemmen, hun gelach en geschreeuw, wordt door de bries meegevoerd naar de oceaan. Het water trekt zich terug uit het moeras, zodat er een dikke modder achterblijft die perfect is om mee te gooien. Ze be-kogelen elkaar met kluiten over de met gras begroeide inhammen. Ze sprin-gen, klimmen en verstoppen zich, een hoeveelheid lawaai producerend die alleen hier is toegestaan. Ze gaan helemaal op in hun spel; vandaag zijn ze nog even kind. Tegen de tijd dat de lucht van helderblauw verkleurt naar diep-oranje en de peuters op het strand het koud beginnen te krijgen, worden de jongens gewenkt door hun ouders. De volwassenen komen niet naar ze toe. Het gras prikt, de modder is zo diep dat schoenen erin blijven steken en het water is ijskoud. Het moeras is alleen van hen. Ze sputteren wat tegen, maar spoelen zich toch af. Met hoofdbewegingen en armzwaaien nemen ze af-scheid. Vandaag hebben ze de werkelijkheid even buitengesloten, en ze voe-len een intense tevredenheid en verbondenheid. Ze praten er niet over. Terwijl ze terugwandelen keren ze langzaam terug in de echte wereld. Ze weten het nog niet, maar deze bijzondere plek waar grote jongens nog even kunnen spelen zal een belangrijke rol vervullen in hun levensverhaal.

De pioniersgeneratie

In mijn ogen zijn de twintigers van nu de eerste generatie die echt is opgegroeid met internet. Ze hadden mobieltjes en gebruikten MSN Messenger toen ze in de onderbouw van de middelbare school zaten, en ze zaten veel eerder dan wij allemaal op MySpace en Facebook. Ik beschouw ze dan ook als de pioniers van de mobiele technologie. De sociale media vormden een vanzelfsprekend onderdeel van hun jeugd. Veel ouders liepen in die jaren achter de feiten aan. Kinderen en tieners namen nieuwe technologieën in gebruik, maakten accounts aan, veranderden hun wachtwoorden en bleven hun ouders zo steeds een stap voor. De ouders probeerden bij te blijven door krantenartikelen te lezen en hun zorgen met andere ouders te bespreken, maar tegen de tijd dat ze grenzen stelden was de technologie alweer veranderd. Het ging allemaal zo snel, zeker voor de kinderen die na de millenniumwisseling jongeren werden. Inbelverbindingen en desktopcomputers maakten in een oogwenk plaats voor supersnelle mobiele communicatie. De jongeren waren de proefkonijnen. Hun ervaringen maakten ons duidelijk wat de invloed was van de nieuwe media, en welke voor- en nadelen eraan verbonden waren. En ik sta perplex als ik hoor dat die jonge volwassenen zich er nu over verbazen dat kinderen tegenwoordig al op jonge leeftijd vergroeid zijn met de nieuwe media. Een jonge vrouw zei tegen me: 'Kinderen van elf met iPhones! Ik vind het vreselijk!' Daarom besloot ik de twintigers van de pioniersgeneratie te vragen wat hun adviezen over het gebruik van nieuwe media zouden zijn aan de tieners van nu. Dit zijn enkele van hun antwoorden:

○ Gebruik ze om te communiceren. De wereld is er niet veiliger op geworden, en het is goed om iets bij de hand te hebben dat bescherming biedt, maar laat het je persoonlijke ontwikkeling niet in de weg staan.

○ Besef dat een telefoongesprek iets anders is dan een persoonlijk gesprek.

o Ik denk dat het voor jonge tieners moeilijk te begrijpen is, maar ik ben er achteraf blij om dat mijn ouders me achter de computer vandaan haalden en me naar buiten stuurden.

o Zeg in tekstberichten of op sociale netwerken niets wat je niet in iemands gezicht zou zeggen. Dat is een les die ik door schade en schande heb moeten leren.

o Sociale netwerken geven een vertekend beeld, omdat iedereen alleen de positieve kanten van zijn of haar leven laat zien. Dat kan een nadelig effect hebben op jonge kinderen die zichzelf met anderen vergelijken.

o Probeer er niet stiekem gebruik van te maken in de klas, op je werk of als er iemand tegen je praat. Dat is onbeleefd en anderen hebben het toch wel in de gaten. Excuseer jezelf als je een bericht moet versturen of een telefoontje moet plegen.

o De tijd vliegt als je zit te internetten terwijl je ook je huiswerk zou kunnen doen. De sociale media maken het wel erg gemakkelijk om huiswerk voor je uit te schuiven, en hetzelfde geldt voor sms'en of whatsappen. Het leidt je bovendien enorm af.

o Stop met het maken van selfies. Wees een scholier die in het hier en nu leeft, want je middelbareschooltijd behoort tot de beste jaren van je leven.

o Het interesseert niemand wat jouw dagelijkse bezigheden zijn, dat je naar school of naar de sportschool bent geweest. Post alleen dingen die ergens over gaan en onthoud dat je niet kunt terugnemen wat je online zet.

o Ga naar buiten, zoek je vrienden op en onderneem dingen die meer voldoening geven dan je smartphone te bieden heeft.

Ik denk dat de gemeenschappelijke boodschap van deze adviezen luidt dat een smartphone niet de plaats moet innemen van persoonlijke communicatie en echte ervaringen. Ze geven eigenlijk exact de essentie van dit hoofdstuk weer: leef in het hier en nu. Sinds de explosieve toename van het gebruik van smartphones en tablets zijn het niet alleen jongeren die voortdurend online zijn. Ik geloof dat we allemaal boven alles onze authenticiteit willen bewaren; we willen onszelf zijn, persoonlijke gesprekken voeren, zeggen wat we bedoelen en aandacht hebben voor de wereld en de mensen om ons heen.

Veel van de jonge volwassenen die ik heb benaderd zeiden dat het 'therapeutisch' was geweest om hun eigen mediagebruik onder de loep te nemen en na te denken over een advies aan de jongere generatie. Ik denk dat we er allemaal baat bij kunnen hebben ons zelfbewustzijn wakker te schudden door stil te staan bij onze opvattingen en beweegredenen. Hoe meer zelfinzicht we hebben, hoe beter we functioneren als ouders!

De angst om iets te missen

Onlangs kletste ik over de onderwerpen uit dit boek met onze vriend Matt, een tweedejaarsstudent. Hij zei dat er eigenlijk maar één ding was dat hij tegen zijn generatiegenoten en de tieners van nu zou willen zeggen: leef je eigen leven. Volgens hem word je al snel jaloers of onzeker als het net lijkt alsof iedereen maar blijft posten over de geweldige en spectaculaire dingen die ze meemaken. Maar hij denkt dat de meeste mensen dingen juist online zetten om ze geweldig en spectaculair te laten *lijken*, terwijl ze dat niet zijn. Kinderen en tieners doen allerlei saaie en suffe dingen als hun vrienden er niet bij zijn. Ze doen het alleen voorkomen alsof hun leven één groot feest is. Binnen de kortste keren probeert iedereen elkaar te overtreffen met aangedikte bewijzen van hoe leuk ze het hebben, en daar laat je je al snel door meeslepen. Het geeft het gevoel dat alles wat je meemaakt opwindend moet zijn. En de meeste kinderen hebben het niet eens in de gaten. Eén blik op Twitter of Facebook en ze voelen zich rot, buitengesloten of verveeld, en ze kunnen er niet de vinger op leggen waar dat gevoel vandaan komt.

Ik denk dat Matt de spijker op de kop slaat, want het overkomt mij ook weleens. Het ene moment voel ik me prima en ben ik tevreden met wat ik aan het doen ben, en na een paar minuten op Facebook denk ik ineens: *Moeten wij vandaag ook niet een boswandeling gaan maken?* of *Moeten we niet naar het strand om van de laatste mooie zomerdag te genieten?* Ik ben me er niet altijd bewust van, maar ook bij mij slaat dan de onzekerheid toe: *O god, doen we wel genoeg leuke dingen met de kinderen? Missen ze niets? Falen we niet enorm als ou-*

ders als we de hele dag op de bank hangen of bezig zijn met kasten opruimen? Wat hebben de kinderen dan maandag op school te vertellen over hun weekend? Het is een hellend vlak, want het lijkt nooit genoeg. We blijven het gevoel houden dat we meer zouden moeten doen.

Ik wil dat mijn kinderen de vrijheid hebben om zichzelf te zijn zonder steeds te hoeven posten waar ze zijn, wat ze doen en met wie.

Online persoonlijkheden

Heb je weleens met je kinderen gepraat over het beeld dat ze online van zichzelf schetsen? Misschien zijn ze online wel brutaler, uitdagender, zelfverzekerder of eerlijker dan in het echte leven. Of misschien juist terughoudender. Dit is iets wat bij ons thuis geregeld ter sprake komt. We praten vaak over tienergedrag en de manier waarop kinderen zichzelf online presenteren. We hebben het gehad over meisjes die online veelvuldig berichten posten, reacties plaatsen en likes uitdelen, terwijl ze op school nauwelijks hun mond tegen iemand open durven te doen. En over jongens die op school niet erg zeker van zichzelf zijn, maar online de stoere of bijdehante gast uithangen. Kinderen hebben algauw meer durf als de communicatie niet rechtstreeks verloopt. Misschien zijn ze op school niet echt zichzelf en is hun online persoonlijkheid juist het meest authentiek.

We hebben geen invloed op het gedrag van anderen. We kunnen niet oordelen over wat anderen online zeggen of doen. Het enige wat we kunnen doen is onze kinderen aanmoedigen om zelf na te denken. We kunnen het gedrag van anderen als aanleiding gebruiken om onze normen en principes te bespreken en verduidelijken. Stel vragen:

O   Heb je weleens gezien dat iemand zich online totaal anders gedroeg dan op school?

O   Is het volgens jou online gemakkelijker om eerlijk of spontaan te zijn?

O   Waarom denk je dat zij die foto van zichzelf heeft gepost?

O   Tegen wie slaat hij zo'n toon aan? Doet hij op school ook zo agressief? Waarom denk je dat hij dat online doet?

O   Heb je haar op school weleens aangesproken? Misschien loopt het wel vanzelf als je eenmaal een gesprek met haar hebt aangeknoopt, net als wanneer jullie online met elkaar praten.

Je kunt het hebben over de keuzes die leeftijdgenoten maken, of ingaan op bepaalde gedragingen die je bij anderen ziet. Maar je kunt het ook hebben over de keuzes van jouw kind. Dat geeft je meer inzicht in wat hij of zij hoopt te bereiken door actief te zijn op sociale netwerken. Welke indruk probeert je kind van zichzelf te wekken? Is hij of zij online dezelfde persoon als in het echt? Is zijn of haar manier van doen – geestig, serieus, sarcastisch, verlegen – hetzelfde als altijd? Herken je je kind in de manier waarop hij of zij zich online presenteert? Let daarop en stel ook nu weer vragen. Niet als een soort kruis-verhoor, maar als onderdeel van een normaal gesprek. Dit zijn een paar voor-beelden:

○ Mag ik je profielfoto zien? Waarom heb je deze foto uitgekozen?
○ Is het wel leuk om tijdens een voetbalwedstrijd te posten? Zo mis je de helft!
○ Dat filmpje dat je online hebt gedeeld, hoe kwam je daaraan?
○ Ik zag dat je de laatste tijd niet echt veel hebt getweet. Gaat het wel goed? Heb je even genoeg van Twitter?
○ Heb je weleens online ruzie met iemand gehad? Hoe heb je dat opgelost?

Meidenpraat, #hashtags en andere online verschijnselen

Ik wil het even hebben over een trend die jou misschien ook is opgevallen. Een tienermeisje post een foto van zichzelf waarop ze bijvoorbeeld met haar kap-sel, haar pasgelakte nagels of een nieuwe outfit pronkt. De foto is niet veel bij-zonders, maar krijgt meteen van minstens tachtig andere meisjes likes en re-acties als 'prachtig', 'vet cool', 'jaloers', 'wreed kapsel' of 'geweldige shorts'. Vanwaar al dat gedweep? Wat als je een foto helemaal niet mooi vindt? Hoor je er dan ineens niet meer bij? Wat als jouw dochter net zo'n doorsnee foto plaatst, en er wordt door niemand met hetzelfde geslijm op gereageerd? Hoe voelt dat dan? Dit is een aspect van sociale netwerken waar we als ouders goed naar moeten kijken. Hier ligt een voedingsbodem voor twijfels en onzekerheid.

De online wereld kan voor meisjes van die leeftijd overweldigend zijn. De druk om te posten en te reageren is groot. Ik zie dat wat tienermeisjes en jonge vrouwen posten en delen grotendeels om uiterlijk draait: haar, kleding, accessoires, schoenen, nagels, make-up... Veel inhoud of diepgang heeft het meestal niet. En hetzelfde geldt voor de reacties. Zo zie ik de identiteit van een schoolmeisje gereduceerd worden tot het feit dat ze haar haar de ene dag steil draagt en de andere in krullen. Ik weet dat er meer (veel meer!) over haar te zeggen valt. We moeten onze meiden aanmoedigen om gedachten en ideeen te posten, hun creativiteit te tonen en te laten zien wat ze bereikt hebben, om bijdragen te leveren die meer betekenis hebben. Kwalificaties als 'populair' of 'mooi' weerhouden een meisje er misschien van te posten over dingen die niet over haar uiterlijk gaan. Als een ander negentig likes krijgt voor een selfie en zij krijgt er maar acht, hoe voelt ze zich dan? Wat doet het met haar eigenwaarde en zelfvertrouwen als de waarde van alles wordt gemeten in likes? Stel deze vraag aan je dochter! Bekijk haar accounts en berichten; wat houdt haar online bezig?

Ik heb een aantal werkende vrouwen van begin twintig gevraagd over welke onderwerpen er in hun kringen zoal wordt gepost. Allemaal zeiden ze dat de meesten van hun vriendinnen en collega's vooral posten over schoenen, fitnesstips en kleurrijke drankjes, en dat ze eindeloos veel selfies delen. Een van de vrouwen zei: 'Ik vind het weleens lastig. Ik vind het leuk om artikelen te delen of discussies te beginnen over dingen die me bezighouden, maar soms durf ik dat niet omdat het op sociale media niet altijd wordt gewaardeerd. Ik wil niet prekerig of onaangepast overkomen.'

Die gedachte zie ik vaak weerspiegeld in wat er online wordt gedeeld. Als een afgestudeerde jonge vrouw het al zo ervaart, dan moet het voor een tienermeisje helemaal onmogelijk lijken om online zichzelf te zijn. Houd dat in gedachten als je met je dochter praat over wat ze online deelt. Sta stil bij de sociale druk en de verwachtingen die een rol spelen, en bij de sociale gevolgen die het kan hebben. Ook als volwassene, man of vrouw, willen we allemaal geaccepteerd en aardig gevonden worden. Begeleid je kinderen bij de ontwikkeling die ze online doormaken en waar iedereen in hun sociale kring getuige van is. Stimuleer ze om een risico te nemen en te laten zien wie ze werkelijk zijn. Een close-up van gekrulde wimpers kan op z'n tijd best leuk zijn, maar wat interesseert je dochter echt? Wat maakt haar enthousiast? Help haar om daar wat meer (of veel meer!) van te laten zien.

Onlangs heb ik ouders geïnterviewd van wie de tienerdochters geen sociale netwerkaccounts mogen. Ze hebben wel smartphones waarmee ze kunnen sms'en of whatsappen, maar de ouders zijn van mening dat het beter is voor hun dochters om nog even te wachten met Instagram of Twitter. Gevraagd naar de reden van die beslissing, zei de moeder tegen me: 'Ik hoor over zo veel problemen waar meisjes online mee te maken kunnen krijgen. Ik heb niet het idee dat ik ze iets onthoud, ik denk eerder dat ik ze veel kopzorgen bespaar. Berichten sturen en foto's delen is voorlopig genoeg voor ze.' Zeker voor ouders van tieners is dit een zeldzaam standpunt. Ik hoor ouders niet vaak nee zeggen. Ze vervolgde: 'Het lijkt wel of ze alles vastleggen. Gisteren bleven er een paar vriendinnen van Katie slapen, en een van hen bleef maar twitteren over alles wat ze deed. Echt, ik snap niet dat ze het zelf niet doodsaai vinden om al die onbenullige dagelijkse dingen te delen.'

Ik heb aan Katie gevraagd hoe zij erover denkt. Voelt ze zich buitengesloten of is ze boos op haar ouders vanwege de beperkingen die ze haar opleggen? Ze antwoordde dat ze hun houding wel begreep. Ze vertelde dat ze alles met haar ouders bespreekt, en door de verhalen die zij vertelt over vrienden en klasgenoten zijn ze goed op de hoogte van wat er online speelt. Katie heeft een goede band met haar ouders, en ze gaat ervan uit dat ze van hen geen accounts mag omdat ze haar willen helpen en beschermen, niet omdat ze haar niet vertrouwen. Op school, vertelde ze, gebeurt het weleens dat iemand tegen haar begint over een foto of bericht op Instagram. Dan zegt ze: 'Ik heb geen idee waar je het over hebt. Ik zit niet op Instagram, weet je nog?' Toch heeft ze niet het gevoel dat ze veel mist, want haar vriendinnen sturen haar ook voortdurend berichtjes. Ze zei dat ze ooit wel online accounts wil, maar dat ze er nu nog geen behoefte aan heeft. Ze zit niet te wachten op nog iets waar ze zich druk om moet maken. Ze is het met haar ouders eens dat het feit dat ze niet op sociale media zit haar tijd én zorgen bespaart.

E-toxen!

Begin met een e-tox van een dag of een weekend. Iedereen in het gezin kan dan even afkicken van het gebruik van elektronische media. Dat is geen straf, zolang je maar bewust voor afleiding zorgt. Vul de tijd met activiteiten voor het hele gezin waaraan geen apparaat te pas komt. Neem na afloop van de e-toxkuur de tijd om te praten over hoe het voelde om offline te zijn, wat er moeilijk of juist gemakkelijk aan was, en hoe jullie de tijd doorgebracht zouden hebben als iedereen wel online was geweest. Is e-toxen iets wat jullie als gezin vaker kunnen doen? Probeer het gewoon!

De reactie van Katie komt overeen met wat ik van veel andere tienermeisjes hoor. Ze zijn gek op hun smartphone, maar als ze hem kwijt zijn, als hij kapotgaat of door hun ouders in beslag wordt genomen, voelen ze zich vaak enorm opgelucht. Ja, je leest het goed. Het is een verademing voor onze kinderen om een keer zonder telefoon te zitten. Zo veel energie vraagt dat ding van ze. Als ze hun telefoon niet bij zich hebben, zijn ook alle zorgen die ermee samenhangen verdwenen; ze hoeven niet constant hun berichten te checken, op alles te reageren en met iedereen online te communiceren. Ze kunnen even afstand nemen. Ik heb gehoord dat er volwassenen zijn die bewust 'op digitaal dieet gaan' omdat ze ronduit verslaafd zijn geraakt aan de nieuwe media. Misschien is dat iets wat we samen met onze kinderen kunnen introduceren in ons dagelijks leven.

Ik geef ouders vaak het volgende voorbeeld: als je kinderen dagelijks hele pakken koekjes leegaten, dan zouden ze daar ziek van worden. Je zou dan hopelijk ingrijpen en zeggen dat ze die koekjes moeten laten liggen. Misschien zou je een paar weken geen koekjes meer kopen. Benader het gebruik van de nieuwe media op dezelfde manier. Sta niet toe dat ze zich eraan te buiten gaan, voorkom dat ze er ziek van worden of eraan verslaafd raken. Een moeder vertelde dat haar dochter, toen ze een keer haar telefoon moest inleveren bij wijze van straf voor iets wat ze had gedaan, letterlijk was gaan trillen van paniek. Ze vertoonde echte ontwenningsverschijnselen. Het was voor haar ouders een eye-opener; ze zagen nu pas hoe *afhankelijk* hun dochter was geworden van haar telefoon. Als hun toegang tot sociale media plotseling wegvalt, welke reactie zou dat dan oproepen bij jouw kinderen? Zou het ze zwaar vallen? Zouden ze totaal van slag raken? Of zouden ze gewoon doorgaan met hun leven? Hoe vergroeid is jouw kind met de technologie en hoe kun je ervoor zorgen dat er elke dag ruimte overblijft voor andere dingen? Denk daarover na bij het opstellen van je iRules. Zie je signalen die erop wijzen dat je kind zich niet van de sociale media los kan maken, spreek dan vaste tijden af waarop dat toch echt moet gebeuren, voordat zijn of haar mediagebruik problematisch wordt. Stel duidelijke grenzen die niet openstaan voor discussie en stimuleer je kind om die tijden te besteden aan iets wat hij of zij zinvol of belangrijk vindt. Blijkt dat niet genoeg en heb je het gevoel dat je kind echt verslaafd is aan sociale media of internet, praat er dan alsjeblieft over met je huisarts. Volledige onthouding is in deze tijd waarschijnlijk niet realistisch, maar probeer een strategie te ontwikkelen die aansluit bij de behoeftes van je kind, eventueel met hulp van professionele zorgverleners.

Aan een groep tieners vraag ik welke regels er volgens hen gelden voor jongens en voor meisjes als ze iets posten op sociale netwerksites. Ze aarzelen aanvankelijk, want ze begrijpen niet goed wat ik bedoel met 'regels'. Ik help ze op gang door concrete vragen te stellen: 'Kunnen jongens selfies posten?' 'NEE!' klinkt het eensgezind. 'Tenminste, wel grappige maar geen serieuze selfies,' voegt iemand eraan toe. Ik ga door met vragen als 'Waarover posten meisjes meestal?' en 'Heb je weleens op het punt gestaan iets online te zetten, maar het toch maar niet gedaan omdat het niet 'cool' was?' Op mijn vraag of posts op sociale netwerkaccounts laten zien wie iemand echt is, barst de discussie los. Is het misschien wel zo veilig om gewoon over dezelfde dingen te posten als iedereen? Toen ik die vraag aan Greg voorlegde, zei hij: 'Ik hou van The Beatles, maar ik zou nooit een plaatje van de hoes van *Yellow Submarine* posten, want er zou toch niet op gereageerd worden. Behalve ik luistert niemand naar die muziek. Het is iets wat online niet belangrijk is, en daarom zou ik er niet over posten. Ik weet dat het niemand iets kan schelen, al luister ik er nog zo graag naar. Het is niet relevant.' Een paar van de jongens met wie ik hierover spreek, zeggen dat meisjes volgens hen meer vrijheid hebben om over allerlei dingen te posten, maar iedereen is het erover eens dat eigenlijk niemand – jongen of meisje – iets post wat echt inhoud heeft. Er zijn, zeggen ze, gewoon dingen waar je wel en dingen waar je niet over post. Het is niet zo dat ze online proberen te verbergen wie ze zijn; ze weten dat ze meer te vertellen hebben dan wat ze online zetten. Maar het is gewoon niet sociaal geaccepteerd om dat wel te doen. Samen komen we tot de onderstaande lijst.

De regels volgens tieners

Wat meisjes kunnen posten: selfies, kleding, via de spiegel gemaakte foto's, huisdieren, nagels, close-ups van hun gezicht, uitspraken van anderen, foto's met vriendinnen, foto's van verjaardagsfeestjes, alles met een merknaam erop, foto's van hun slaapkamer, strand- of vakantiefoto's, sport, muziek die iedereen goed vindt.

Wat meisjes niet kunnen posten: te blote selfies, hatelijke opmerkingen, selfies met te veel make-up of in overdreven outfits, foto's waarop ze drinken of drugs gebruiken, te veel familiefoto's, alles waarmee ze iemand anders nadoen.

Wat jongens kunnen posten: alles wat met sport te maken heeft, foto's van sneakers, sokken, stijlvolle kleding of eten, foto's die in de klas zijn gemaakt, foto's met vrienden, foto's van populaire artiesten als Eminem of Jay Z, filmpjes waarin ze zelf meespelen met coole muziek.

Wat jongens niet kunnen posten: selfies, alles wat als 'meisjesachtig' wordt beschouwd (dat kan gaan om bepaald taalgebruik, bepaalde liedjes, uitspraken van anderen, plaatjes, trends, enzovoort).

Als hieruit iets naar voren komt, dan is het dat er sociale druk bestaat om 'mee te doen' en je te gedragen volgens de in de jongerencultuur geldende normen, hoe hard de jongelui ook roepen dat het ze niets kan schelen als iemand zo'n regel schendt. Een van de meisjes zegt daarover: 'Mensen hebben het recht om op hun eigen accounts te doen wat ze willen.' De jongens zeggen dat ze een vriend die een gedicht of iets sufs post misschien zouden plagen, maar alleen voor de lol. Als ouders kunnen we de vinger aan de pols van die online cultuur houden en onze kinderen ernaar vragen. Kunnen ze zich online uiten? Of doen ze hun best om niet uit de toon te vallen? Hoe kunnen we ervoor zorgen dat alles wat onze kinderen te bieden hebben ook online tot uitdrukking komt? Moedig ze aan om zich eens te wagen aan het delen van een gedachte, ingeving, songtekst of artikel, of iets anders waarmee ze zichzelf profileren als individu.

En dan zijn er nog de hashtags. Je ziet ze overal waar je kijkt. Sommige foto's zijn voorzien van een dozijn of meer van deze aanhangsels. Een hashtag is een woord dat wordt voorafgegaan door een hekje (#). Het geeft aan dat een post gaat over een populair onderwerp, bijvoorbeeld iets actueels, sport, entertainment of eten. Een tweet met een hashtag kan er zo uitzien (deze heb ik zo van Gregs Twitteraccount geplukt): 'Homerun tijdens uitwedstrijd #honkbal #zomertoernooi #sportberichten'. Als ik op een woord met een # ervoor klik, krijg ik berichten en foto's te zien van iedereen (volger of niet) die de betreffende hashtag heeft gebruikt. Voor degene die post is het gebruik van hashtags een manier om deel te worden van iets groters; het geeft een gevoel van verbondenheid en biedt een kans op het verwerven van meer volgers.

Laten we het eens over de invloed van die volgers hebben. Als iemand steeds meer volgers krijgt, geeft dat hem of haar het gevoel geaccepteerd en gewaardeerd te worden door de online gemeenschap. Dat vloeit voort uit gedachten die we allemaal herkennen: *Ik wil ergens bij horen. Ik wil populair zijn. Ik wil gezien worden.* Met het aantal volgers groeit over het algemeen ook het aantal likes, reacties en retweets. Voor een tiener (en voor een volwassene) kan dat voelen als bevestiging. *Ik doe ertoe!* Het is een gevoel dat je vleugels geeft. Dit onderwerp vraagt erom besproken te worden in gezinnen met tieners.

Je kunt een gesprek beginnen met deze vragen: *Hoeveel volgers of vrienden heb je? Ken je ze allemaal persoonlijk? Spreek je ze weleens op school of ergens anders? Vind je het belangrijk om veel volgers te hebben, of wil je alleen gevolgd worden door mensen die je kent? Kijk vervolgens hoe het gesprek zich ontwikkelt. Het is een mooie kans om inzicht te krijgen in de online persoonlijkheid en voorkeuren van je kind.*

Kellie

Mijn zus Kellie is 25, woont in Boston en werkt als headhunter in de technologische sector. Ze heeft communicatiewetenschappen gestudeerd, met speciale aandacht voor genderonderzoek en media. Omdat ze veel hipper en cooler is dan ik heb ik haar gevraagd om haar licht te laten schijnen over de betekenis van volgers en hashtags in de moderne jongerencultuur.

Ik stelde haar deze vraag: 'Wat levert het hebben van veel volgers je op als je niet beroemd bent of een product te verkopen hebt?'

Kellie: Ik zou zeggen geloofwaardigheid, een bewijs van populariteit, een tastbaar bewijs dat jouw berichten door een bepaald publiek gewaardeerd worden, erkenning en waardering uit een specifieke sociale hoek, bijvoorbeeld die van de hipsters, artistiekelingen, modefreaks, gezondheids- of fitnessfanaten. Er wordt ook gekeken naar het aantal volgers om te zien hoe betrouwbaar je bent. Hoe meer volgers, hoe betrouwbaarder. Heb je daarentegen een account zonder foto's en met maar weinig volgers, maar volg je zelf wel veel mensen, dan ben je een creeper. Je draagt dan namelijk zelf niets bij aan bijvoorbeeld Instagram, maar bladert hoogstwaarschijnlijk wel door allerlei foto's die je via bepaalde hashtags hebt gevonden. Er schijnen mannen te zijn die alleen maar een Instagram-account aanmaken om foto's van vrouwen te kunnen bekijken, of het nu vrouwen zijn die ze kennen of die beroemd zijn of niet. Je begrijpt dat ik volgverzoeken van zulke types niet accepteer.

Er zijn miljoenen hashtags voor allerlei trends, waarvan sommige nauwelijks een trend te noemen zijn, maar ze brengen allemaal een boodschap of standpunt over. Hashtags kunnen vertellen waar je bent, met wie je op de foto staat, welke herinnering of gedachte je bij iets hebt. Een foto van een vriendin die op vakantie is gaat bijvoorbeeld vergezeld van hashtags als #stranddag, #bahamas, #evengeenkinderen, #zonnebrand, #vakantie, #perfecteman, #huwelijksreis, #komnooitmeerterug, enzovoort. Deze hashtags vullen de foto aan en verduidelijken wat ze ermee wil zeggen. In een paar woorden wordt duidelijk wat ze meemaakt tijdens haar vakantie, wat ze doet, waar ze is, met wie en

waarom. Een hashtag kan soms ook voorkomen dat mensen verkeerde con-
clusies trekken.

> **Kellie:** Als ik poseer voor een foto tijdens een avondje uit met mijn vrij-
> gezelle vriendinnen, en ik zet de foto online met de hashtag #single, dan
> kan de boodschap die ik wil uitdragen variëren van 'Ik ben een happy
> single' tot 'Ik zit te springen om een date!' Maar als we gekke bekken trek-
> ken, in onze pyjama's zitten of grote hoeveelheden voedsel verorberen,
> en we posten daar een foto van met dezelfde hashtag, dan verandert de
> boodschap. Die krijgt een bijdehante, sarcastische lading, zo van 'Zie
> hier waarom we single zijn!' Een ander voorbeeld: als ik een foto post van
> een enorme sorbet of biefstuk, kan ik een hashtag als #veelvraat of
> #schranspartij gebruiken om te voorkomen dat ik daar van anderen
> commentaar op krijg. De boodschap luidt dan zoiets als: 'Ik weet wat je
> denkt, dus ik zeg het zelf alvast maar.'

Hashtags drukken volgens mij ook vaak uit wat mensen *eigenlijk* willen vertellen – het verhaal achter het bericht of de foto. Zelf gebruik ik ze ook op die manier! Ik heb eens iets gepost over Greg, die een hersenschudding had terwijl ik
volhield dat het een stevige verkoudheid was. Daar heb ik toen de hashtags
#moedervanhetjaar en #oeps aan toegevoegd. De achterliggende bood-
schap luidde: Ik heb me vergist en voel me ongelooflijk stom. Maar de ironi-
sche hashtags maakten het minder zwaar, zodat ik mijn fout gemakkelijker
met andere ouders kon delen. Als ik de foto's van mijn vrienden en volgers bekijk, zie ik hashtags als #geenmakeup, #relaxed, #trotsopmezelf, #houvanmijn-
hond, #avondjestappen, #herinneringen, #duimvoorme, #onbeperkteten,
#vollemaan, #liefde, #verdrietig en #huisvrouwenbestaan. Je kunt je bij al deze
hashtags wel een foto of een verhaal voorstellen. Let daarom op de hashtags
als je de accounts of posts van je kinderen bekijkt. Zo vang je misschien iets op
van het verhaal dat erachter zit, en misschien zelfs wel het hele verhaal. Maar in
elk geval de boodschap die ze ermee willen overbrengen.

Hou ook de vraag-en-antwoordspelletjes die online veel worden gespeeld
(en voortdurend veranderen) in de gaten. Die zijn meestal onschuldig, maar
soms schuilt er meer achter dan je denkt. Een voorbeeld van zo'n spelletje is

'De waarheid is...'. Als je dat op Instagram zet en iemand geeft je een like, dan is het de bedoeling dat je iets over die persoon zegt wat (volgens jou) waar is. Ik zal een paar voorbeelden geven (zonder de gebruikersnamen) van een keer dat Greg dit spelletje op Instagram speelde toen hij in de brugklas zat. Hieronder staan de dingen die hij zei tegen de kinderen die zijn post hadden geliket, dus die met anderen woorden wilden horen wat hij van ze vond (en het geen bezwaar vonden dat iedereen kon meelezen).

GH: De waarheid is dat je een toffe gast bent. Ik vind je te gek.

GH: De waarheid is dat ik je al een tijdje niet heb gesproken. Je bent vet aardig.

GH: De waarheid is dat je een nogal stil meisje bent en dat we vaker met elkaar zouden moeten praten.

GH: De waarheid is dat je super grappig bent.

GH: De waarheid is dat je een van de coolste meiden bent die ik ken. Je doet je niet anders voor dan je bent. Laten we betere vrienden worden.

GH: De waarheid is dat je me een relaxte gozer lijkt.

GH: De waarheid is dat je mijn vriend bent. Je bent een toffe gast en mijn basketbalmaatje.

Dit ging nog honderden regels zo door. Ik was natuurlijk blij dat zijn commentaren allemaal nogal onschuldig waren. Soms kon ik uit zijn antwoord – de precieze formulering, de herinneringen of de grapjes die hij met iemand deelde – opmaken of hij alleen maar beleefd wilde zijn of diegene echt graag mocht. Zou jij het toen je twaalf of dertien was niet geweldig hebben gevonden om te horen hoe anderen echt over je dachten? Kun je je voorstellen hoe aanlokkelijk en verslavend dat op die leeftijd kan zijn? Maar het lijkt me wel duidelijk waar dit spelletje in bepaalde gevallen toe kan leiden. Een simpele opmerking als 'Ik ken jou niet' kan al hard aankomen bij iemand die heel graag iets positiefs wil horen. Het valt me ook op hoe vaak meisjes elkaar het etiket 'hartsvriendin' opplakken. Als jij van niemand dat etiketje krijgt, hoe voel je je dan? Hoe gaan onze kinderen met zulke dingen om? Er zijn commentaren die gemakkelijk verkeerd opgevat kunnen worden, of die hatelijk of ongelukkig geformuleerd zijn, om nog maar te zwijgen over het feit dat ze openbaar zijn.

Als een leeftijdgenoot besluit om iets negatiefs, gemeens of vernederends over je te zeggen, is dat voor iedereen zichtbaar.

Het gaat nog een stap verder. Er zijn apps en websites die het mogelijk maken om anoniem vragen te stellen en te beantwoorden, zoals QuizYour Friends.com, een online tool waarmee jongeren een persoonlijke quiz kunnen maken voor hun leeftijdgenoten. Het is populair, want het gaat erom een antwoord te krijgen op de vraag: 'Hoe goed ken je mij?' Meestal zijn het onschuldige quizjes, met multiplechoicevragen als 'Wie is mijn favoriete sporter?' Maar we moeten verdacht zijn op verborgen boodschappen, op dingen die onuitgesproken blijven en op de effecten die dat heeft. Denk aan vragen als 'Wie is het knapste meisje in onze klas?' of 'Wie is mijn beste vriend?' Hoe voelt het als jouw naam niet het goede antwoord blijkt te zijn, of zelfs helemaal niet in het rijtje mogelijke antwoorden voorkomt? En dan is er nog Ask.fm, een sociale netwerksite die behoorlijk populair is onder tieners, waarop gebruikers elkaar anoniem vragen kunnen stellen. Een vraag die ik mijn kinderen vaak stel als ze online iets nieuws uitproberen is: 'Wordt je leven er leuker op door deze site/game/app/activiteit? Na enige discussie over Ask.fm besloot Greg zijn account te verwijderen, omdat hij vond dat het niets aan zijn leven toevoegde.

Dergelijke sites en quizzen lijken misschien onschuldig, maar ze kunnen leiden tot verborgen agressie ('verborgen' omdat niet duidelijk is wie je erop kunt aanspreken) in relaties die van emotionele betekenis zijn, waardoor het gevoel van eigenwaarde van een kind wordt ondermijnd. Nog zo'n trend is 'een like voor een cijfer', waarbij je iemand die jouw post liket een cijfer geeft om aan te geven in welke categorie hij of zij valt:

10+: Ik kan niet zonder jou
10: Je bent mijn hartsvriend(in)
9: Je bent een goede vriend(in)
8: Je bent mijn vriend(in)
7: Weleens mee gepraat...
6: Je profiel is leuk
5: Ik ken jou niet
4: Ik mag jou niet

Het is ontmoedigend om te zien hoe onze kinderen online zoal de grond in geboord kunnen worden. Ik hoop dat ik de manieren waarop kinderen de nieuwe media gebruiken om met elkaar te communiceren en zich te uiten onder je aandacht heb gebracht. Misschien vind je het wat veel om te verwerken. Dat is begrijpelijk. Het is een hele klus om op de hoogte te blijven van alles wat onze kinderen online bezighoudt. Wat ik hier aan bod heb laten komen is ongetwijfeld nog maar het topje van de ijsberg, dus mijn advies is: let goed op. Als het je nog niet duidelijk is waarom kinderen op gezette tijden afstand moeten nemen van hun smartphones, computers en sociale netwerksites, dan weet ik niet wat ik nog kan zeggen om je te overtuigen. Ze kunnen zich er zo door laten meeslepen dat hun hele bestaan erom draait. Stel alsjeblieft grenzen en bedenk iRules voor je kinderen zodat ze geen idiote dingen gaan doen als het beoordelen van vrienden en leeftijdgenoten met cijfers en scores.

Als je uit dit boek één ding ter harte neemt, laat het dan dit zijn: niets is belangrijker voor je kind dan jouw liefde, goedkeuring en begeleiding. Daar kan geen cijfer uit een online spelletje, geen anonieme quiz en geen aantal volgers op Instagram tegenop. Je kind zal wel een keer gekwetst worden. Misschien zal hij of zij zelfs vaak gekwetst worden. Dan zal je sterk geneigd zijn om in te grijpen zodat het niet nog een keer gebeurt. De ene keer zal je dat ook doen, de andere keer niet. We kunnen niet alle brandjes blussen, en dat hoeft ook niet. Wat wij moeten doen, is onze kinderen opvoeden tot veerkrachtige mensen. Ze zullen zich in hun leven heel wat keren gekwetst, verdrietig of onzeker voelen. Wij moeten ze leren hoe ze die gevoelens de baas kunnen worden en weer op kunnen krabbelen. Het is belangrijk dat ze weten dat ze volwaardige, gewaardeerde, waardevolle individuen zijn en dat geen enkele online beoordeling daar verandering in kan brengen.

Smartwise-tip: Laat je door je kind onderwijzen. Stel vragen! Wil je meer weten over Twitter of over hashtags? Zie je iets online (bijvoorbeeld een vraag-en-antwoordspelletje) wat je niet begrijpt of waarvan je niet kunt inschatten wat het met je kind doet? Vraag ernaar! Je zult zien dat kinderen best bereid zijn om ons wegwijs te maken in hun online wereld. Ze beschikken over een schat aan informatie. Als we vragen aan ze stellen, leidt dat er meestal toe dat ze uitvoeriger met ons in gesprek gaan.

7

Technologie is een zegen

Smartwise: Benut de mogelijkheden!

> **Mijn iRule:** Wil je muziek downloaden, kies dan eens voor iets nieuws, iets van voor jouw tijd, iets anders dan waar al die miljoenen leeftijdgenoten van je naar luisteren. Er is vóór jullie geen generatie geweest die over zo veel muziek kon beschikken. Zie dat als een cadeau en maak er gebruik van om je horizon te verbreden.

> **Mijn iRule:** Heb je zin in een spelletje, kies dan ook eens voor een woordspel, puzzel of hersenkraker.

De nieuwe technologie heeft ons veel goeds gebracht. En ik vind het allemaal geweldig! Ik ben gek op mijn iPhone, mijn navigatiesysteem, mijn laptop en mijn iPad. Ik gebruik ze dagelijks. Ook Facebook vind ik fantastisch: één plek waar ik in contact sta met vrienden uit mijn jeugd, van de middelbare school, uit mijn studententijd en met mijn huidige vrienden. Ik kan me verbonden voelen met familieleden die ver weg wonen en met neven en nichten die ik uit het oog verloren was. Ik kan er gewoon niet over uit! Het is heerlijk om foto's te zien van de baby van een oud-klasgenoot of te lezen dat iemand uit mijn omgeving kans maakt op een uitdagende nieuwe baan. Ik gebruik sociale netwerken zowel voor mijn werk als privé. Ik facetime met familieleden in het hele land en heb dankzij de nieuwe media professionele relaties kunnen opbouwen met mensen uit alle delen van de wereld. Mijn iRules-contract zou nooit zo'n massale aandacht hebben gekregen als het zich niet als een lopend vuurtje over internet had kunnen verspreiden. Ik heb de lezers van mijn blog gevraagd wat zij het grootste pluspunt van de technologische vooruitgang vinden. Dit zijn enkele van hun antwoorden:

○ Een vriend van me werkt overzee, maar hij ziet zijn kind elke dag via Skype. Het is geweldig dat die technologie tot hun beschikking staat.

○ Ik ben een introvert type en ik ben al vaak verhuisd. Dankzij de nieuwe media heb ik nog steeds contact met vrienden en familieleden die ik anders allang uit het oog was verloren. Ik reis veel, en het is fantastisch dat ik nu zo weer bijgepraat ben met oude vrienden die ik ga opzoeken. Mijn zoon heeft ook een paar hechte vriendschappen kunnen opbouwen met kinderen die weliswaar ver weg wonen of op andere scholen zitten, maar met wie hij regelmatig skypet. Ook heeft hij online allerlei lessen kunnen volgen in vakken die hier in de buurt niet worden aangeboden.

○ Ik heb mijn droombaan volledig te danken aan het feit dat ik via internet op afstand kan werken.

○ Ik zou zonder de moderne technologie mijn werk niet kunnen doen. Ik leg dagelijks zes of zeven verschillende routes af met behulp van mijn navigatiesysteem. Als ik het moest doen met wegenkaarten, dan zou ik veel minder efficiënt zijn of misschien zelfs helemaal niet in deze sector werken, want kaartlezen is niet mijn sterkste punt is. Daar komt bij dat we tablets gebruiken om allerlei gegevens vast te leggen. Als ik dat allemaal met de hand moest doen, zou deze baan ook niets voor mij zijn. Wat de kinderen betreft, die werken de laatste jaren steeds meer met computers in de klas. Ze mogen ook online spelletjes doen waarin de lesstof wordt herhaald.

○ Door de technologie heb ik kunnen afstuderen. Ik volgde online college terwijl ik fulltime werkte, een kind van drie had en zwanger was van de tweede. Als die mogelijkheid er niet was geweest, had ik mijn opleiding niet af kunnen ronden. Verder mag ik graag facetimen met mijn zus, die in een andere staat woont. Mijn dochter heeft een vriendin die pas naar New Mexico is verhuisd, en zij zijn ook van plan om contact te houden via Skype en FaceTime.

○ Ik werk in een ziekenhuis. Als je daar bij een specialist in de behandelkamer zit en je klaagt over huiduitslag, dan maakt hij er een foto van en vraagt direct om een elektronisch consult bij de dermatoloog. Iedereen heeft er voordeel bij! Doordat ik werkzaam ben in de gezondheidszorg, zie ik dagelijks de voordelen van het toegenomen gebruik van de technologie.

Ik wil ouders laten inzien wat de waarde is van de moderne technologie en welke goede kanten eraan zitten, zodat ze het mediagebruik van hun kinderen kunnen verkennen en stimuleren. Zoek een toepassing van de nieuwe technologie die jou bevalt, breid je iRules uit met richtlijnen voor het gebruik ervan en ga er met het hele gezin mee aan de slag!

Muziek

Ik wil graag dat mijn kinderen zich ten volle bewust zijn van de mogelijkheden die de moderne technologie ze biedt. Ik wil dat ze die volop benutten, op een manier die hun ten goede komt. Een goed voorbeeld van die mogelijkheden is de beschikbaarheid van muziek.

Eerlijk gezegd: *Als ik niet met Adam getrouwd was, dan had ik misschien minder belang gehecht aan deze iRule. Adam is muzikant en al zijn hele leven een groot muziekliefhebber. Luisteren naar muziek is voor hem een actieve bezigheid. En hij deelt die passie met de kinderen, dus bij ons thuis speelt muziek een belangrijke rol.*

Een muzikale noot van Adam

De positieve invloed van de nieuwe media op de muzikale ontwikkeling

O   De nieuwe media stellen je in staat om naar muziek te luisteren zonder er veel geld aan uit te geven. Je hoeft een album of single niet aan te schaffen – je kunt de muziek streamen. Vind je het goed, dan blijf je luisteren. Vind je het niks, dan zoek je verder.

O   Je kunt via de nieuwe media allerlei genres uitproberen. De mogelijkheid om moeiteloos over te schakelen van rap naar rock naar jazz naar funk naar musical is goed voor de muzikale ontwikkeling. Hoe weet je immers wat je goed vindt als je niet op onderzoek uit gaat?

O   Ze bieden je de gelegenheid om nieuwe artiesten te ontdekken. En misschien kom je er wel achter dat je artiesten die je leuk dacht te vinden (doordat je er door de radiozenders mee wordt doodgegooid) bij nader inzien toch niet zo goed vindt. Muziekdiensten als iHeartRadio, Pandora, Rdio en Spotify kunnen artiesten binnen een bepaald genre voor je selecteren. Bij Rdio kun je zelfs aangeven hoe

De mogelijkheid om te grasduinen in het totale aanbod van muziek van nu en vroeger – bekend of onbekend – beschouw ik als een groot geschenk. Ik vind het fantastisch dat we allemaal kunnen luisteren naar wat we maar willen. We kunnen kieskeurig zijn of wat verder kijken, maar wat ik dolgraag zou zien is dat mijn kinderen zich opstellen als echte avonturiers. Dat ze op zoek gaan naar muziek die hun werkelijk boeit, en niet alleen luisteren naar wat ze krijgen voorgeschoteld door de zenders voor het grote publiek. Als ze daar graag naar luisteren, dan mogen ze van mij; aan de hitlijsten valt nu eenmaal niet te ont-komen. Maar bij de gedachte dat ze zo'n beetje iedere muzikant of artiest in 'gewaagd' de selectie mag zijn. Ik vind het een geweldige optie.

Als kind heb ik eindeloos platen gedraaid, hoesteksten zitten lezen, nieuwe muziek verkend. Daarvoor moest ik eerst een lp of cd gaan kopen. Die nam ik dan mee naar huis, ik zette hem op, ging zitten en luisterde. Het was iets tastbaars – tijdens het luisteren las ik over de achtergrond van de band of artiest, en dat hielp me een idee te krijgen van wat ze ermee wilden zeggen. Het bracht de muziek tot leven. Greg doet dat nog steeds; hij wil het verhaal achter de muziek weten. Muziek luisteren moet voor hem een belevenis zijn.

Dat is voor mij het nadeel van de moderne technologie: luisteren naar muziek wordt algauw iets wat vluchtig en achteloos gebeurt. Geen achtergrondverhaal, geen investering. Maar dat neemt niet weg dat je dankzij de nieuwe media op muzikale ontdekkingsreis kunt gaan, en ik ben ervan overtuigd dat dat goed is voor kinderen en voor de muziekindustrie. Het hoeft alleen maar in goede banen geleid te worden.

elk denkbaar genre kunnen leren kennen, loopt mijn hart over van enthousiasme. In elk geval is muziek zo belangrijk in ons gezin dat het me nodig leek om er een iRule aan te wijden.

En die werkt! Als ik Gregs afspeellijsten bekijk of hoor welke muziek er uit zijn kamer schalt, dan word ik helemaal warm van zijn brede belangstelling. De ene dag luistert hij naar Eminem of Macklemore, de volgende dag naar *The White Album* van The Beatles of naar Pearl Jam. Het is ongelooflijk. Hij heeft een afspeellijst getiteld *Chill Out*, met nummers van Mumford and Sons, Damien Rice, The Jackson Five, Weezer en Bob Marley. Over afwisseling gesproken!

Bij ons kan muziek het gesprek op allerlei onderwerpen brengen, van geschiedenis en cultuur tot imago, media en taal. Een tijdje geleden had Greg een discussie met een paar vrienden over de teksten van bepaalde popliedjes. Zijn vrienden gingen maar door over hoe goed die songteksten waren, waarop Greg zei dat ze best leuk waren maar niet echt een emotie overbrachten. Hun reactie: 'Ja hoor, en dat zegt iemand die naar The Beatles luistert!' Greg zegt nog steeds dat hij dat een van de grappigste (onbedoelde) uitingen vond van een gebrek aan muzikale kennis.

Mijn kinderen liggen 's avonds in bed te luisteren naar Adam die op de piano liedjes van Paul Simon of Van Morrison speelt. Ze luisteren naar zijn verhalen over de muziek waarmee hij is opgegroeid, van Grateful Dead en Jim Groce tot Pearl Jam en Ben Folds. Het hoort gewoon bij ons gezin. Adam vindt het belangrijk om met de kinderen te discussiëren over muziek en de achtergronden ervan, en die te koppelen aan de huidige technologie zodat ze er gemakkelijk kennis mee kunnen maken.

Hij vindt het trouwens minstens even belangrijk dat ze zich verdiepen in de muziek van hun generatie. De meiden bedenken vaak danspasjes op nummers van Katy Perry en Taylor Swift. Ella koos toen ze acht werd muziek als thema voor haar verjaarspartijtje, en ze zorgde er wel voor dat Adam al haar favoriete liedjes kon spelen. Hij leefde zich uit op de Top 40-hits terwijl er vijfentwintig kleine meisjes rond de piano stonden mee te zingen. Hij speelde zelfs verzoekjes (met dank aan internet voor de bladmuziek).

Misschien is dit voor jou allemaal niet belangrijk. Misschien vind je het niet nodig om een iRule te maken over muziek. Wie weet is er iets anders wat voor jou en je kinderen net zo belangrijk is als muziek voor ons. Iets wat je met behulp van de moderne technologie bij jou thuis een rol kunt laten spelen en kunt voeden. Praat erover! Besteed er aandacht aan op een manier die bij jouw gezin past. Het gaat er niet om dat we de interesses van onze kinderen proberen te sturen; het gaat zoals bij alles om het vinden van de juiste balans. Maar dat we dankzij de nieuwe media in staat zijn onze kinderen kennis te laten maken met de dingen in het leven die wij belangrijk vinden, beschouw ik als een groot geschenk.

Smartwise-tip: Omdat je bij het opstellen van een iRules-contract uitgaat van de waarden en interesses van je gezin, is het belangrijk om erbij stil te staan hoe ieder gezinslid daartegenover staat. Aangezien mijn echtgenoot professioneel muzikant is, was de iRule over het luisteren naar allerlei soorten muziek voor ons relevant. Die sluit immers aan bij de interesses en gesprekken binnen ons gezin. Grijp datgene waar jouw gezin warm voor loopt aan om de moderne technologie optimaal te benutten!

Smartwise: Leg die controller neer

> **Mijn iRule:** Heb je zin in een spelletje, kies dan ook eens voor een woordspel, puzzel of hersenkraker.

Gamen

We gebruiken de nieuwe media voornamelijk via onze smartphones. Ze zijn aantrekkelijk voor alle leeftijden en ze bieden alles in één: internettoegang, sociale netwerken, een camera, games, apps en sms. We gebruiken ze voor ons werk, we nemen ze mee als we boodschappen doen of een uitstapje maken, ze spelen een centrale rol in ons leven. Maar hoe zit het met de rest? Met al die andere vormen van moderne technologie? Waar en op welke manier kunnen jouw kinderen bijvoorbeeld gamen? Misschien hebben ze een Nintendo DS, een iPad of een iPod, een e-reader of, zoals mijn kinderen, een gameconsole die op de televisie is aangesloten. Misschien zeuren ze om de haverklap of ze een spelletje mogen spelen op jouw iPhone. Er zijn computerspelletjes en apps in soorten en maten, dus er is voor elk wat wils. Ik heb aan mijn kinderen gevraagd welke games zij het leukst vonden en waarom.

Gregory: Ik vind het leuk om stealth- en schietgames te spelen op de Xbox [echt een antwoord dat elke moeder graag wil horen...] vanwege de graphics, de verhaallijnen, de uitdaging en de spanning. Ik hou van games waarbij ik zelf een van de personages ben, omdat ik er dan echt deel van uitmaak. Ik speel ook graag sportgames, omdat ik het leuk vind om even LeBron James te zijn en iedereen te verslaan. Dat wil toch iedereen?

Brendan: Mijn favoriete games zijn Minecraft en Clash of Clans omdat ik daarbij mijn eigen wereld kan bouwen en ze samen met vrienden op de iPad en Xbox kan spelen. Halo vind ik ook leuk – geen zorgen, mam, er komt geen bloed aan te pas – omdat ik dat spel alleen met papa speel.

Ella: Ik vind het leuk om spelletjes te spelen op de iPad. Dit weekend heb ik Subway Surfers en Food Fair gespeeld. Daarbij kan ik mijn fantasie gebruiken en dingen maken. Ik vind het ook leuk om nieuwe apps uit te proberen.

Lily: Ik hou van iPad-apps als Minecraft en Elo Milo. Ik vind het leuk om dingen te bouwen en met Brendan en zijn vrienden te spelen. Mijn favoriete Xbox-spel is Fruit Ninja, omdat ik daarbij fruit doormidden kan hakken. Het is leuk als spelletjes elke keer anders zijn.

Cassidy: Mijn favoriete spelletjes op de iPad zijn Hair Salon en Carnival Games. Ik vind het leuk om met haar bezig te zijn en zelf iets te maken. Ik heb deze spelletjes van Brian geleerd. Oma [mijn moeder] heeft me ook spelletjes laten zien die ze had gevonden toen ze op zoek was naar apps voor haar leerlingen. [Ze besluit met een observatie:] Mam, je bent heel anders als je me al die vragen stelt voor je boek!

Er zijn tegenwoordig zo veel verschillende soorten games dat wij een aantal regels hebben moeten opstellen om het in de hand te houden. Er mag bij ons op doordeweekse dagen niet worden gegamed, en dat geldt ook voor spelletjes op de iPad of iPod. Het veroorzaakte te veel gekibbel en ik vond het zonde van mijn tijd om er steeds op te moeten toezien dat alle kinderen evenveel tijd kregen om te spelen. Dit systeem werkt goed; dat het alleen in het weekend mag, voorkomt dat gamen een te grote rol in ons gezinleven gaat spelen. Voor televisiekijken hanteren we een vergelijkbare aanpak, hoewel die minder streng is. De kinderen zijn meestal tot etenstijd buiten; daarna maken ze hun huiswerk, gaan ze onder de douche, lezen ze nog wat en gaan ze naar bed. Als er al iemand televisiekijkt, dan is het omdat hij of zij echt even moet bijkomen – bijvoorbeeld als Cassidy is gevallen met de fiets of als Ella met hoofdpijn is thuisgekomen uit school – en dat gebeurt maar zelden. Het weer speelt ook een rol. Als ze elkaar op een donkere decembermiddag in de haren zitten terwijl ik nog van alles te doen heb, is Nickelodeon mijn beste vriend.

De waarheid

Ik heb een hekel – echt een verschrikkelijke hekel – aan games. Ze interesseren me niet, ze kunnen me niet boeien. Als ik zie hoe enthousiast Brendan, Gregory en Adam worden van de graphics, de verhaallijnen en de uitdagingen, dan begrijp ik daar helemaal niets van. Ik heb waardering voor de creativiteit en inventiviteit waarmee ze zijn gemaakt – soms denk ik dat ze naar *Studio Sport* zitten te kijken en dan blijkt het een Xbox-spel te zijn – en ik vind het ongelooflijk wat er tegenwoordig allemaal kan in games. Maar zelf begin ik er niet aan.

De hele waarheid

Toen ik negen was zat ik vaak zo lang en geconcentreerd Super Mario Bros. te spelen op de Nintendo dat ik er kramp in mijn schenen en kuiten van kreeg. Ik spande en ontspande voortdurend mijn spieren in mijn pogingen om de prinses te redden. Maar ik speelde gewoon door, ook al moest ik huilen van de pijn. Dus ik snap het heus wel. Ik mis gewoon die onschuldige, tweedimensionale Mario.

Ik geef toe dat er hier een aangenaam ontspannen sfeer heerst als de kinderen op vrijdagmiddag thuiskomen na een lange week gevuld met school en andere activiteiten. Ze nestelen zich in hun eentje of met een paar vriendjes op de bank en gamen erop los, kijken televisie of vermaken zich met de ene na de andere app. Ik zit ze niet achter de vodden met huiswerk of andere verplichtingen, ik laat ze met rust. De vrijdagmiddagen zijn dus iets om naar uit te kijken, en dat ze tot in de avond bezig mogen zijn met technologie is voor de kinderen een vorm van verwennerij.

Ik geloof dat wij op een evenwichtige manier omgaan met gamen. En ik heb ontdekt dat er woord- en tekenspelletjes zijn waar we als gezin samen plezier aan kunnen beleven. We kunnen tegen elkaar spelen of we nu bij elkaar zijn of niet. Voor de lol gebruiken we apps waarmee je idiote kapsels of een enorme ijssorbet kunt creëren. We zijn behoorlijk fanatiek als we Draw Something, Sound Pop of Boggle spelen. Adam en de jongens hebben een bijzondere band door hun gezamenlijke passie voor games – ze lezen er tijdschriften over, verlekkeren zich aan systemen en niewe releases en gaan samen naar gameshops. Ze praten over de personages zoals anderen over de hoofdpersonen uit een film of een boek praten. Soms is het goed om de moderne technologie recreatief te gebruiken en er niet te moeilijk over te doen.

Ik vind niets leuker dan een stel pubers over de vloer hebben die met elkaar een sporttoernooi spelen op de Xbox (nou ja, er zijn veel dingen die ik leuker vind, maar je begrijpt wat ik bedoel). Die hebben plezier, genieten van elkaars gezelschap en zijn sociaal bezig. Maar waar ik een grote hekel aan heb, is een stel pubers over de vloer hebben die spelletjes spelen of chatten op hun eigen smartphone of tablet, niet op- of omkijken en totaal geen oog hebben voor elkaar, of een multiplayergame spelen die gewelddadig is of ongeschikt voor de blikken van jongere broertjes en zusjes. Wat het verschil is, wordt glashelder als we terugdenken aan de stelregel dat de technologie bewust moeten worden gebruikt. Hoe kunnen we ervoor zorgen dat onze kinderen er niet door afgestompt raken, maar dat hun leven er juist door wordt verrijkt?

Tot slot: ik realiseer me dat de juiste balans bij heel veel kinderen ver te zoeken is. Ik zie ook hoe gemakkelijk het uit de hand kan lopen. Gameverslaving is een epidemie, vooral onder jongens en tieners. Volgens Education Database Online wordt er in 65 procent van de Amerikaanse huishoudens gegamed en zijn 3 op de 5 spelers van het mannelijk geslacht. Ik heb talloze verhalen gehoord over kinderen van alle leeftijden – maar vooral jongens – die volledig opgaan in het gamen en zich urenlang kunnen afsluiten voor de wereld om hen heen.

Tips voor ouders van gamers

O   Let op de leeftijdsindicatie van games.
O   Verdiep je voor je een game koopt in de inhoud, het taalgebruik en de verhaallijn. Dat kan bijvoorbeeld door een online trailer te bekijken.
O   Zorg dat je de mensen kent bij wie je kinderen gamen.
O   Sta er bij stil wat jonge kinderen op het scherm te zien krijgen, ook als ze

zelf niet spelen. Een game die geschikt is voor zestienjarigen kan misschien beter niet gespeeld worden in het bijzijn van een achtjarige.

○ Verkopers van games zijn meestal graag bereid om hun mening te geven en hun kennis te delen. Wij zijn meer dan eens door een winkelmedewerker geholpen toen we twijfelden of een game geschikt was voor onze zoons.

○ Laat mensen die je kinderen cadeaus geven (zoals familieleden) weten welke eisen je aan games stelt, of dat je graag wilt dat ze jou om toestemming vragen voor ze je kinderen er een geven.

○ Praat met je kinderen over hun interesses op het gebied van games. Vraag waarom ze bepaalde games leuk vinden. Vertel wat jij er wel en niet leuk aan vindt. Geef voorbeelden en zorg dat je met ze in gesprek blijft.

○ Maak er een sociaal gebeuren van. Is je kind teruggetrokken? Dan kan online gamen met jouw toestemming hem of haar misschien helpen om socialer te worden en contact te maken met leeftijdgenoten. Is je kind extravert? Nodig dan eens andere kinderen bij je thuis uit voor een gametoernooi; dat is een leuke manier om ze met elkaar te laten spelen.

○ Leg in een iRule vast wanneer er gespeeld mag worden. Duidelijke grenzen voorkomen dat daar voortdurend strijd over ontstaat.

Pan European Game Information (PEGI, www.pegi.info/nl/) is het Europese leeftijdsclassificatiesysteem voor computerspellen. Je kunt de leeftijdsindicaties gebruiken om te beoordelen of een game geschikt is voor je kinderen, maar bedenk wel dat ze niet meer zijn dan een richtlijn. Laat je eigen waarden en opvattingen de doorslag geven bij je beslissing of jouw kinderen een bepaalde game mogen kopen of spelen. Wees een kritische consument en leer je kinderen eveneens om bewuste keuzes te maken.

Beeldschermen buiten de deur

Een moeder schreef me dat ze met haar driejarige dochter naar een familiereunie aan de andere kant van het land was geweest. Ze had zich erop verheugd dat haar dochtertje een heel stel neefjes en nichtjes en andere familieleden die ze nog nooit had ontmoet zou leren kennen. Maar die neven en nichten hadden het familieweekend grotendeels al gamend doorgebracht. Ze was zo teleurgesteld dat geen van de volwassenen had ingegrepen en een grens had gesteld aan de beeldschermtijd. En ze was gefrustreerd omdat haar dochter was gaan jengelen en zelfs driftbuien had gekregen omdat ze ook met al die apparaten wilde spelen. Het meisje was er niet meer bij weg te slaan. De vrouw legde me uit dat ze het een lastige situatie vond omdat ze haar familie niet voor het hoofd wilde stoten, maar dat ze tegelijk het gevoel had dat de beeldschermverslaving van de kinderen en het feit dat de ouders niet bereid waren om daar iets aan te doen, ten koste waren gegaan van iets heel waardevols.

 # Probeer dit!

Heb je binnenkort een grote familiebijeenkomst? Ik ben een groot voorstander van vooraf communiceren in plaats van afwachten. Door zaken van tevoren te bespreken, kun je een hoop vervelende toestanden binnen de familie voorkomen. Je zou iedereen bijvoorbeeld een e-mail kunnen sturen zoals deze:

Hallo allemaal! Ik verheug me erop om volgende maand met alle kinderen op vakantie te gaan. Ik weet dat ze allemaal gek zijn op hun tablets en smartphones, maar ik hoop dat we tijdens de vakantie ook wat tijd zonder al die technologie door kunnen brengen. Dat lukt waarschijnlijk het beste als wij de handen ineenslaan. Kunnen we bijvoorbeeld afspreken dat we alle apparaten thuis laten tijdens een of twee dagtripjes, en misschien dat ze 's ochtends een paar uur uit blijven? Ik zou het vreselijk jammer vinden als de kinderen alle leuke familiemomenten missen doordat ze de hele week naar hun beeldschermen zitten te staren. Wat vinden jullie ervan? Ik hoor graag jullie suggesties om van deze vakantie voor al onze gezinnen een groot succes te maken.

Opmerking: *Ik vind het belangrijk om te vermelden dat ik deze tekst eerst heb voorgelegd aan onze eigen familieleden, omdat ik wilde horen wat zij ervan zouden denken als iemand ze zo'n e-mail stuurde. Ze vonden dat het getuigde van respect en gezond verstand, zeker als er in het verleden sprake was geweest van overmatig mediagebruik of ander zorgwekkend gedrag. De e-mail was niet gericht aan één persoon of gezin, luchtig geformuleerd en voorafgaand aan de familiebijeenkomst verzonden. Het leek hun een goed idee om in deze situatie te kiezen voor e-mail, omdat dat voor iedereen handig is en het gemakkelijk maakt om te reageren.*

Hoe zit het met regels voor mediagebruik bij andere mensen thuis? Een andere moeder ontdekte tot haar afschuw dat een vriendje van haar zoon games mocht spelen die in haar ogen alleen geschikt waren voor oudere kinderen. Ze was woest toen ze erachter kwam dat haar zoon die games had gespeeld bij dat vriendje thuis. Ze vroeg mij om advies over hoe ze de ouders van dat jongetje hierop kon aanspreken en haar grenzen duidelijk kon maken. Een situatie als deze vraagt om een zo direct mogelijke aanpak, hoe zakelijker hoe beter: 'Hallo Judy, ik wil niet dat Tommy die game speelt als hij bij jullie is. Dat mag hij thuis namelijk ook niet en ik wil graag consequent zijn. Bedankt voor je begrip.' Ouders met wie je op goede voet staat zijn doorgaans bereid om jouw regels te respecteren, maar ze kunnen geen gedachten lezen. Ze weten niet welke normen jij hanteert. Bedenk dat elk gezin anders tegenover de moderne technologie staat. Het is onze taak als opvoeders van onze kinderen om als dat nodig is onze mond open te doen. Onthoud dat je het meest bereikt door direct te zijn en niet over anderen te oordelen.

Het volgende gesprek met mijn vriendin Susan laat goed zien hoe ouders met elkaar kunnen overleggen over het mediagebruik van de kinderen, zodat wat die doen voor beide gezinnen door de beugel kan. We hadden dit gesprek toen onze dochters een middag met elkaar speelden bij haar thuis.

Susan: Hoi Janell, de meiden hebben danspasjes bedacht en elkaar gefilmd tijdens het dansen. Nu willen ze het filmpje op YouTube zetten. Wat vind jij daarvan? Ik weet eigenlijk niet hoe jij over dit soort dingen denkt.

Ik: Ik heb liever niet dat ze filmpjes van zichzelf op YouTube zetten.

Susan: Oké, dan ben ik blij dat ik het heb gevraagd. Ik wist het niet zeker. Dank je.

Ik: Wauw! Wat een simpel, duidelijk gesprekje, en wat een geweldige manier om een ongemakkelijke confrontatie achteraf te voorkomen! Dit ga ik gebruiken in mijn boek als voorbeeld van hoe ouders kunnen samenwerken. [Oké, dat zei ik allemaal niet, maar ik dacht het wel.]

Opvoeden op twee plekken tegelijk

Het is goed om alle mensen die actief betrokken zijn bij de opvoeding van je kinderen te laten meedoen aan gesprekken over beeldschermregels (en andere soorten regels). Dat is vooral van belang als je kind opgroeit in twee huishoudens. Het werkt in dat geval het beste om gezamenlijke afspraken te maken die voor alle betrokkenen, zowel de volwassenen als de kinderen, helder zijn. En het werkt nog beter als de afgesproken regels overal op dezelfde manier worden gehandhaafd. Ik kreeg een geweldige tip van een moeder van wie de kinderen opgroeien in twee gezinnen, die het eens zijn geworden over gezamenlijke iRules. Ze vertelde me dat hun motto is: 'Het gaat er niet om waar een apparaat wordt gebruikt, maar door wie.' De kinderen weten daardoor dat er altijd hetzelfde van hen wordt verwacht, of ze nu bij mama, papa, oma of een vriendje thuis zijn. Fantastisch!

Het is ook belangrijk om te onthouden dat iRules effectiever zijn als alle opvoeders consequent en weloverwogen met elkaar blijven communiceren. Als het gaat om co-ouderschap en beeldschermregels wordt me vaak gevraagd: 'Hoe zorgen we dat het werkt?' Helaas kan ik geen pasklaar antwoord of magische oplossing bieden. Elk gezin heeft een eigen verhaal en kent andere omstandigheden. Mijn ouders gingen uit elkaar toen ik al volwassen was maar mijn zusjes zijn een stuk jonger, dus ik heb van dichtbij gezien hoe ingewikkeld co-ouderschap kan zijn.

Ik heb van veel gescheiden ouders gehoord dat ze in beide gezinnen dezelfde regels hanteren, maar er zijn er nog veel meer die de opvoeding van hun kinderen ieder op hun eigen manier aanpakken.

iRules voor ouders die niet samenleven (of eigenlijk voor alle ouders)

Weersta de verleiding om opvoedkwesties te bespreken via tekstberichten! Hoe moeilijk, emotioneel of vervelend het ook is om de andere ouder van je kinderen te bellen of onder ogen te komen, doe het toch. Maak als volwassenen voor elkaar een paar iRules over de opvoeding. De volgende afspraken kunnen helpen om als ouders op een gezonde manier te blijven communiceren.

O   We bespreken financiële zaken niet in tekstberichten.
O   We bespreken dingen die met de gezondheid van de kinderen te maken hebben niet in tekstberichten.
O   We bespreken onze zorgen over het lichamelijke, geestelijke of sociale welzijn van de kinderen niet in tekstberichten.
O   We brengen elkaar niet via tekstberichten op de hoogte van gewijzigde plannen.
O   We bellen of zien elkaar wekelijks om te overleggen over opvoedkwesties of andere zaken die geregeld moeten worden.

Wanneer kun je dan wel sms'en, whatsappen of op een andere manier online communiceren? Bijvoorbeeld voor het gebruiken van een gedeelde Google Agenda, om foto's van de kinderen te delen of voor zakelijke mededelingen als 'Ik haal de kinderen over tien minuten op' of 'Bij welk voetbalveld moeten we morgen zijn?' Streef naar bewust, weloverwogen co-ouderschap en zorg dat er ruimte is voor dialoog om de verstandhouding gezond te houden.

Voor die ouders kan het nog lastiger zijn, maar het is echt belangrijk dat ze tot op zekere hoogte tot overeenstemming komen zodat de kinderen wat vastigheid hebben. Is de verhouding gespannen of bestaat er groot verschil in inzicht, probeer het dan ten minste eens te worden over een of twee basisregels. Hoe meer houvast de kinderen hebben aan regels en grenzen die in beide huishoudens gelden, hoe groter de kans van slagen van het co-ouderschap.

Moeilijkheden

Er waren afgelopen weekend wat strubbelingen toen ik samen met mijn dochters een legpuzzel wilde gaan maken. Ze waren humeurig, Adam was de stad uit en ik deed mijn best om er iets leuks van te maken zonder apparaten en zonder een hoop geld uit te geven. De meisjes gingen enthousiast aan de slag met de puzzel zolang ik erbij zat, maar zodra ik opstond om iets te pakken of de telefoon op te nemen stopten ze met puzzelen en begonnen ze te klieren en ruzie te maken. Het was frustrerend. Ik wilde dat ze bezig bleven. Maar ik besefte dat ze misschien mijn volle aandacht nodig hadden om zich helemaal op het maken van zoiets groots als deze legpuzzel te kunnen storten. Door dat besef lukte het me te blijven zitten en me niet af te laten leiden tot de puzzel af was. De rust was teruggekeerd en iedereen was trots omdat we de klus samen hadden geklaard. Soms kost het dus wat meer moeite om de boel op gang te krijgen, ook als we een bordspel of een puzzel tevoorschijn halen. Het is niet altijd genoeg om de doos op tafel te zetten en tegen je kinderen te zeggen 'Ga maar spelen'. Als ze wat groter zijn, als ze worden geholpen door een oudere broer of zus of als er bij jullie thuis veel spelletjes worden gedaan, zullen ze misschien vaker zonder gedoe aan een bordspel beginnen. Laat je dus niet ontmoedigen als het niet meteen lukt. En let op de signalen die ze geven; misschien willen ze alleen maar dat mama of papa meedoet en de technologie ook even links laat liggen.

Ik krijg de laatste tijd veel e-mails en vragen van grootouders over de rol die moderne technologie speelt in het leven van hun kleinkinderen.

Een pleidooi voor bordspellen

Computergames zijn leuk en geavanceerd, maar laten we ook de traditie van bordspellen, legpuzzels, kaart- en dobbelspelletjes in ere houden. Wij hebben de mooiste herinneringen en de leukste grappen overgehouden aan de hilarische missers die werden gemaakt toen we een keer Hints speelden, en aan de keren dat we er met veel geduld in waren geslaagd een grote legpuzzel af te krijgen. Ouderwetse gezelschapsspellen bevorderen bovendien het leervermogen, en kinderen leren er dingen van zoals creatief denken, spelregels volgen, sportief zijn, op je beurt wachten. Ze versterken de gezinsband en leggen de basis voor waardevolle levenslessen.

Een moeder van drie kinderen schreef me dat het soms een hele uitdaging is om haar kinderen zover te krijgen dat ze een spelletje Monopoly gaan doen. Maar ze geeft het niet op! Als ze maar lang genoeg volhoudt en ze blijft aanmoedigen, houden ze uiteindelijk op met moeilijk doen en gaan ze rustig zitten spelen. Ze weet absoluut zeker dat ze veel meer plezier hebben als ze samen een gezelschapsspel doen dan als ze ieder in hun eigen hoekje over hun toetsenbord gebogen zitten.

De vraag die ze het vaakst stellen is: 'Hoe kan ik ervoor zorgen dat mijn klein-kinderen niet de hele tijd met hun computer/smartphone/games bezig zijn?' Ik reageer dan altijd met de wedervraag *waarom* hun kleinkinderen daar zo veel tijd aan besteden. Het antwoord luidt meestal (bijna altijd): 'Hun ouders hebben het zo druk. En de kinderen zelf ook. Het is gewoon het gemakkelijkst om ze wanneer ze thuis zijn te laten doen wat ze willen. En wat ze willen is ga-men.' Vervolgens vraag ik ze wat ze zouden doen als zij de ouders waren. Dan zeggen ze dat ze alle apparaten de deur uit zouden doen en de kinderen naar buiten zouden sturen. Maar ze zien meestal wel in dat de tijden zijn veranderd. Als hun kleinkinderen niet vertrouwd zijn met de nieuwe technologie, vallen ze misschien in sociaal opzicht buiten de boot of raken ze achterop met hun opleiding. Zo gaat het in de moderne wereld. Ze denken dat het moeilijk is voor ouders om grenzen te stellen aan het gebruik van nieuwe media, omdat kinderen daar zo door aangetrokken worden. Je maakt het jezelf er niet gemakkelijker op als ouder als je het zonder probeert te doen. Een grootmoeder geeft zelfs toe dat wanneer ze op haar kleinkinderen past, die zich veel beter gedragen als ze van haar mogen gamen. Dan wordt er geen ruzie gemaakt, hoeft ze geen moeite te doen om ze bezig te houden, lopen ze geen gevaar en zijn ze tevreden. Dat is volgens haar vooral een uitkomst in de auto, omdat zij dan haar aandacht bij de weg kan houden terwijl de kinderen zichzelf vermaken. Dus ze begrijpt heel goed waarom haar zoon en schoondochter hun kinderen zo veel laten gamen, al maakt het feit dat het hun als ouders zo goed uitkomt het in haar ogen lastiger om grenzen te handhaven. Wel voegt ze er nog aan toe dat haar kleinkinderen overal en nergens met die apparaten in de weer zijn, zelfs aan tafel, en dat ze soms het idee heeft dat het einde zoek is.

Voor mij ziet het er anders uit, aangezien mijn kinderen niet allemaal eigen apparaten hebben. Dus bij ons ligt de uitdaging meer in het delen. Ze kunnen de apparaten niet overal mee naartoe nemen, want daarvoor zijn het er nu eenmaal niet genoeg. Dat is deels een bewuste keuze en deels iets wat voortkomt uit de omstandigheden van ons gezin. Onze dochters beschouwen geen enkel apparaat als hun eigendom, dus Adam en ik bepalen waar en wanneer ze ergens gebruik van mogen maken. Als ze niet samen willen doen met een apparaat, dan gaat het achter slot en grendel. Op zaterdagochtend gebeurt het geregeld dat de iPad na een waarschuwing of twee in beslag wordt genomen wegens een worstelpartij of karatemep, waarna de dames het toilet kunnen schrobben of de hond kunnen borstelen om iets te doen te hebben.

Zo houd je het gamen binnen de perken

O Voorkom dat gamen een te grote rol in huis gaat spelen. Zorg voor een evenwichtige verdeling tussen actieve tijdsbestedingen, gestructureerde bezigheden en vrije tijd, zodat gamen niet meer is dan een van vele keuzemogelijkheden.

O Leg in je iRules vast op welke dagen en tijdstippen er gegamed mag worden.

○ Stel vooraf voor elk kind vast welke games geschikt zijn. Leer ze zelf te spelen, lees erover en let op de leeftijdsindicaties.

○ Geef duidelijk aan op welke momenten er niet gegamed mag worden: tijdens het eten, tijdens het maken van huiswerk, tijdens het buitenspelen, als er vriendjes over de vloer zijn of 's ochtends voor schooltijd. Wees consequent!

○ Stel vaste tijden in waarop de kinderen mogen gamen zoveel ze willen, bijvoorbeeld vrijdagmiddag of zaterdagochtend, en laat ze dan lekker hun gang gaan.

Geniet van kleine dingen

Er zijn allerlei manieren om het samen leuk te hebben! Toen Ella, Lily en Brendan klein waren, zag ik ze op een middag rondjes rennen rond onze hoekbank. Ze waren door het dolle heen en maakten een hoop lawaai. Ik was intussen bezig pas gewassen sokken bij elkaar te zoeken. Ik begon ze zomaar uit het niets te bekogelen met de sokken waar ik net bolletjes van gemaakt had, en te roepen 'Sokkenbommen!' Het sloeg echt nergens op, maar ze herinneren zich nu, vijf of zes jaar later, nog steeds dat idiote spelletje van toen.

Wat ik jarenlang graag deed met Cassidy, toen zij nog een peuter was en haar broers en zusjes al naar school gingen, was haar meenemen naar een koffietentje waar we dan samen een kaartspelletje genaamd Uno speelden. Ik vond het echt heerlijk om zo met z'n tweetjes wat tijd door te brengen. Ik kan een aantal redenen bedenken waarom die momenten zo speciaal voor me waren:

○ Ik was even weg van het huishouden, mijn werk en mijn verantwoordelijkheden.

○ Ik dronk een kop koffie. Zij at een muffin. Wat konden we ons nog meer wensen?

○ Het was niet duur.

○ Het gebeurde vaak spontaan.

○ Het duurde niet lang. We zaten er een halfuurtje en gingen dan weer verder.

O Het gaf een speciaal gevoel dat ik haar al mijn aandacht kon geven.
O Ze had er net de leeftijd voor. Toen ze nog heel klein was paste ik de spelregels een beetje aan door de kaarten voor haar op de tafel te leggen. Later was ze er trots op dat ze zelf in haar hand kon houden, zodat ik ze niet kon zien.

Niet lang geleden was er een sneeuwstorm waardoor in een groot deel van onze regio voor langere tijd de stroom uitviel. Toen de stroomstoring voorbij was, schreven talloze gezinnen me dat die het beste was wat hun in jaren was overkomen! Ze hadden thuis zonder stroom gezeten en er was ook een ver- bod uitgevaardigd om de weg op te gaan, dus ze hadden creatief moeten zijn. Ze hadden zitten kaarten en bordspelletjes gespeeld, dutjes gedaan, elkaar verhalen verteld bij kaarslicht. Ze ruimden sneeuw, maakten sneeuwpoppen en gingen samen sleeën. Ik heb hartverwarmende verhalen gehoord over bu- ren die brandhout, eten en de zorg voor de kinderen met elkaar deelden. Wij moesten onze kampeerspullen gebruiken om 's ochtends koffie te kunnen zetten op de barbecue. Ik denk niet dat mijn kinderen ooit de gelukzalige uit- drukking zullen vergeten die op mijn gezicht verscheen als Adam me mijn koffie bracht.

Mijn schoonouders zijn er uitstekend in geslaagd het kind in zichzelf te be- waren. Adam is pas nog een middag met de kinderen bij ze geweest terwijl ik aan het werk was. Ze speelden bordspelletjes, wandelden in het bos, lazen verhaaltjes, bakten koekjes en speelden verstoppertje. Toen de kinderen maandag op school mochten vertellen hoe hun weekend was geweest, ver- telden ze over opa die in een boom was geklommen om zich te verstoppen, maar een spoor van verkruimelde crackers had achtergelaten zodat ze met- een wisten waar hij zat. Ze hebben me dit verhaal keer op keer verteld, ieder in hun eigen woorden. Hun ogen glommen en ze giechelden bij de herinnering. Die paar uur waarin ze simpele dingen deden met mensen die van ze houden hebben hun leven verrijkt. Daar ben ik echt heilig van overtuigd.

Betekenen deze verhalen dat ik zwelg in nostalgie? Probeer ik vast te houden aan de goede oude tijd? Spelen is voor mij in zekere zin een link met het verle- den, met mijn kindertijd. Maar ik zie het ook als een geschenk. Ik vind het koeste- ren van ervaringen die in onze jachtige cultuur niet meer vanzelfsprekend zijn niet sentimenteel, maar zinvol. Een ouder stelde me met betrekking tot de slow tech-beweging eens de vraag: 'Wat is het nut? Waarom zouden we rustig aan doen terwijl we zo veel mogelijkheden hebben?' Wat een geweldige vraag! Ik kwam niet verder dan dit simpele antwoord: 'Die rustige momenten ZIJN JUIST WAAR HET OM DRAAIT!' Nou ja, ik schreeuwde niet. Ik was niet boos, eerder enthousiast. Ons leven is zoveel mooier als we ons verbonden voelen met ons gezin, onze familie, onze buren en de andere mensen in onze omgeving.

Ik moedig je aan om je af te vragen wat voor jou betekenis heeft. Sinds mijn kinderen baby's waren, heb ik altijd gevonden dat voorlezen, met ze naar buiten gaan en ze bij het spelen zien opgaan in hun fantasie de bijzonderste, waardevolste momenten waren van ons leven samen. Ze maken iets bij me los wat ik alleen maar kan omschrijven als intense vreugde, een soort oergevoel. Op welke momenten met je kinderen ervaar jij dat gevoel? Wat kun je doen om meer ruimte te scheppen voor zulke momenten? Waarbij kan jij wel van de daken schreeuwen: 'DIT IS WAAR HET OM DRAAIT!'? Zoek uit welke dingen dat zijn en doe ze, niet omdat je terugverlangt naar vroeger of bang bent voor de moderne tijd, maar omdat ze voor jou de essentie van het leven zijn.

Smartwise-tip: Games en spelletjes op de smartphone of tablet zijn niet meer weg te denken, dus we zullen ze in ons leven moeten toelaten. Ga eens na wat jouw kinderen zouden doen als ze niet konden gamen. Wat missen ze allemaal? Dit zijn enkele dingen die míjn kinderen niet doen of krijgen als ze aan het gamen zijn:

- ○ Frisse lucht
- ○ Lichaamsbeweging
- ○ Creatief spelen (in de meeste games liggen de verhaallijn en het doel van het spel vast)
- ○ Hun fantasie gebruiken
- ○ Direct contact met leeftijdgenoten
- ○ Nieuwe dingen proberen
- ○ Een gesprek voeren
- ○ Een boek lezen

8

Hoofd omhoog en ogen open

Smartwise: Leven en liefhebben

Mijn iRule: Houd je hoofd rechtop. Let op wat er om je heen gebeurt. Kijk eens uit het raam. Luister naar de vogels. Ga een stukje wandelen. Maak een praatje met een onbekende. Verwonder je over de dingen zonder altijd maar alles te googelen.

Deze laatste punten geven de kernboodschap van mijn iRules-contract weer. Ze vormen een overpeinzing, een gebed en een zegenwens, niet alleen voor mij en mijn eigen gezin, maar voor de hele wereld. Ik hoop dat we altijd onze menselijke verbondenheid en nieuwsgierigheid zullen behouden. Volgens een onderzoek uit 2011 in opdracht van het softwarebedrijf AVG Technologies, zijn er veel meer jonge kinderen die een internetbrowser kunnen starten, een smartphone kunnen gebruiken en computerspelletjes kunnen spelen, dan jonge kinderen die kunnen fietsen, hun veters strikken of zwemmen. Dat is een ontwikkeling waar we niet omheen kunnen. Maar wij kunnen ervoor zorgen dat er naast de snelste en spannendste nieuwe technologie nog ruimte overblijft voor traditionele vormen van spel, voor fantasie, voor dammen en kleuren. Het is is aan ons.

Ik had een gesprek met Lenore Skenazy, schrijfster van het boek *Free-Range Kids*. Volgens haar zijn er talloze manieren waarop het wijdverbreide gebruik van technologie onze kinderen, hun ontwikkeling en hun zelfstandigheid kan beïnvloeden. Ze stelt dat ouders in onze cultuur voortdurend wordt voorgehouden dat kinderen geen moment veilig zijn zonder toezicht, fysiek of elektronisch. De kindertijd verandert daardoor. Zijn onze kinderen buiten ons blikveld in staat om zelf beslissingen te nemen? Zijn ze in staat om verantwoordelijkheid te nemen voor wat ze doen? Kunnen ze inschatten of een boomtak sterk genoeg is om op te zitten, of bedenken dat ze beter niet nog een koekje kunnen nemen, ook als wij niet in de buurt zijn om het aan te vragen of onze toestemming te geven?

Tijdens ons gesprek moest ik denken aan een keer dat Greg toen hij een jaar of elf was met zijn vriendjes naar de film zou gaan. Toen ze bij de bioscoop kwamen, bleek de film die ze wilden zien al uitverkocht. Greg belde me met de mobiele telefoon van een van zijn vriendjes om te vragen wat hij moest doen. Ik antwoordde: 'Ik vertrouw erop dat je zelf wel iets kunt bedenken.' Dat vond hij niet leuk, maar ik wilde echt dat hij zo'n probleem zelf kon oplossen. Toen hij een paar uur later thuiskwam, vroeg ik wat ze hadden gedaan. Hij zei: 'Er draaiden verder alleen maar films voor boven de zestien, dus toen zijn we maar naar de speelhal gegaan.' Ik vond het een uitstekende beslissing. Het was een bemoedigende gedachte dat hij mijn inbreng niet nodig had gehad en op zijn eigen oordeel had vertrouwd. We bewijzen onze kinderen een dienst door ze de kans te geven dit soort vaardigheden te ontwikkelen, en te voorkomen dat de moderne technologie, om het in de woorden van Skenazy te zeggen, gaat fungeren als 'een navelstreng die nooit wordt doorgeknipt'.

Smartphones worden vaak aangeschaft in de veronderstelling dat ze ons als ouders gemoedsrust zullen geven, maar in werkelijkheid worden we alleen maar nerveuzer van het feit dat we onze kinderen altijd en overal kunnen bereiken, en raken we zelfs in paniek als dat een keer niet lukt. Reclamemakers willen ons doen geloven dat de moderne communicatiemiddelen een eerste levensbehoefte zijn waarover we altijd moeten kunnen beschikken. Maar volgens Skenazy kan de moderne technologie ook op een gezonde manier deel uitmaken van het leven van onze kinderen en hoeven we niet bang te zijn dat ze eraan ten onder zullen gaan als we ze laten gamen, chatten of surfen. Het is niet nodig om als ouders huiverig te zijn voor de nieuwe media of ons er schuldig over te voelen. Ze horen gewoon bij deze veranderende tijden.

Ouders, geef het goede voorbeeld!

- Neem je werk niet mee naar huis, waar het ten koste gaat van de tijd met je gezin.
- Leg op gezette tijden je telefoon weg. Laat je er niet toe verleiden om voortdurend 'niet nu' of 'even wachten' tegen je kinderen te zeggen terwijl je online met dringender zaken bezig bent.
- Stel grenzen voor jezelf en houd je daaraan. Zeg vaker dingen als 'Morgen schikt het me beter om te bellen' of 'Ik heb vijf minuutjes'.
- Laat je telefoon thuis en ga erop uit!
- Doe dingen omdat ze leuk zijn voor jou en je gezin, niet omdat ze er leuk uitzien op je Facebookpagina.
- Wees nieuwsgierig. Denk over dingen na. Praat erover. Laat ze bezinken. Probeer niet altijd een antwoord te hebben.
- Wees je bewust van je lichaam. Gebruik je zintuigen. Probeer eens iets langzamer te bewegen, te praten of te ademen dan je gewend bent. Kijk wat er gebeurt.
- Onderbreek je bezigheden als je kinderen tegen je praten, al is het maar één keer op een dag. Luister aandachtig naar wat ze te zeggen hebben, kijk ze in de ogen en wees bedachtzaam in je reactie.

Hoe dit boek mij heeft veranderd

Ik heb een lading boter op mijn hoofd. Ik hoor mezelf telkens 'momentje' of 'even wachten' zeggen tegen mijn kinderen terwijl ik op mijn telefoon door mijn persoonlijke en zakelijke e-mails scroll. *Deze mail moet ik echt beantwoorden. Hier moet ik even rustig voor gaan zitten. Wat een aangrijpend filmpje. Wat een geestig artikel.* Ik kan mijn blik gewoon niet losrukken van dat beeldscherm. Toen ik begon met het opstellen van Gregs iRules en met ouders, kinderen, tieners in gesprek ging over de nieuwe media, werd me wel duidelijk dat ik zelf de daad bij het woord zou moeten voegen. Ik moest de principes van slow tech-ouderschap in mijn eigen leven in de praktijk gaan brengen. Het viel me in dat ik in al die gesprekken en workshops nog nooit een ouder had horen zeggen: 'Ik zou willen dat mijn kinderen meer tijd hadden om te gamen of te chatten.' De meeste ouders en kinderen hunkeren naar meer verbondenheid. Ik wist dat ik dingen anders moest gaan doen en dat zelfs kleine veranderingen al veel verschil zouden maken voor mijn rol als opvoeder en in mijn leven daarbuiten.

Die kleine veranderingen – ik paste mijn gewoontes aan en werd me bewuster van mijn gedrag – hebben een veel betere ouder van me gemaakt. Ik begon in te zien dat we als ouders niet perfect hoeven zijn. We hebben allemaal onze gebreken en krijgen net als onze kinderen te maken met de grote toevloed van nieuwe technologieën. Maar wij kunnen er op een bewuste manier mee omgaan en zo betere rolmodellen worden voor onze kinderen. De moderne technologie is nieuw voor ons allemaal, dus we moeten er samen voor zorgen dat we oog houden voor het belang van echte aandacht voor elkaar. Begin bij jezelf door te bedenken op welke manieren je je eigen gedrag kunt aanpassen. Dat gaat niet vanzelf! Het is zo gemakkelijk om ze je iPhone te geven om een spelletje te doen als ze ergens lang moeten wachten, of ze op de achterbank een dvd'tje te laten kijken. Maar we zijn het aan onze kinderen verplicht om zelf de eerste stap te zetten, om een klein beetje meer afstand te nemen van alles wat een beeldscherm heeft, om eens wat rustiger aan te doen en te werken aan een hechtere onderlinge band. We hoeven de nieuwe media niet uit ons leven te bannen, maar we moeten er wel voor waken dat ze ons leven gaan beheersen.

Mijn eigen veranderingen

Verandering: Geen sociale netwerksites, e-mails of tekstberichten tussen vier uur 's middags (als de kinderen uit school komen) en het moment waarop ze naar bed gaan. Het is moeilijk en lukt niet altijd, maar dat is het streven.

Resultaat: Ik houd me meer met de kinderen bezig. Ik snauw minder. Ik kan ze beter helpen met hun huiswerk. Eten koken doe ik minder gehaast en ik geloof zelfs dat ik er nu meer plezier in heb. Soms draai ik intussen nog gauw even een was of veeg ik de vloer, zodat ik een opgeruimd gevoel heb als iedereen thuiskomt.

Verandering: Het woensdagmiddaguitje! Elke woensdag lopen de jongens na schooltijd naar Adams kantoor en brengen ze de middag met hun vader door. Ik haal de meisjes op zodra ze uit school komen en ga iets leuks met ze doen. We doen iets eenvoudigs, iets wat niet te veel geld kost en waarvoor we niet te ver weg hoeven: een ijsje eten, een bezoekje aan de bibliotheek of een wandeltochtje. Meestal zijn we tegen zessen weer thuis en eten we met z'n allen. Een vaste regel is dat ik mijn telefoon thuis of in de auto laat liggen!

Resultaat: Ik kom even los van het huishouden, mijn werk en de technologie en kan mijn dochters al mijn aandacht geven. Ik word niet afgeleid en ben er volledig voor ze. Het is een leuke onderbreking van de week waar we allemaal naar uitkijken.

Verandering: Ik let op het effect dat mijn mediagebruik heeft op de mensen om me heen.

Resultaat: Ik doe mijn uiterste best om te voorkomen dat ik anderen stoor of ongemak bezorg met mijn gedrag – in het openbaar is, thuis, in de auto of tijdens een gesprek.

Praten met onbekenden

Sommige critici waren er niet over te spreken dat ik Gregory in zijn iRules-contract aanmoedigde om 'eens een praatje te maken met een onbekende'. Voor mij staat 'een onbekende' niet gelijk aan 'moordenaar' of 'pedofiel'. Het ging me om openstaan voor iets nieuws. Ik leer mijn kinderen wel degelijk om op hun gevoel te vertrouwen, op hun hoede te zijn, goed op hun omgeving te letten, hulp te vragen aan anderen als dat nodig is, en om altijd hun gezonde verstand te gebruiken als hun veiligheid waar dan ook in het geding komt. Maar een praatje maken met een nieuwe klasgenoot, een medewerker van een broodjeszaak of iemand in het park is normaal en gezond. Ik vind het belangrijk om mijn kinderen bij te brengen dat iedereen iets te bieden heeft, dat ze van iedereen iets kunnen leren, want dat hoort bij mijn levensfilosofie.

Een van mijn favoriete momenten van de dag is de ochtendwandeling die ik met een van mijn dochters maak. Elke ochtend loop ik voor schooltijd met een van de meisjes een rondje door de buurt. Vanochtend wandelde ik met Lily. We hadden de honden meegenomen en kwamen een oudere man uit de buurt tegen die zijn hond aan het uitlaten was. Ik had hem al vaak zien lopen met zijn kleine hondje, maar nog nooit met hem gepraat. Vandaag bleven Lily en ik een minuut of tien staan om een praatje met hem te maken. Hij vertelde dat zijn hond eikels had gegeten en daar ziek van was geworden, en verzuchtte dat een bezoek aan de dierenarts tegenwoordig zo in de papieren liep. Hij stelde vragen over onze honden – trok die grote witte niet erg aan de riem, en hoe oud was onze puppy? We bleven nog even in het zonnetje staan kletsen en liepen toen verder. Ik voelde me na afloop van dat gesprekje op de hoek van de straat iets meer verbonden met mijn omgeving, en ik was blij dat Lily een nieuw gezicht in de buurt had leren kennen.

Toen Gregory op de kleuterschool zat, vond hij het altijd leuk om over sport te praten met een paar vaders die vaak op het schoolpleintje kwamen. Ik kende die vaders niet, maar Greg kreeg een band met ze vanwege hun gedeelde interesse. Ik vond het leuk om dat vijfjarige ventje te zien keuvelen met die mannen alsof hij er helemaal bij hoorde. Het beviel me dat hij de wereld met genoeg vertrouwen tegemoet trad om spontaan met anderen aan de praat te raken. Ik had hem daar niet toe aangezet en bemoeide me er ook niet mee. Het was veel te leuk om gewoon toe te kijken. Ik hoop dat hij dat vertrouwen altijd zal vasthouden, dat hij weet dat er overal mensen zijn die graag in contact willen komen en iets van zichzelf willen delen.

Smartwise-tip: Het geeft niet als ze zich vervelen! Het is nergens voor nodig om zodra ze even niets te doen hebben meteen de iPad of de spelcomputer tevoorschijn te halen. Verveling voedt de creativiteit en de fantasie – bij kinderen en tieners, maar ook bij volwassenen. Maak voor elk gezinslid een lijstje van positieve kanten en suggesties voor het geval ze zich vervelen (of tegen hun zin offline zijn). Wat zou je kunnen gaan doen? En draai de vraag ook eens om: wat zou er gebeuren als we ons nooit verveelden en altijd beziggehouden werden? Welke ervaringen zouden we dan mislopen?

Smartwise: Wees niet bang om fouten te maken. Je bent ook maar een mens!

> **Mijn iRule:** Je gaat geheid een keer in de fout. Dan pak ik je telefoon af, we praten erover en beginnen opnieuw. Jij en ik moeten dit allebei leren, met vallen en opstaan. Ik sta aan jouw kant, we doen het samen.

Dit is waar opvoeden over gaat. Dit punt uit het contract kan gelden in opvoedsituaties met kinderen van alle leeftijden, van tweejarigen die nog zindelijk moeten worden tot bijna volwassen tieners. Het strekt veel verder dan de nieuwe media; het geeft weer wat het betekent om een goede, betrokken ouder te zijn.

De vraag die ik het meest krijg over het contract, is of het werkt. Met Greg werkt het tot nu toe, maar ik twijfel er niet aan dat hij een keer de mist in zal gaan. Hij zal vroeg of laat een keer mijn vertrouwen schenden of zich tegen de regels gaan afzetten, zeker als het nieuwtje eraf is en hij niet meer zo vol is van zijn cadeau. En ik hoop dat ik er dan achter kom! Ik hoop dat ik erbij ben om maatregelen te nemen en hem te helpen om van zijn fouten te leren. Greg heeft zijn iPhone en zijn iRules-contract nu een jaar, en tot op heden heeft hij zich van zijn beste kant laten zien. Hij heeft zich aan onze afspraken gehouden.

Een lerares bedankte me voor het feit dat ik het oorspronkelijke iRules-contract in de publiciteit had gebracht. Ze zei het idee te hebben dat het voor veel ouders het een of het ander is: ze proberen perfecte ouders te zijn óf ze proberen het hun kinderen altijd naar de zin te maken. Ze zag het contract als een aansporing om geen van beide na te streven, maar nuchter en realistisch te zijn. In de hoop dat het iets zou zijn waar ze in hun rol als opvoeders op konden terugvallen, bracht ze het onder de aandacht van de ouders van haar leerlingen en mailde ze het rond aan collega's.

Nu Greg ouder wordt en verandert, blijkt dit punt uit het contract ook steeds meer van toepassing op andere huisregels. Wat ik wil is niet een perfect kind, maar een kind dat wanneer hij het moeilijk heeft naar me toe kan komen zonder zich te schamen, in de wetenschap dat ik onvoorwaardelijk van hem houd. Ik wil dat hij weet dat zijn moeder zijn trouwste bondgenoot is. Ik zal altijd hoge eisen aan hem stellen omdat ik geloof in zijn talenten, maar ik zal er altijd zijn om hem overeind te helpen als hij onderuitgaat. Samen kunnen we ons overal doorheen slaan.

Ik hoor weleens verhalen over kinderen die een foute beslissing namen of online in de problemen kwamen en veel te lang wachtten met het vragen van hulp aan een volwassene die ze vertrouwden. Ze schaamden zich, ze waren bang, ze wisten niet wat ze moesten doen en dus deden ze maar niets. Daarmee maakten ze het zichzelf onnodig moeilijk. Ze hoopten dat het probleem vanzelf weg zou gaan of dachten het zelf wel te kunnen oplossen. Dus alsjeblieft, ouders, druk je kinderen op het hart dat ze altijd bij je terecht kunnen, ongeacht de situatie waarin ze zich bevinden. Laat ze niet in hun eentje aanmodderen met de nieuwe media. Vertel ze dat keer op keer. Wees duidelijk: *'Wat je ook doet, online of in het echte leven, als je in moeilijkheden komt dan help ik je erdoorheen. Ik vind het misschien niet leuk en het zal mogelijk gevolgen voor je hebben, maar ik zal er altijd voor je zijn. Denk nooit dat je er alleen voor staat.'*

Ik heb ik weet niet hoeveel ouders gevraagd: 'Wat wil je je kind beslist meegeven over de nieuwe media?' Daar kreeg ik natuurlijk de meest uiteenlopende antwoorden op, van 'Als je niet wilt dat je moeder [of je oma of je kleine zusje] iets leest, schrijf het dan niet' en 'Denk eraan dat je niets van wat je online zet kunt terugnemen' tot 'Behoud je zelfrespect'. Maar wat ik steeds weer hoorde, van bijna alle ouders, was: 'Praat met ons. Kom naar ons toe. We zijn er voor je, wat er ook gebeurt. We zullen je helpen. We houden onvoorwaardelijk van je. Samen komen we er altijd wel weer uit.' Laat deze dingen duidelijk tot uitdrukking komen in je iRules-contract.

Het virale effect van mijn iRules

Toen ik Gregs iRules-contract online zette waren de reacties overweldigend. We werden bedolven onder aanvragen voor interviews en mediaoptredens, e-mails en discussies. Greg en ik genoten er met volle teugen van om er samen tijd en energie in te steken en de buitenwereld een inkijkje in ons dagelijks leven te geven. Zijn vrienden stonden achter hem, zijn leraren waren vol lof en de leden van zijn basketbalteam noemden hem 'Hollywood'. De gekte duurde al weken toen Greg naar me toe kwam en zei: 'Ik snap nog steeds niet wat er nou zo interessant aan is. Wanneer vragen ze eens iets nieuws? Ik geloof dat ik er wel klaar mee ben.' En vanaf dat moment gingen we weer ieder onze eigen weg. Ik zette het debat over opvoeden, nieuwe media en respect voort op grotere podia, en Greg bracht het contract weer terug tot zijn alledaagse dimensie.

Toen ik het iRules-contract opstelde, verwachtte ik noch dat ik het zou moeten verdedigen, noch dat het zou worden bejubeld. Greg zei in een interview: 'Dit contract is gewoon typisch iets voor mijn moeder,' en hij had gelijk. Ik werd bestookt met kritiek: 'Autoritair!' 'Streng!' 'Achterhaald!' En ik werd overladen met complimenten: 'Geweldig!' 'Grappig!' 'Eigentijds!' Meer dan ooit moest ik zeker van mijn zaak zijn, vasthouden aan mijn eigen waarheid en me niet laten beïnvloeden door de bijval of afkeuring van anderen. De gekte rond mijn iRules-contract heeft me sterker gemaakt. Mijn hoofd is helderder. Mijn stem krachtiger. Zonder erop voorbereid te zijn moest ik ten overstaan van de hele wereld opkomen voor mijn gezin en ons geloof in oprechtheid en integriteit.

Toen die gekte net was begonnen, lag ik er 's nachts wakker van, mijn hoofd tollend van alle media-aandacht. Waarom deed dit alles er zo veel toe? Hoe kwam het dat het contract zo'n enorme impact had? Was het niet krankzinnig om mezelf en mijn gezin zo in de schijnwerpers te zetten? Toen de dagen overgingen in weken en daarna in maanden begon ik het steeds helderder te zien. Actief ouderschap is van het grootste belang, betrokken zijn bij ons gezin is essentieel. Onze kinderen zelfrespect bijbrengen, ze leren om rekening te houden met elkaar, streven naar echte verbondenheid met elkaar en de mensen in onze omgeving, dat is het hoogste goed. We worden sterker als we erop vertrouwen dat we weten wat het beste is voor ons gezin, zelfs als we dingen anders aanpakken dan anderen.

Het contract werd voor mij een aanmoedigingskreet aan alle ouders om in zichzelf te geloven, op zoek te gaan naar antwoorden, de druk om perfect te zijn van zich af te gooien, zich van hun zachte kant te laten zien, niet bang te zijn om voor gek te worden versleten en zich er met hart en ziel voor in te zetten om evenwichtige, weldenkende mensen groot te brengen. Die boodschap kwam vanuit mijn hart. De liefde voor onze kinderen geeft ons de moed om met elkaar op verkenningstocht te gaan door het onbekende, nieuwe, reële terrein van de technologie. Het is onze plicht als ouders om de uitdaging aan te gaan en voorop te lopen als we ons met onze kinderen op dat pad begeven.

Dus ga je gang, maak fouten. Echt. Ga het gesprek aan met je kinderen en maak een iRules-contract. Stuntelen is toegestaan. Voel je maar opgelaten als je over porno, naaktfoto's of cyberpesten praat. Laat het rustig ongemakkelijk zijn. Verdiep je in sociale netwerksites, maak accounts aan, volg je kinderen online. Dan vinden ze het maar stom. Treed op tegen taalgebruik dat je niet bevalt, selfies die je onacceptabel vindt en online gedrag dat niet door de beugel kan. Weet wat er in je gezin speelt. Stop die vermaledijde apparaten weg, ook als het je moeite kost en je je e-mails niet kunt beantwoorden en je dochter niet meer tegen je praat. Ze draait wel weer bij. Dat is precies waar het om gaat. Laat broers en zussen met elkaar overhoop liggen, te veel herrie en te veel rotzooi maken. Accepteer de onvolmaaktheden die horen bij het grootbrengen van een gezin. Neem je kinderen, groot of klein, bij de hand en druk ze aan je hart. Breng ze alles bij wat voor jou belangrijk is. Lees ze voor. Dans met ze. Speel met ze. Ga met ze naar het park, neem de tijd om samen te eten, kijk elkaar in de ogen. Maak contact. Praat met andere ouders. Bouw je eigen dorp. Wees aandachtig. Luister. Zet je contract volledig naar jouw hand. Zie af en toe iets door de vingers, maar houd voet bij stuk als je voelt dat het nodig is. Wakker veerkracht, dankbaarheid en de bereidheid om ergens voor te werken in ze aan. Wees vergevingsgezind. Vertrouw op je intuïtie. Vertrouw je kinderen. Wees er voor ze, elke dag weer. Op sommige dagen zal je je daar vol overgave voor inzetten, op andere zal het huilen je nader staan dan het lachen. Maar op de meeste dagen zal het je vreugde geven, als je maar de tijd neemt om je daarvoor open te stellen. De enige fout die je kunt maken, is denken dat je alleen het gebruik van de nieuwe media in goede banen hoeft te leiden. Nee,

Leven met iRules

Het Hofmann-vijftal aan het woord

Greg: Ik denk dat ik de dingen die in het contract staan anders ook wel had gedaan. Je had ze waarschijnlijk niet hoeven opschrijven. Maar het maakte me wel duidelijk dat ik er op het gebied van de nieuwe media niet alleen voor sta. Ik vind het niet moeilijk om me aan de regels te houden, omdat we ze samen hebben afgesproken. Ze passen bij ons gezin en zijn me niet opgedrongen zoals een dictator zou doen. Ik zou er niets aan veranderen, maar het zou wel handig zijn als ik op school mijn iPhone bij me had voor het geval dat mijn plannen veranderen. Dan kon ik je gewoon bellen en hoefde ik niet naar de administratie te gaan. Maar zelfs dat is niet echt belangrijk. Echt, mam, eigenlijk gaat het allemaal over respect. Respect tussen mij, jou en papa en tussen mij en mijn vrienden. Verder stelt het echt niet zo veel voor.

Brendan: Het is niet moeilijk om me aan onze regels te houden. De games die niet mogen zijn voor zestien jaar en ouder, maar ik ben elf dus ik weet wel dat ik die toch niet mag spelen. En ik heb trouwens veel leukere spellen, zoals Minecraft, NBA Live, Madden NFL en FIFA. Volgens papa zijn een heleboel van die games [voor zestien jaar en ouder] niet goed voor me, dus doe ik maar wat hij zegt. Ik mag ook geen instant messengers of sociale netwerken gebruiken op mijn iPod. Daar baal ik soms van omdat iedereen het erover heeft.

Noem eens een paar beeldschermregels waar jullie je aan moeten houden?

Ella, Lily en Cassidy

○ Geen spelletjes op schooldagen, alleen in het weekend.

○ Niet stiekem de iPad, Brendans iPod of de smartphone van mama, papa of Greg pakken.

○ Niet te lang spelletjes doen, want daar krimpen je hersens van en je kunt er ziek van worden.

○ Niet aan mama's computer komen als ze een boek aan het schrijven is.

○ De boeken op mama's iPad op de pagina met de bladwijzer laten staan. Niet van hoofdstuk 7 naar hoofdstuk 9 bladeren door steeds op het hoekje te klikken.

○ Alleen spelletjes, liedjes en filmpjes die papa en mama ook kennen. Een heleboel dingen zijn niet leuk voor kinderen, omdat ze grof of gemeen of saai of bloederig zijn.

○ Geen telefoon gebruiken in het verkeer. Dat mag mama zelf ook niet. Ze moet het aan ons vragen als ze in de auto een bericht wil sturen, zoals 'Tante Kiki, neem wat te eten mee'. En we mogen alleen berichtjes met mama's telefoon sturen als zij het zegt, want ze kan er toch achter komen als we dat wel hebben gedaan.

○ Niet tegelijk tv-kijken en met de iPad spelen.

○ Papa en mama om toestemming vragen als we een nieuw spelletje willen. Brendan moet het wachtwoord typen.

○ Niet verslaafd raken.

beste lezer, je bent een opvoeder. Maak jezelf niet onzichtbaar, maar neem je verantwoordelijkheid ten opzichte van je kinderen. Jij bent de enige die weet hoe dat moet.

Het werkboek

Je kunt dit laatste deel van het boek gebruiken als een hulpmiddel om je ei-gen invulling te geven aan het iRules-concept. Het is een praktische gids die je er af en toe op kunt naslaan terwijl je kinderen groter worden en de technologie verandert. Ik heb er een begrippenlijst aan toegevoegd waarin veel-gebruikte termen op het gebied van de nieuwe media worden verklaard, en een overzicht van enkele populaire websites.

De basisprincipes

Respect
Wees vriendelijk, spreek de waarheid, kom op voor wat goed is, werk aan posi-tieve relaties, eet gezond, ga op tijd naar bed, geloof in jezelf, wees dapper, geef het goede voorbeeld.

Verantwoordelijkheid
Zeg 'alstublieft' en 'dank u wel', kijk mensen aan, werk hard, wees dankbaar voor wat je hebt, houd je familie in ere, leg de lat hoog, wees betrokken, denk na bij wat je doet.

Leef!
Maak plezier, ga naar buiten, doe eens gek, durf fouten te maken, creëer, fanta-seer, wees nieuwsgierig, kijk om je heen, maak je nuttig, geef iets terug.

De basisbegrippen

iRules-contract: Een verzameling regels voor gedrag dat te maken heeft met het gebruik van nieuwe media. Ze moeten aansluiten bij de normen, opvoedstijl en behoeftes van het gezin. Elk gezin moet daarom zijn eigen iRules opstellen en die afstemmen op de leeftijd van de kinderen en de verschillende technologieën die ze gebruiken.

Slow tech-ouderschap: Opvoeden volgens principes die uitgaan van een bewuste levenshouding, een evenwichtig gebruik van moderne technologie en de waarden en opvattingen van het gezin. Slow tech-ouderschap is erop gericht persoonlijk contact en onderlinge verbondenheid in het dagelijks leven te bevorderen en te voorkomen dat de nieuwe media het gezinsleven gaan domineren.

iRules opstellen – Het recept voor succes

○ Inventariseer de nieuwe media die bij jouw thuis worden gebruikt. Welke vormen van moderne technologie gebruiken je kinderen?

○ Wat is jouw relatie met de nieuwe media – ben je een beginner, een ervaren gebruiker of ben je eraan verslaafd? Weet je van alle media die je kinderen gebruiken hoe ze werken?

○ Maak een lijst van alle accounts die ze bij jouw weten hebben – gamesites, Instagram, Twitter, Facebook, Snapchat, e-mail, Whatsapp... Weet je het niet zeker, vraag het dan!

○ Zijn er accounts bij die beveiligd zijn met een wachtwoord? Zo ja, wil je de wachtwoorden weten?

○ Wanneer gebruiken ze de verschillende nieuwe media?

○ Hoe gedragen ze zich als ze moderne technologie gebruiken?

○ Merk je dat er bij bepaalde vormen van mediagebruik sprake is van meer verandering in hun gedrag dan bij andere?

○ Doen je kinderen geheimzinnig of zijn er eerder problemen geweest met hun mediagebruik?

○ Hanteer je al regels of afspraken? Zie je erop toe dat ze worden nageleefd? Werken ze?

○ Waaraan wordt in jouw gezin, afgezien van de moderne technologie, veel waarde gehecht? Schoolprestaties? Sport of andere buitenschoolse activiteiten? Buitenspelen? Gezond eten? Lezen? Muziek?

○ Heeft hun mediagebruik een negatief effect op schoolprestaties, huishoudelijke taken of andere verantwoordelijkheden? Hoe groot is het belang dat ze eraan hechten?

○ Stel vast waar en wanneer het gebruik van smartphones, tablets of spelcomputers niet is toegestaan, bijvoorbeeld tijdens het eten, in de kerk, tijdens familiebezoek, in openbare gelegenheden, als er vriendjes over de vloer zijn, op school of in het verkeer.

○ Wie betaalt de kosten van een apparaat? Wie is er verantwoordelijk als een apparaat kapotgaat?

○ Geldt er een tijdslimiet met betrekking tot het gebruik van bepaalde apparaten? Zie je toe op naleving daarvan?

○ Wanneer moet een apparaat thuis gelaten of uitgezet worden? Wil je vastleggen dat apparaten op bepaalde dagen of tijdstippen niet mogen worden gebruikt?

○ Bedenk hoe je wilt omgaan met leeftijdsindicaties op games, en welke apparaten en programma's je geschikt acht voor de leeftijd van je kind.

○ Welke aspecten van de nieuwe media baren je zorgen? Weet je hoe je instellingen voor ouderlijk toezicht kunt gebruiken en licht je je kinderen voor over privacy-instellingen?

Bespreek deze kwesties met je partner en de andere volwassenen die actief betrokken zijn bij de opvoeding van je kinderen. Probeer tot overeenstemming te komen over beeldschermregels die werkbaar zijn voor jouw gezin, zowel binnens- als buitenshuis. Betrek je kinderen op een weloverwogen manier bij het gesprek. Zorg dat er sprake is van een dialoog. Stel vragen en geef je kinderen ook de ruimte om vragen te stellen. Praat over dingen die jullie graag doen, en over de plaats die ze in jullie leven innemen. Vraag hoe belangrijk de nieuwe media voor ze zijn. Leg het idee om iRules op te stellen aan ze voor en vertel ze dat het jou erom te doen is hen te beschermen en te respecteren. Benadruk dat de regels zijn opgesteld vanuit liefde en vertrouwen, maar dat jij de verantwoordelijkheid hebt om ze goed met de moderne technologie te leren omgaan. Stem de iRules af op de verschillende leeftijden, karakters en behoeftes van je kinderen. Bepaal wat de consequenties zullen zijn als ze zich niet aan de regels houden.

Overweeg ook voor jezelf iRules op te stellen. Neem je regelmatig je werk mee naar huis? Slokken sociale netwerksites al je aandacht op? Laat je je continu afleiden door tekstberichten? Bedenk dat jouw gewoontes met betrekking tot de nieuwe media een voorbeeld zijn voor je kinderen. Houd je iRules levend door er vaak op terug te komen. Bespreek wat er wel en niet werkt. Laat vrienden en buren weten aan welke regels je kinderen zich moeten houden, ook als ze bij hen over de vloer komen. Blijf je regels bijstellen naarmate je kinderen ouder worden en de technologie verandert. Leun niet achterover. Actief opvoeden is hard werken!

Voor je erover begint

○ **Werk samen!** Om beeldschermregels te laten werken is het van groot belang dat iedereen die bij de opvoeding van je kinderen betrokken is op één lijn zit. Dat is absoluut noodzakelijk. Het staat of valt met samenwerking!

○ **Maak je je druk?** Ga eens na welke gevoelens verschillende nieuwe media bij jou oproepen. Sta stil bij die gevoelens, zodat je je bij het bepalen van grenzen bewust blijft van welke emotionele lading daar voor jou achter zit.

○ **Benoem je angsten!** Ben je huiverig voor de moderne technologie in huis? Waar ben je precies bang voor? Schrijf het op!

○ **Maak een profiel van je kind.** Denk na over hoe je kind in elkaar zit. Maak een overzicht van zijn of haar leeftijd, interesses, voorkeuren, persoonlijke eigenschappen, moeilijkheden, enzovoort. Dat zal je helpen te bepalen hoe jouw iRules eruit moeten zien.

Klaar om te praten?

Leg alle apparaten (ook die van jou!) aan de kant en ga met je kind om de tafel voor een gesprek.

Fase 1: Verzamel informatie

O Welke media gebruik je?

O Kun je me laten zien hoe ze werken, en mij iets leren over de media die ik niet ken?

O Mag ik je online profiel zien?

O Wanneer zit je hier graag op en waarom?

Fase 2: Formuleer je verwachtingen

O Vertel voor elk medium wat jij verstaat onder passend gebruik, bijvoorbeeld wat betreft tijdslimieten, verwachtingen, enzovoort.

O Maak duidelijk waar je grenzen liggen met betrekking tot beeldschermgebruik.

O Gesprekken over beeldschermgebruik kunnen plaatsvinden wanneer en zo vaak jij dat wilt.

O Wees duidelijk en direct, maar laat ruimte voor het stellen en beantwoorden van vragen.

Fase 3: Kom erop terug!

O Blijf praten. Wacht niet tot zich een crisis of meningsverschil voordoet. Praat regelmatig over beeldschermgebruik om de communicatie op gang te houden.

O Heeft je kind toen het naar de brugklas ging een nieuw account op een sociaal netwerk aangemaakt, of bijvoorbeeld een iPad gekregen? Ga dan opnieuw om de tafel.

O Merk je een gedragsverandering op of vermoed je dat je kind zonder toestemming games speelt waar jij je niet prettig bij voelt? Voer dan een vervolggesprek.

Smartwise-tip: Je kunt het beste met elk kind afzonderlijk in gesprek gaan over beeldschermgebruik. Maar misschien wil je ook regels instellen die voor iedereen gelden. Ga eventueel met het hele gezin om de tafel om dergelijke huisregels te bespreken.

Beoordeel voor je iets aanschaft of je kind eraan toe is

Voorbeeldvragen die je jezelf kunt stellen:

○ Vervult mijn kind zijn/haar taken in huis?

○ Haalt hij/zij goede cijfers op school?

○ Kan hij/zij met verantwoordelijkheid omgaan?

○ Hebben we vaak meningsverschillen over nieuwe apparaten, apps, websites, enzovoort?

○ Zal dit nieuwe medium ons meer onenigheid dan plezier opleveren?

○ Stem ik alleen toe omdat al zijn/haar leeftijdgenoten het ook hebben?

○ Hoe zal hij/zij dit nieuwe medium gebruiken? Is toegang tot dit medium een noodzaak of een privilege?

Bijdragen

Wat zijn jouw gedachten en idealen over het op waarde schatten van materiële bezittingen? Op welke manieren dragen je kinderen bij aan de dagelijkse routine in jouw huishouden? Geef aan welke bijdrage je op basis van jouw overtuigingen van je kinderen verwacht met betrekking tot de apparaten die ze bezitten. Bedenk wat de waarde is van de apparaten in je huis en wat je kind in ruil daarvoor doet. De onderstaande invuloefening kan helpen om te bepalen of je tevreden bent over de bijdragen die je kinderen leveren in ruil voor hun technologische privileges.

Technologische privileges

Financiële bijdrage van mijn kind aan apparaten: _____

_____

Naschoolse activiteiten van mijn kind: _____
Financiële bijdrage van mijn kind aan deze activiteiten: _____

_____

Bijdrage van mijn kind aan het huishouden: _____
Financiële vergoeding voor die bijdrage: _____
Ben ik tevreden met de inbreng van mijn kind? _____

Wachtwoorden

Kennis van de wachtwoorden van online accounts stelt je in staat om je kinderen bescherming te bieden in de wereld van sociale netwerken en online communicatie, waarin het nogal eens aan toezicht ontbreekt.

O   Maak een lijstje van alle online accounts die je kind heeft.
O   Heb je van allemaal de wachtwoorden?
O   Weet je hoe ze werken en waar je binnen de accounts moet zoeken
    voor het geval het nodig is ze te bekijken? Zo niet, maak je dan
    vertrouwd met de toepassingen die je kind gebruikt. Blijf op de hoogte.
    Is je kind actief op Twitter, neem dan een Twitteraccount. Volg elkaar.
O   Zorg dat je online even aanwezig bent als in het echte leven.

Omgangsvormen en goede manieren

O   Ga na welke eisen je stelt aan de manier waarop je kinderen in het
    dagelijks leven met anderen omgaan. Pas dezelfde principes toe op het
    gebruik van de nieuwe media.
O   Maak een lijst van gevallen waarin je je hebt gestoord aan de manier
    waarop anderen met de nieuwe media omgingen.
O   Vraag je kinderen of zij weleens zoiets hebben meegemaakt. Kunnen ze
    nog meer voorbeelden geven?
O   Verwerk jouw normen en waarden met betrekking tot goede manieren
    in je iRules, zodat je kinderen die zullen naleven.

School

Het is belangrijk om jezelf de volgende vragen te stellen wanneer je beslist of een apparaat wel of niet mee mag naar school:

○ Hoe doet mijn kind het op school?
○ Zal het mee naar school nemen van een mobiel apparaat daar invloed op hebben?
○ Raakt mijn kind snel door het apparaat afgeleid?
○ Wat is het schoolbeleid op dit gebied?

Zeg dit over selfies!

○ Ik wil je ogen zien.
○ Ik wil je gezicht zien.
○ Ik wil je zien lachen.
○ Ik wil geen foto's van verwondingen zien.
○ Ik wil geen ongepaste poses of intieme lichaamsdelen zien.
○ Op elke selfie die je post moet je gezicht te zien zijn – dat is wie je bent!

Help! Een naaktfoto!

Is je kind de afzender of de ontvanger van de foto? Bereid je er afhankelijk daarvan op voor een aantal van de volgende vragen te stellen:

○ Hoe kom je aan deze foto?
○ Waarom heb je deze foto verstuurd?
○ Vindt de persoon op de foto het goed dat jij die in je bezit hebt?
○ Heeft de persoon op de foto die zelf aan jou gestuurd, of heb je hem van iemand anders ontvangen?
○ Heb je deze foto verder nog met iemand gedeeld?
○ Ben je onder druk gezet om deze foto te versturen?

Ga vervolgens met je kind om de tafel.

○ Zorg voor een veilige, vertrouwelijke sfeer.
○ Stel de bovenstaande vragen. Zorg dat je erachter komt hoe de vork in de steel zit.
○ Wijst wat je kind je vertelt erop dat er sprake is van misbruik, kom dan onmiddellijk in actie. Neem de smartphone of tablet in beslag en

schakel zo nodig de politie in (dat wil zeggen: als er sprake is van contact tussen een minderjarige en een volwassene of een leeftijdgenoot die hij of zij niet kent, of als er sprake is van dwang, afpersing of cyberpesten). Zoek professionele hulp als je niet weet wat je moet doen.

O Wijst wat je kind je vertelt erop dat er spake is van wederzijdse instemming door leeftijdgenoten, bepaal dan aan de hand van de omstandigheden wat er moet gebeuren. Dat kan bijvoorbeeld betekenen dat je de foto('s) wist, om excuses vraagt, met de ouders van het andere kind gaat praten en/of de risico's en gevolgen bespreekt met je kind.

Zo blijven wij in het nu

O We hebben vaste technologieloze tijden ingesteld.

O We praten veel met elkaar.

O We spreken elkaar aan op verkeerd gedrag.

O In het weekend mogen de kinderen zich 's ochtend helemaal uitleven op de iPad, Xbox of smartphone.

O Op bepaalde momenten zetten we onze telefoons uit of in de 'niet storen'-stand.

O We hebben veel andere interesses. Dat houdt ons alert en betrokken.

Tips om ontevredenheid te voorkomen

O Dankbaarheid is besmettelijk. Wees dankbaar voor alle goede dingen.

O Houd dagelijks of wekelijks een dagboek bij van dingen waar je dankbaar voor bent.

O Zeg dagelijks positieve dingen over de mensen in je omgeving.

O Houd je kinderen voor in wat voor geweldig huis ze wonen.

O Zeg positieve dingen over de gemeenschap waarin je leeft, de scholen, de regio.

O Ga naar buiten.

O Stel doelen voor de toekomst.

Begrippenlijst

Hieronder vind je een beknopte uitleg van een aantal populaire termen, apps en websites die in dit boek voorkomen.

App: een computerprogramma voor mobiele apparaten met een specifieke functie.

Creeper: iemand die veel tijd doorbrengt op sociale netwerken zonder zelf iets te posten, of ongepaste reacties plaatst en zich als buitenstaander in gesprekken mengt. De benaming wordt ook gebruikt voor ouders die hun eigen en andermans kinderen in de gaten houden om erachter te komen wat tieners onderling zoal bespreken.

E-toxen: het gedurende een bepaalde periode bewust mijden van de nieuwe media; ook wel digitaal dieet genoemd.

Facebook: een sociale netwerksite waar gebruikers een eigen pagina hebben en berichten kunnen uitwisselen met andere gebruikers, mits deze als 'vriend' zijn geaccepteerd.

Facebook-tijdlijn: een pagina in het profiel van een Facebook-gebruiker die zowel zijn/haar eigen posts als die van zijn/haar vrienden toont.

Hashtag: een woord of woordgroep in een tweet, voorafgegaan door een hekje (#), waarmee naar een trend of populair onderwerp wordt verwezen. Wordt een hashtag aangeklikt, dan worden alle andere posts op Twitter getoond waarin dezelfde hashtag is gebruikt.

Instagram: een sociale netwerksite waar foto's en filmpjes kunnen worden bewerkt en gepost, waarna anderen erop kunnen reageren. Gebruikers kunnen kiezen of hun profiel voor iedereen of alleen voor bepaalde gebruikers zichtbaar is.

Kik Messenger: een app voor smartphones en iPods waarmee tekstberichten kunnen worden uitgewisseld.

Like: een uiting van waardering voor een post op Facebook. Een like wordt gegeven door de knop 'Vind ik leuk' aan te klikken.

Notificatie: een melding aan een gebruiker van een sociaal medium dat hij/zij een nieuw bericht heeft ontvangen.

Online game: een computerspel dat via een internetverbinding wordt gespeeld. Als er meerdere spelers zijn kunnen deze elkaar meestal horen.

Privébericht: een bericht dat rechtstreeks tussen gebruikers van een sociale netwerksite wordt uitgewisseld en niet zichtbaar is voor anderen; ook wel direct message genoemd.

Profielfoto: een foto die geplaatst wordt bij een gebruikersprofiel op een sociale netwerksite.

Retweet: een tweet die door een ontvanger is doorgestuurd naar zijn/haar eigen volgers.

Screenshot (of schermafbeelding): een afbeelding van wat er op een bepaald moment op het beeldscherm van een computer of mobiel apparaat te zien is.

Selfie: een zelfportret dat gewoonlijk wordt gemaakt met een smartphone en daarna op een sociale netwerksite wordt geplaatst.

Sexting: het versturen van seksueel getinte tekstberichten of foto's.

Snapchat: een app waarmee foto's kunnen worden gedeeld, die vervolgens maar een paar seconden zichtbaar zijn voor de ontvanger. Snapchat wordt ook wel de 'sexting-app' genoemd omdat er vaak seksueel getinte afbeeldingen mee worden verstuurd.

Status-update: een nieuwe toevoeging aan een Facebook-profiel.

Subtweet: een tweet waarin naar iemand wordt verwezen zonder dat diegene bij naam wordt genoemd.

Tweet: een bericht op Twitter, dat uit maximaal 140 tekens bestaat.

Twitter: een sociale netwerksite waarop gebruikers berichten van maximaal 140 tekens kunnen posten. Een gebruikersprofiel kan als 'privé' worden ingesteld om berichten alleen zichtbaar te maken voor bepaalde gebruikers.

Vine: een app waarmee filmpjes van maximaal zes seconden kunnen worden gemaakt en vervolgens gedeeld via Twitter, Facebook of e-mail.

Xbox Kinect: een toevoeging aan de Xbox 360-spelcomputer die het mogelijk maakt om deze te besturen met bewegingen en gesproken opdrachten.

De camera van de Xbox Kinect kan ook worden gebruikt om foto's te maken en te videochatten.

Xbox Live: een internetdienst die gebruikers van de Xbox 360-spelcomputer in staat stelt om online met elkaar te gamen.

Online sociale netwerken en berichtendiensten die populair zijn onder jongeren 2014/2015

Facebook	FaceTime
Twitter	Whatsapp
Instagram	Kik Messenger
Vine	Ask.fm
Snapchat	Xbox Live

Veelgebruikte afkortingen bij online communicatie

asap: as soon as possible (zo snel mogelijk)

bff: best friends forever (vrienden voor altijd)

brb: be right back (ben zo terug)

em of **eml:** e-mail

fb: Facebook

ff: even

hgh: hoe gaat het

hvj: hou van je

ic: I see (ik begrijp het)

idd: inderdaad

iig: in ieder geval

ily(2): I love you (too) (ik hou (ook) van jou)

lol: laughing out loud (ik lach hardop)

olm: ouders lezen mee

omg: oh my God (o mijn god)

rt: retweet

w8: wacht

wrm: waarom

wtf: what the f***

yt: YouTube

Dankwoord

Spreken, schrijven en een debat op gang brengen over opvoeden en nieuwe media, heb ik gedaan vanuit mijn diepste overtuigingen over ouderschap en het grootbrengen van kinderen. Ik begreep zelf niet altijd wat maakte dat ik me daartoe geroepen voelde en me er met hart en ziel aan wijdde. Het iRules-contract dat ik voor Greg maakte, was een spiritueel geschenk. Ik zette mijn ideeën en gedachten op papier en deelde ze met anderen, en die simpele daad leidde tot iets heel bijzonders. Ik weet nog steeds niet precies hoe, maar ik ben ervan overtuigd dat het kwam doordat ik sprak vanuit mijn hart. Met het opstellen van deze gigantische lijst van mensen aan wie ik dank verschuldigd ben, is er een last van mijn schouders gevallen, aangezien ik hun namen gedurende het schrijven van dit boek steeds met me heb meegedragen. Ik wil ze stuk voor stuk noemen, ze zwart op wit zetten, zodat je weet dat ze onmisbaar zijn geweest voor de totstandkoming van *Smartwise opvoeden*. En voor mij.

Aan mijn professionele dorp

Ik ben dank verschuldigd aan Farah Miller, mijn redacteur van *The Huffington Post*, omdat ze talloze keren mijn werk heeft nagekeken en het iRules-contract vleugels heeft gegeven. Aan Ben Johnson van *Marketplace Tech*, omdat hij me een vaste plek op de radio heeft gegeven en me steeds het gevoel gaf dat ik met een oude vriend praatte. Aan Fauzie en de anderen van FSB Associates voor hun toewijding aan dit project. Aan Shawna Butler voor haar niet-aflatende hulp. Aan sterke vrouwen en stuwende krachten als Lenore Skenazy en Rachel Simmons, die altijd even de tijd nemen om in welke bewoordingen dan ook te zeggen: 'Je kunt dit.' Aan mijn uitgeverij, Rodale, aan de verkoop- en marketingafdeling en alle andere medewerkers die hebben bijgedragen aan de totstandkoming van dit boek, onder wie Yelena Nesbit, Nancy Bailey en Christopher De Marchis. Aan mijn briljante redacteur Jennifer Levesque, die me bij onze eerste kennismaking een hart onder de riem stak door te zeggen dat ik meer kon dan ik dacht. Aan literair agentschap Dunlow, Carson & Lerner en Amy Hughes, de beste literair agent ter wereld. Amy, bedankt dat je zag wat ik niet kon zien. Je hebt mijn droom vormgegeven en ik zal je altijd dankbaar zijn. Ik bedank ook de vele mensen die mijn iRules-contract hebben gelezen.

Aan mijn persoonlijke dorp

Leslie Santos, bedankt voor de tijd, de inzichten, de op- en aanmerkingen die je me vanaf het begin hebt gegeven. Bedankt dat je me op die regenachtige avond in maart, toen het idee voor *Smartwise opvoeden* geboren werd, in de ogen keek en de wijze woorden sprak: 'Janell, je moet er meer van jezelf in stoppen. Dat is wat we allemaal willen lezen.' Mijn dank gaat ook uit naar Guy en Jan van de Sandwich Recreation Department, die me een professioneel thuis boden terwijl ik mijn troepen verzamelde, en me de ruimte gaven om mijn vleugels uit te slaan. Naar mijn medewerkers van Oakcrest Cove, met name Tricia en Colleen, die alles draaiende hielden terwijl ik in twee werelden leefde. Naar de consulenten voor al hun 'veldonderzoek' en hun bereidheid om hun ervaringen met de nieuwe media met hun werkgever te delen. Jullie zijn bijzondere mensen. Naar de vrienden van Kellie die me een blik in hun leven hebben gegund. Naar alle jonge mensen die me hun verhalen hebben verteld en hun oprechte mening over het opgroeien met de nieuwe media met me hebben gedeeld; jullie hoeven alleen maar naar jezelf te luisteren om alle antwoorden te vinden. Naar de leerkrachten die me over hun professionele ervaringen met de moderne technologie hebben verteld en zelden de dank krijgen die ze verdienen. Naar Scott MacDonald, hoofdcommissaris van de politie van Orleans, Massachusetts, voor zijn deskundig advies. Naar Alicia Mathewson en Andrea Speck, voor onze sterke spirituele band. Naar Sounding Still Wellness voor de Rising Star-energiebehandelingen. Naar Lindsey May Photography. Naar Jas en Erica van Insite Creative voor mijn prachtige website. Naar de mensen die samen met me hardlopen en zweten; jullie zijn mijn strijdmakkers. Naar de talloze yogagroepen waarin ik me in alle standen heb gebogen en de krijger in mezelf heb losgelaten. Naar de lokale eetgelegenheden die me van brandstof voorzien met koffie en lekkere dingen: Coffee Roost, Momo's, Café Riverview en Café Chew. Naar de geweldige vrouwen van Cape Cod en alle gezinnen die met hun verhalen, vragen, opmerkingen en ideeën aan dit boek hebben bijgedragen. Naar de 'Sandwich Moms', die elke dag weer de spil van ons dorp vormen. Naar de medewerkers van de openbare bibliotheek van Sandwich, die geweldig zijn geweest vanaf de eerste keer dat ik er binnenstapte. Naar Dawn en Mary, die hun huizen en harten hebben opengesteld voor Cassidy. Aan mijn Canterbury Crew – Susan, Monika, Kathy, Katherine en Betsy. Jullie kinderen zijn mijn kinderen, bedankt dat ik op jullie mag leunen als dat nodig is. Naar Sally, voor haar hulp en vriendschap. Naar de familie Jordan, die als gezin een voorbeeld voor anderen is. Naar de mensen van Made By Survivors, die me aanmoedigden om te gaan schrijven en me als eersten de ruimte gaven om dat te doen. En naar de slachtoffers en voormalige slachtoffers van hedendaagse slavernij. Jullie hebben mijn hart geopend; jullie moed en optimisme zijn voor mij een lichtend voorbeeld. Ik draag ze elke dag met me mee.

Aan mijn dierbaarste dorp

Karen Diane, je bent zonder overdrijven de beste en bijzonderste vriendin ter wereld. Oom Jerry, bedankt voor je onvoorwaardelijke liefde en je schrijversbloed. Oma Mae, oma Reen en opa, jullie zitten voor altijd in mijn hart. Bob en Karen, dat ik bij jullie familie mag horen is een van de grootste geschenken van mijn leven. Ik hou van jullie. Pap, bedankt dat je me altijd hebt gestimuleerd om het vuur in mijn hart fel te laten branden. Lindsey en Kellie, ik hou onmetelijk veel van jullie. Jullie zijn mijn thuis. Aan alle vrouwen die ons zijn voorgegaan: ik voel jullie hand in de mijne, elke dag weer. Mam, ik heb dit allemaal aan jou te danken; het is een eer om jouw dochter te zijn. Gregory, Brendan, Ella, Lily en Cassidy, jullie zijn mijn leermeesters. Het woord 'liefde' is ontoereikend om uit te drukken wat ik voor jullie voel. Ik ben alleen voor jullie op deze aarde; jullie zijn mijn lotsbestemming. Adam, voor jou heb ik geen woorden. Ik kan je alleen mijn hart geven, en elke minuut van mijn bestaan. Je bent mijn vaste grond.

Bronnen

Campaign for a Commercial-Free Childhood, 'Help Us Stop the Deceptive Advertising of Baby Apps'.
http://www.commercialfreechildhood.org/action/help-us-stop-deceptive-advertising-baby-apps

Campaign for a Commercial-Free Childhood, 'Laps, Not Apps: One Down, One to Go'. Nieuwsbrief Campaign for a Commercial-Free Childhood, augustus 2013.
http://www.commercialfreechildhood.org/newsletter/august-2013

Centers for Disease Control and Prevention, 'Distracted Driving'.
http://www.cdc.gov/motorvehiclesafety/distracted_driving

DoSomething.org, '11 Facts About Cyberbullying'.
http://www.dosomething.org/tipsandtools/11-facts-about-cyber-bullying

Englander, E., 'Reducing Bullying and Cyberbullying', Massachusetts Aggression Reduction Center, Bridgewater State University, Bridgewater, Massachusetts.
http://www.eschoolnews.com/2010/09/24/reducing-bullyingand-cyberbullying/

Entertainment Software Rating Board, 'ESRB Ratings Guide'.
http://www.esrb.org/ratings/ratings_guide.jsp

Fujita, A. en Ng, C., 'Mom Has Son Sign 18-Point Agreement for iPhone', ABCNews.com, 30 december 2012.

http://abcnews.go.com/US/massachusetts-mom-son-sign-18-point-agree-ment-iphone/story?id=18094401

Gutnick, A.L., Robb, M., Takeuchi, L. en Kotler, J., 'Always Connected: The New Digital Media Habits of Young Children', New York: Joan Ganz Cooney Center (Sesame Workshop), 10 maart 2011.
http://www.joanganzcooneycenter.org/wp-content/uploads/2011/03/jgcc_alwaysconnected.pdf

MacDonald, S., persoonlijk interview, 10 augustus 2013.

Murphy Kelly, Samantha, 'Most Parents Monitor Kids on Facebook—And Have Their Passwords', Mashable.com, 13 january 2012.
http://mashable.com/2012/01/13/parents-monitoring-facebook

National Crime Prevention Council, 'What Is Cyberbullying?'
http://www.ncpc.org/topics/cyberbullying/what-is-cyberbullying

National Sleep Foundation, 'Annual Sleep in America Poll Exploring Connecti-ons with Communications Technology Use and Sleep', 7 maart 2011 (persbe-richt).
http://www.sleepfoundation.org/article/press-release/annual-sleep-ameri-ca-poll-exploringconnections-communications-technology-use-

Post Senning, C. en Post, P., 'Teen Manners: From Malls to Meals to Messaging and Beyond', New York: Collins, 2007.

Post Senning, D., 'Emily Post's Manners in a Digital World: Living Well Online', New York:
Open Road, 2013.

Skenazy, L., persoonlijk interview, 11 oktober 2013.

StopCyberbullying.org, 'What Is Cyberbullying, Exactly?'

http://stopcyberbullying.org/what_is_cyberbullying_exactly.html

Strasburger, V.C., 'American Academy of Pediatrics Policy Statement: Media Education', Pediatrics 126 (5): 1012–1017, 2010.
http://pediatrics.aappublications.org/content/126/5/1012.full

Register

Onderstreepte paginanummers verwijzen naar tekst in kaders